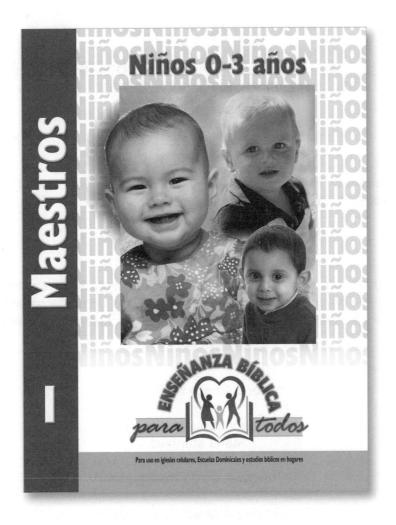

Niños 0-3 años

Maestros

I

ENSEÑANZA BÍBLICA
para **todos**

Para uso en iglesias celulares, Escuelas Dominicales y estudios bíblicos en hogares

1

52 Estudios de la Biblia
para maestros de niños de 0 a 3 años de edad

EDITORIAL MUNDO HISPANO

EDITORIAL MUNDO HISPANO

7000 Alabama Street, El Paso, Texas 79904, EE. UU. de A.

www.editorialmundohispano.org

Nuestra pasión: Comunicar el mensaje de Jesucristo y facilitar la formación de discípulos por medios impresos y electrónicos.

Autora: Peggy de Fonseca

Editores: Alicia y Rubén Zorzoli
Mario Martínez

Portada: Jorge Rodríquez

Diseño de páginas: Mario Martínez

Primera edición: 2006
Segunda edición: 2016

Clasificación Decimal Dewey: 268.432
Temas: 1. Biblia—Estudio
       2. Escuelas Dominicales—Currículos

ISBN: 978-0-311-11701-7
EMH Art. No. 11701

750 5 16

Impreso en Colombia
Printed in Colombia

Enseñanza bíblica para todos

Un currículo de enseñanza bíblica para uso en diversas oportunidades educativas de la iglesia: Escuela Dominical, iglesias célula, estudios bíblicos en hogares, etc.

Consta de las siguientes piezas:

11701 0-3 años Maestros
11702 4-5 años Maestros
11703 4-5 años Alumnos
11704 6-8 años Maestros
11705 6-8 años Alumnos
11706 9-12 años Maestros
11707 9-12 años Alumnos
11708 Jóvenes Alumnos
11709 El Expositor Bíblico Maestros
      Jóvenes y Adultos
11710 El Expositor Bíblico Alumnos Adultos

Ayudas Didácticas
11781 Ayudas didácticas 0-5 años
11791 Ayudas didácticas 6-12 años

También disponible en inglés
11741 6-8 Teacher
11742 6-8 Pupils
11743 9-12 Teacher
11744 9-12 Pupils
11745 Youth Pupils
11746 The Biblical Expositor Teachers
      Youth and Adults

11781

11791

PLAN DE LECCIONES

Unidad 1: Ser como Jesús es saber que así es mi cuerpo

Objetivo de la unidad: Que los alumnos sientan que son especiales porque tienen un cuerpo como el que tenía Jesús.

1: Jesús tenía una boca
2: Jesús tenía ojos
3: Jesús tenía oídos
4: Jesús tenía una nariz
5: Jesús tenía manos
6: Jesús tenía pies

Unidad 2: Ser como Jesús es tener una familia

Objetivo de la unidad: Que los alumnos sepan que sus familias los aman y los cuidan.

7: La familia de Jesús lo amó
8: La familia de Jesús lo cuidó
9: La familia de Jesús lo llevó al templo
10: La familia de Jesús lo protegió

Unidad 3: Ser como Jesús es sentirse feliz

Objetivo de la unidad: Que los alumnos se sientan felices porque tienen una familia

11: Jesús tenía un hogar
12: Jesús salió de viaje
13: Jesús estuvo en el templo
14: Jesús estaba con sus amigos
15: Jesús estaba feliz con su familia

Unidad 4: Ser como Jesús es saber que Dios hizo cosas lindas

Objetivo de la unidad: Que los alumnos sepan que Dios hizo todas las cosas.

16: Dios hizo las cosas que veo
17: Dios hizo las cosas que puedo oler
18: Dios hizo las cosas que toco
19: Dios hizo las cosas que como
20: Dios hizo las cosas que escucho

Unidad 5: Ser como Jesús es dar gracias a Dios

Objetivo de la unidad: Que los alumnos sientan gratitud a Dios por el cuidado que reciben, por su hogar, por la comida, por sus amigos, por los amigos que los aman y por su familia.

21: Rut cuidó de Noemí
22: Rut y Noemí vivían en una casa
23: Rut buscó comida
24: Boaz ayudó a Rut
25: Boaz amó a Rut
26: La familia de Boaz y Rut

Unidad 6: Ser como Jesús es ir al templo

Objetivo de la unidad: Que los alumnos sepan que que se sentirán contentos cuando estén en el templo.

27: Estoy con mis amigos en el templo
28: Mis maestros me aman
29: Veo la Biblia en el templo
30: Escucho las historias de la Biblia en el templo
31: Escucho cantos en el templo
32: Damos gracias a Dios en el templo
33: Me gusta estar en el templo

Unidad 7: Ser como Jesús es conocer de la Biblia

Objetivo de la unidad: Que los alumnos sepan que la Biblia es un libro especial porque nos cuenta acerca de Jesús y nos dice que Dios nos ama.

34: Timoteo y el libro especial
35: Timoteo y su Biblia
36: Timoteo aprendió de Jesús
37: Dios amó a Timoteo

Unidad 8: Ser como Jesús es aprender de él

Objetivo de la unidad: Que los alumnos sepan que Jesús es un nombre especial, que fue un bebé así como ellos, que tuvo una familia, creció y que ellos pueden aprender de él en la Biblia.

38: Un hombre especial
39: Jesús fue bebé
40: Jesús tenía una familia
41: Jesús crecía
42: La Biblia habla de Jesús

Unidad 9: Ser como Jesús es tener amigos

Objetivo de la unidad: Que los alumnos comprendan que amamos, compartimos, ayudamos y nos gusta estar con nuestros amigos.

43: Un amigo para David
44: Jonatán compartió con David
45: Jonatán ayudó a David
46: A David y a Jonatán les gustaba estar juntos

Unidad 10: Ser como Jesús es sentir gozo al escuchar que Jesús nació

Objetivo de la unidad: Que los alumnos sientan gozo al escuchar acerca del nacimiento de Jesús.

47: Los pastores estaban en el campo
48: Los pastores escucharon un mensaje
49: Los pastores buscaron al bebé
50: Los pastores encontraron a Jesús
51: Los ángeles cantaron cuando nació Jesús
52: María y José estaban felices porque nació Jesús

CARACTERÍSTICAS Y NECESIDADES DE LOS PREESCOLARES 0-3 AÑOS

Aunque no es necesario tener un título en sicología o educación para enseñar eficazmente a los preescolares, sí es necesario comprender un poquito acerca de lo que ellos pueden hacer, cómo piensan y por qué reaccionan como lo hacen. Exploremos la mente y vida de un niño pequeño para que usted pueda llegar a conocerlo un poco más.

Bebés de 0 - 5 meses
Aunque el bebé más pequeño duerme mucho, cuando está despierto es muy activo. Recuerde, la cuna es para que duerma.

Cuando está despierto debe estar fuera de la cuna, recibiendo estímulo.
Un bebé, a esta edad, puede sentir, probar, oler y oír, así que debe proveer actividades que estimulen sus sentidos.

Debido a que también disfruta cuando lo tiene en los brazos, debe proveer suficientes obreros para poder dar la atención individual que los niños a esta edad demandan.

Conforme comienzan a levantar la mano tratando de alcanzar objetos, debe proveer un ambiente seguro donde puedan explorar su mundo y ser estimulados por objetos interesantes.

Debe proveer juguetes y cuadros que puedan lavarse y limpiarse fácilmente, pues tocarán y probarán todo lo que esté a su alcance. Como están aprendiendo a darse vuelta y sentarse, necesitan que se les anime para ejercitar a estos músculos grandes.

Su visión se está "afinando", déjelos que se vean en el espejo, jueguen al "cucú", y asegúrese de que puedan ver su cara cuando les hable.

Bebés de 5 - 9 meses
Se asombrará de cuánto más activos son estos bebés.

Esto significa que el maestro de estos niños debe estar en constante movimiento para estimular a estos niños.

Buscan objetos que se han caído, dejan caer objetos a propósito, se aferran a los objetos, disfrutan golpeando objetos entre sí, comienzan a sentarse y hasta tratan de alcanzar objetos con una sola mano.

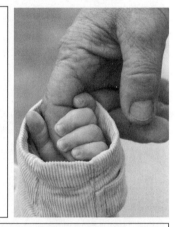

Porque ahora reconocen a los que lo cuidan, es importante que los maestros que le enseñan sean constantes. Si hay demasiada rotación de maestros es posible que los niños se angustien.

Dicen adiós agitando la mano, siguen instrucciones, ruedan una pelota, copian sus ademanes, garabatean con crayones, apilan bloques, rompen papel y aprenden dónde se guardan los juguetes. Disfrutarán ver un libro y voltear las páginas.

Bebés de 9 - 12 meses
Después de haber trabajado con los bebés menores, se sorprenderá de lo maduros que estos bebés parecen ser al comenzar a gatear y luego caminar.

Bebés de 9 - 12 meses
Estos niños necesitan un lugar espacioso y limpio en el cual se puedan mover libremente. Será importante seguir una rutina de la que el bebé pueda depender y sentirse más seguro. No espere que estos niños se sienten, escuchen y hagan actividades quietas. ¡Las historias y los cantos deben usarse espontáneamente cuando ellos muestren interés!

Ayudas generales para los bebés de 0-1 año

• Tenga cuidado de que el bebé no se aburra; mueva al bebé de una actividad a otra frecuentemente.
• Repita las actividades, pues los bebés necesitan practicar sus habilidades.
• Hábleles mucho a los bebés porque cuanto más les hable, más aprenden. (Asegúrese de usar frases cortitas que se relacionen con lo que el bebé está experimentando en ese momento). Necesitan tener esta interacción con los adultos.

Espiritualmente hablando, la cosa más importante que está sucediendo en sus vidas es que están aprendiendo a confiar en las personas y en Dios. Por esta razón, querrá proveer un ambiente totalmente seguro, dando atención a sus necesidades básicas en todos los niveles. Cante coritos, hable con una voz suave y aliméntelos.

Niños de 1-2 años

Para cuando el niño cumple un año, comienza a ser más independiente. Puede caminar y comenzar a expresar algunas de sus necesidades verbalmente. Durante este año, generalmente irá desde decir dos palabras hasta usar alrededor de 200 palabras. Puede comprender la mayoría de las cosas que usted le dice, si lo hace en forma sencilla y repetidamente.

Debido a que está creciendo tan rápidamente, es muy activo, se mantiene ocupado y es muy curioso. Necesita mucho lugar donde jugar y un ambiente muy seguro. También significa que no puede mantener la atención por períodos prolongados. No se ocupará en una cosa por demasiado tiempo. Usted debe estar listo para cambiar de actividad de un momento a otro.

Está añadiendo más habilidades físicas. Está aprendiendo a correr; hacer rodar y patear una pelota; pasearse en un juguete de ruedas; brincar en su lugar; empujar, jalar y cargar algo al mismo tiempo que camina; subir escaleras; balancearse en un pie; y moverse al ritmo de la música.

Comenzará a imitar a los adultos y sus acciones, así que muy pronto podrá alimentarse solo usando una cuchara; dar vuelta a las páginas de un libro; vestirse; cerrar cremalleras; tomar de un vaso; usar su nombre; copiar los quehaceres del hogar; pretender leer un libro y apuntar a las partes del cuerpo correctamente cuando alguien las nombra. Está creciendo socialmente y disfrutará estar con otros niños pequeños.

Disfrutará de jugar lado a lado con otros niños, no necesariamente jugar junto con ellos. No se olvide que es normal que los niños sean egocéntricos. Tienen que aprender quiénes son antes de poder aprender acerca de otros. Les encantará verse en un espejo y reconocerse en fotografías. Es natural que abracen y besen a las personas que conocen y quieren. A esta edad, pueden sentirse inquietos frente a "extraños", así es que nadie debe requerirles que sean abiertos con alguien que acaban de conocer.

Ayudas generales para los niños de 1-2 años

Léales y reláteles historias cortitas de la Biblia porque se gozarán de la interacción y comenzarán a aprender palabras de la Biblia.

Como comienzan a distinguir entre lo bueno y lo malo, deles la oportunidad de tomar sus propias decisiones: "¿Quieres el vaso rojo o el azul?". Asegúrese de establecer límites precisos y razonables acerca de lo que pueden o no pueden hacer. Es absolutamente esencial que usted sea totalmente consecuente. Ellos necesitan saber exactamente lo que usted espera de ellos.

Deles muchas oportunidades de usar los músculos grandes de los brazos y las piernas.

Anímelos a usar los músculos pequeños para manipular los objetos pequeños, tales como los rompecabezas y juguetes que se apilan.

Deles actividades que les permitan tocar, probar, oler, escuchar y ver cosas nuevas.

Use cantos sencillos acerca de Dios y Jesús que no tengan mucho vocabulario para que ellos también los puedan cantar.

Use mucha repetición para que puedan aprender los cantos y las palabras.
Repetir es clave en esta edad.

No olvide hacer oraciones espontáneas según se presenten los momentos en que les puede enseñar, porque estos niños adoran informal y constantemente.

Niños de 2-3 años de edad

Si ha estado trabajando con el grupo anterior, estos niños le parecerán muy maduros. Estos comienzan a perder sus costumbres de bebés. Están mucho más conscientes de sus sentimientos y pensamientos, y pueden ser mucho menos cooperativos. De hecho, una de las características de estos niños es la terquedad y los berrinches. Hasta el niño más dócil usa "no" como su palabra favorita. Eso se debe a que están tratando de establecer su propia personalidad, su propio sentido de independencia.

Esto requiere mucha autodisciplina, paciencia, sabiduría y amor de parte del maestro. No les gusta compartir o tomar turnos y se frustran fácilmente.

Por otro lado, son muy sensibles y necesitan una situación calmada donde saben qué va a suceder y qué es lo que se espera de ellos. Las personas altamente emocionales no son los mejores maestros para este grupo.

Debido a que el desarrollo en todas las áreas es tan rápido a esta edad, es muy difícil mantenerse al día con los cambios.

De solo unos cuantos cientos de palabras brincan a más de mil y hasta pueden formar oraciones de dos a cuatro palabras.

Ahora pueden comenzar a contar; nombrar cosas que les son familiares; participar en juegos digitales fácilmente; identificar y clasificar algunos colores; contestar preguntas sencillas y disfrutar mirando libros de cuadros por sí solos.

También exhiben un crecimiento notable en el uso de sus músculos pequeños. Disfrutarán haciendo garabatos y marcas que parecen letras. Disfrutarán las actividades que ejercitan sus pequeños dedos, como pintar con los dedos y jugar con plastilina.

Tienen la capacidad de colocar objetos pequeños en aberturas pequeñas. Los rompecabezas y las actividades donde tienen que igualar objetos son especialmente provechosos. Se les puede enseñar a usar las tijeras y a cortar con ellas.
Se dará cuenta de que el niño muestra una preferencia determinada para usar su mano derecha o izquierda. NUNCA debe interferir con esa preferencia.

Por supuesto, el evento más grande para la mayoría de los niños de esta edad es cuando dejan de usar pañales. Puede ser un tiempo excitante o frustrante, dependiendo de la madurez del niño. Es muy importante que siga las indicaciones de los padres en esto. Si ocurren accidentes, no debe llamar mucho la atención al hecho. Limpie y siga adelante.

Ayudas generales para los niños de 2-3 años

Lentamente debe ayudar a los niños de dos años a ser parte de un grupo haciendo que participe en grupos pequeños durante períodos breves.
Dé a estos niños varias opciones, dejando que, en lo posible, escojan sus actividades para evitar las confrontaciones.
Cambie de juguetes y actividades frecuentemente para que no se aburran o se pongan molestos. Asegúrese de que estos niños no tengan que esperar sin nada qué hacer. Tenga suficientes juguetes y actividades para que siempre esté sucediendo algo interesante.

Debido a que el vocabulario de estos niños está creciendo, pero piensan muy concretamente, evite usar términos complejos, ideas abstractas y oraciones largas. No hable acerca de que "Jesús es la luz del mundo". Eso no tiene sentido para ellos. Diga: "Jesús ayuda a las personas. Él hace cosas buenas". Eso es más concreto.

Cuando dé instrucciones, sea muy específico y positivo. En vez de "No tires los juguetes en el piso", diga "Guardemos los juguetes en la caja". Use oraciones cortas, hable despacio y dé una instrucción a la vez. Los niños pequeños tienen una memoria limitada.

Pueden recordar solo una instrucción a la vez, pero sí deles tareas que puedan hacer, porque necesitan sentir que han logrado algo.

Refuerce o recompense al niño cuando cumpla algo que usted le pidió, porque desea agradar y a veces escucha "no" tan seguido que se siente frustrado. Use oraciones como "Bien hecho. Me ayudaste cuando te lo pedí".

A estos niños les encanta escuchar historias, así que aproveche para relatarles historias bíblicas. Hágalas interesantes y divertidas, pero preséntelas tal como aparecen en la Biblia.

Debido a que estos niños comienzan a ser más verbales, anímelos a verbalizar sus oraciones, contestar preguntas acerca de Dios y hablar de su amigo Jesús. Necesitan el vocabulario y el desarrollo del concepto para un fundamento firme de su fe. Asegúrese de que haya pequeños "rituales" asociados con la oración, como juntar las manos y cerrar los ojos.

Debido a que apenas están descubriendo el mundo por primera vez, tienen un gran sentido de asombro y maravilla. Esto debe ser estimulado por medio de muchas actividades de la naturaleza y el asociar la naturaleza con nuestro maravilloso Dios.

CONSEJOS DE SEGURIDAD PARA ENSEÑAR A NIÑOS PEQUEÑOS

Nunca deje al niño solo.
Evite cualquier juguete que tenga piezas tan pequeñas que se puedan tragar. Es muy fácil que un niño se asfixie. Examine todos los juguetes para asegurarse de que no tengan piezas que se puedan arrancar y presenten un peligro.
Mantenga el salón seguro cubriendo las tomas eléctricas, cerrando la puerta del baño, colocando cerraduras de seguridad en las puertas, etc.
Compre juguetes que puedan lavarse y lave todos los juguetes con agua y jabón después de cada clase.

Evite las alfombras y tapetes sueltos y con arrugas con los que se puedan resbalar.
Asegúrese de lavarse las manos completamente después de cambiar pañales y limpiar narices.
La mejor manera de evitar propagar resfríos y enfermedades es lavándose las manos.

ENFRENTANDO PROBLEMAS COMUNES

El llanto

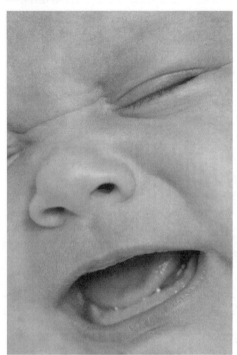

Si es un bebé el que está llorando, trate de averiguar *por qué*. Atienda las necesidades físicas del bebé (biberón, pañal, frío, calor, posición, etc.). Trate de hacer algo para aliviar la molestia. Sin embargo, muchas veces es difícil descubrir por qué llora. Si el bebé está bien y ha hecho todo lo posible por calmarlo, acepte sus lágrimas como una necesidad del momento y trate de no preocuparse. Tanto el bebé como usted sobrevivirán el llanto. Discuta esta situación de antemano con los padres. ¿Quieren que se les llame cuando el bebé está llorando? ¿Quieren que usted maneje la situación de la mejor manera posible?

Los bebés mayores frecuentemente lloran debido a la ansiedad que sienten por la separación. No menosprecie al bebé diciéndole que no llore. Eso no es justo. Reconozca sus temores (sé que extrañas a tu mamá, pero trataré de cuidarte bien) y trate de ofrecer consuelo meciéndolo, o conversando con él o abrazándolo. Recuerde, el niño no está tratando de volverlo loco. Está genuinamente lamentándose una seria pérdida. ¡Él no sabe o no comprende que su mamá regresará!

Berrinches

Los berrinches son comunes en los niños de dos años y generalmente son una indicación de que están abrumados: demasiado estímulo, tener que esperar demasiado por algo, dormir poco, etc. Si los adultos se dejan dominar, entonces el niño tendrá más y más berrinches.
La mejor manera de controlarlos es siendo firmes, pero amorosos. A saber, diga: "Sí, sé que estás enojado, pero no puedes salir del salón ahora mismo". No grite y permanezca calmado. Asegúrese de que el niño no se puede lastimar y luego dígale que cuando él termine, usted estará listo para jugar nuevamente. Cuando se haya calmado, ofrézcale un vaso de agua, pero evite ofrecerle demasiado consuelo como premio por su conducta.

Egoísmo

Todos sabemos que a los niños no les gusta compartir, pero es importante darse cuenta de que eso es normal y hasta saludable. Toma tiempo para que el niño aprenda a jugar con otros y comprenda que ellos tienen sentimientos y derechos. Hasta los tres años, el niño tiene que aprender a ser respetado antes de respetar a otros.

A esta edad es pérdida de tiempo intervenir cuando un niño arrebata un juguete. La mayor parte del tiempo resolverán el problema entre sí mismos. Provea varios juguetes populares para evitar los pleitos. Usted sólo debe intervenir en casos cuando alguien es agresivo o amenazador. Trate de premiar la generosidad y modelarla usted mismo; poco a poco aprenderán a cooperar.

Mientras Juan espera, asegúrese de que él tenga otra cosa que hacer. Cuando María ceda los bloques, elógiela.

Enseñe a los niños cómo pedir su turno. Provea las palabras como: "María, quiero jugar con los bloques. ¿Me permites jugar con ellos?". Luego puede repetir la petición: "María, Juan también quiere jugar con los bloques. Cuando tú termines, ¿le permites jugar con ellos?".

Agresión

Puede evitar la agresión separando a los niños mayores de los menores, al igual que evitando el amontonamiento.

Cuide que el grupo pequeño se mantenga con por lo menos dos adultos para que puedan estar al tanto de todo.

Trate de anticipar el comportamiento, distrayendo, desviando, separando y redirigiendo a los niños antes de que comiencen a pegar y morder.

Si tiene un niño que muerde o pega constantemente, pida a un adulto que permanezca con él todo el tiempo (sin que el niño sepa que se debe a su agresión). Si puede prevenir la agresión durante un par de semanas, entonces el niño desaprenderá el comportamiento.

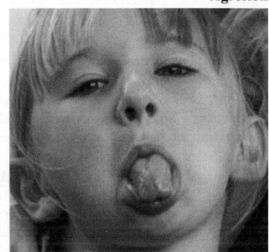

Cuando un niño es mordido, intervenga inmediatamente curando la herida. Consuele al niño. Diga al que mordió en un tono serio y firme: "No muerdas. Eso duele".

Asegúrese de conversar acerca de este comportamiento con los padres; tanto con los del niño que fue mordido como con los del niño que mordió.

La ansiedad de la separación

Antes de que los padres dejen al niño con extraños en un salón extraño, sería bueno tener un "ensayo". Eso es, que el padre camine alrededor del salón con el niño y observen el salón. A la mejor el padre tendrá que quedarse durante toda la sesión.

Luego, gradualmente el padre puede ausentarse por períodos cortos y regresar. El período durante el cual se ausenta el padre, puede alargarse poco a poco.

Algunas veces se les recomienda a los padres que distraigan a sus hijos y luego se salgan cuando el niño no se dé cuenta. Sin embargo, este método puede causar desconfianza y hasta más temor al niño. Es mejor dejar que el padre se quede hasta que él y el niño se sientan cómodos.Ocasionalmente, algunos padres pueden querer que el niño llore con el fin de asegurarse de que el bebé en realidad los ama y los extraña.

Cuando eso suceda, asegure a los padres que su niño los ama y los extraña, pero que es importante que él aprenda a jugar independientemente. Anime a los padres a quedarse un ratito y que regresen más tarde si están preocupados por el niño. Asegure a los padres de que usted no va a dejar al niño llorando miserablemente. Lleguen a un acuerdo de cuándo va a avisar a los padres si su hijo realmente se vuelve inconsolable. Siempre provea una actividad de apertura interesante que llame la atención del niño. Siga cierta rutina para la hora de llegada para que el niño se sienta seguro.

Caprichos

Para cuando el niño cumple 18 meses, ha aprendido a decir "no" y a menudo es su palabra favorita. Esto se debe a que es la palabra que escuchan más frecuentemente. Haga todo lo posible para evitar dar al niño la oportunidad de decir no. En vez de preguntar: "¿Quieres escuchar la historia?", dele opciones: "¿Quieres escuchar la historia o quieres jugar con los bloques?".

Trate de dar al niño la impresión de que él está haciendo algo por su propia voluntad. Por ejemplo, pregúntele: "¿Crees que es posible cubrir este papel con pintura? Me pregunto si lo puedes hacer". Ha retado al niño y él tiene que "mostrarle" que puede hacerlo.

No deje que lo manipulen, peleando o gritando. Debe ser firme y dejar por sentado que usted es el adulto. Una vez que el niño sepa que tiene "poder" sobre usted, será muy difícil evitar que lo manipule constantemente. Deje que el niño haga las cosas por sí solo. Puede requerir mucha paciencia permitir que el niño se ponga los calcetines, limpie lo que se ha derramado o guarde los juguetes, pero cuanto más permite que el niño haga, más independiente se sentirá y, por lo tanto, cooperará más.

RELACIONÁNDOSE CON LOS PADRES

El establecer una relación de buena comunicación y confianza debe ser una prioridad en su trabajo con los bebés y niños de tres años, ya que son tan vulnerables. Los padres a menudo están ocupados o estresados, así es que debe ministrarlos a ellos al igual que a los niños. He aquí algunas sugerencias:

Planee un tiempo para conocer a los padres fuera del tiempo de la clase. Planee una reunión para padres alguna tarde, para que ellos puedan conocerse unos a otros y conversar sobre sus preocupaciones.

Visite cada hogar por lo menos una vez al año. Puede ser para el cumpleaños del niño, o sin que haya una ocasión en particular. Esto le dará la oportunidad de conocer de cerca el mundo del niño, y ayudará a los padres a sentirse más cómodos con usted como persona.

Comparta eventos importantes con los padres. Por ejemplo, cuando un niño ora o aprende un canto, dígalo a los padres. Dígales cada semana cómo se está desarrollando el niño. Puede preparar una nota o hablar con ellos personalmente. Si el niño hace o dice algo que es particularmente memorable, asegúrese de compartir eso.

Asegúrese de que los padres se sientan bienvenidos. En tiempos pasados se hacía un esfuerzo por excluir totalmente a los padres. Si bien el salón estará repleto y ruidoso si están presentes los padres cada semana, puede invitarlos a ayudar como voluntarios y permitirles observar lo que está sucediendo, para que sepan que usted no tiene nada que esconder.

Que esté claro que en su salón usted se preocupa por la higiene y los métodos de enseñanza. Informe a los padres de los temas y actividades de aprendizaje para que no crean que sólo los está "cuidando".

Ofrezca reuniones para padres, invitando a educadores o profesionales de la salud que puedan ayudar/educar a los padres a manejar áreas problemáticas en la crianza de sus niños.

Ore con los padres y dígales que está orando por ellos al enfrentar situaciones difíciles en sus vidas. Anímelos a orar con y por sus niños también.

Niños de 0 a 1 año

52 estudios

Jesús tenía una boca

0, 1 años

Objetivo de la lección: Que los alumnos sepan que tienen una boca como la que tenía Jesús.

UNIDAD 1
SER COMO JESÚS ES SABER QUE ASÍ ES MI CUERPO
Objetivo de la unidad: Que los alumnos sientan que son especiales porque tienen un cuerpo como el que tenía Jesús.

Pensamiento bíblico de la unidad:
"Dios me hizo". Salmo 100:3

Base bíblica: "Dios... tus manos me hicieron". Salmo 119:73

Preparación de materiales

• Coloque la lámina de la unidad en la puerta. (Ver Ayudas Didácticas).

• Asegúrese de tener una cantidad adecuada de chupadores, toallitas, sonajeros y esponjas desinfectados para cada niño. Estos materiales deben ser lo suficientemente grandes para que el niño los ponga en su boca sin que se los pueda tragar, y no deben ser quebradizos. Asegúrese de que no tengan orillas afiladas y no sean tóxicos.

• Tenga un espejo pequeño para que los niños puedan ver su boca.

• Provea una solución para hacer burbujas o prepare la suya con jabón diluido y glicerina.

• Use una varita plástica para hacer burbujas o confeccione una con un pedazo pequeño de alambre.

• Pedazos pequeñitos de varios alimentos para probar la textura y el sabor (plátano, durazno, frijoles, queso, galleta salada, etc.).

• Provea un muñeco en que se distingan bien sus rasgos faciales.

1 Bienvenida

Cuando llegue cada niño, hable con él de tal modo que pueda ver su cara claramente. Dígale lo feliz que está de que ya ha llegado. Muéstrele su cara en el espejo. Señale su boca, y dígale lo maravilloso que es que Dios le dio una boca. Muéstrele la lámina de la unidad y diga: "Jesús tenía una boca y tú también".

2 Conversación y oración

(Use estas frases para conversar en los tiempos apropiados durante las actividades).
• Jesús hacía sonidos igual que tú.
• Jesús sonreía.
• Jesús podía besar a su mamita también.
• Jesús podía mover su boca.
• Gracias, Jesús, porque (nombre del bebé) tiene una boca para (masticar, morder, hablar, sonreír, hacer burbujas, etc.).

3 Cantos

Use la primera estrofa del canto: "Dios me hizo" (núm. 39 del *Cancionero para preescolares 1*) mientras los niños participan en las actividades.

4 Actividades

• Poner juguetes en la boca: Ya que a los niños de esta edad les encanta ponerse todo en la boca, no deberá ser muy difícil animarles a jugar con los chupadores, toallitas, esponjas y/o sonajeros, poniéndolos en sus manos.

• Hacer burbujas: Muestre a los niños más grandecitos cómo hacer burbujas con sus bocas y permita que ellos las soplen. Usted debe mantener en su mano la solución y la varita para hacer burbujas.

• Hacer muecas. Use su boca para hacer muecas graciosas/felices (tenga cuidado de no hacer expresiones que los asusten), animando a los niños a imitarle con sus bocas. Muéstreles su cara en el espejo.

• Probar los alimentos: Para los niños que ya están comiendo alimentos sólidos, permítales probar diferentes comidas (siempre pregunte a sus padres de antemano si son alérgicos a algunas comidas).

• Mostrar el muñeco al bebé: Señale la boca del muñeco. Toque su propia boca. Tome la mano del bebé y toque la boca del muñeco y luego la boca del bebé. Al hacerlo, dígale: "Esta es mi boca".

Jesús tenía ojos

0, 1 años

Objetivo de la lección: Que los alumnos sepan que tienen ojos como los que tenía Jesús.

UNIDAD 1
SER COMO JESÚS ES SABER QUE ASÍ ES MI CUERPO

Objetivo de la unidad: Que los alumnos sientan que son especiales porque tienen un cuerpo como el que tenía Jesús.

Pensamiento bíblico de la unidad:
"Dios me hizo". Salmo 100:3

Base bíblica: "Dios... tus manos me hicieron". Salmo 119:73

Preparación de materiales
- Póngase hoy un vestido de colores alegres. Póngase una flor en el cabello o use un cinto con una hebilla brillante.
- Lleve un juguete ruidoso, como llaves o un collar de cuentas, un sonajero o un juguete que haga un sonido al apretarlo.
- Si no tiene un móvil en las cunas, confeccione uno atando un cordón en los lados de la cuna y colocando objetos de diferentes colores en el cordón. Siempre tenga cuidado de que los juguetes estén bien sujetos y fuera del alcance del bebé.
- Provea objetos que sean visualmente estimulantes para que los niños jueguen con ellos, como: molinillos, pañuelos de color, pelotas de esponja de color, serpentinas de plástico, cartones cuadrados de varios colores, etc.
- Linterna.
- Coloque cuadrados de celofán de color en las ventanas.

1 Bienvenida

Conforme vayan llegando los niños, diga: "Qué gusto me da VER a (*nombre del niño*). ¿Me puedes ver (*nombre del niño*)?". Señale sus ojos y los del niño cuando mencione la palabra ver. Señale la lámina en la puerta y exclame: "Jesús tenía ojos como los tuyos". Pregunte: "¿Ves algo diferente en mí hoy? (*Señale la flor en su cabello o la hebilla brillante del cinto*). ¡Sí, tienes ojos como los de Jesús! Fíjate en sus ojos en la lámina. ¡Observa tus ojos también!".

2 Conversación y oración

Sin ser artificial, trate de incluir estas frases en su conversación mientras los niños juegan:
- Puedo ver muchas cosas hermosas.
- Jesús vio muchas cosas con sus ojos.
- ¡Qué bueno que puedo ver!
- Gracias, Jesús, por mis ojos.

3 Cantos

Mientras los niños juegan, cante espontáneamente estos cantos con ellos, usando la mímica cuando sea apropiado: "Dos ojitos" (núm. 32 del *Cancionero para preescolares 1*), "Dios me hizo", segunda estrofa (núm. 39 del *Cancionero para preescolares 1*).

4 Actividades

- **Estímulo visual:** Use el juguete ruidoso para atraer la atención de los bebés. Póngalo cerca de sus ojos cuando él/ella se fije en el objeto; muévalo de lado a lado dentro de su línea de visión para que el bebé siga el objeto.
- **"¿Dónde está la maestra?":** Juegue con los bebés cubriendo y destapando sus ojos. Para los niños mayores, esconda algunos objetos debajo de una toalla y rápidamente descúbralos, preguntando: "¿Puedes ver (*nombre el objeto*)?".
- **Objetos brillantes:** Para los bebés más pequeños, llame su atención al móvil en la cuna. Para los bebés mayores, señale objetos brillantes alrededor del salón, explicándoles lo que están viendo. Permítales jugar con estos objetos.
- **Linterna:** Encienda y apague las luces en el salón y pretenda sorprenderse. Al dirigir la luz de la linterna a la pared, pida a los niños que se fijen en la luz. Permítales pararse frente del rayo de luz. Ilumine la luz en sus cuerpos (tenga cuidado de no iluminarla en sus ojos) y permítales jugar en la "luz" que pueden ver.
- **Ventanas teñidas:** Lleve a los niños a la ventana y permítales ver a través del celofán. Si está brillando el sol, señale los diseños de color en el piso o la pared.

Estudio 3

Jesús tenía oídos

Objetivo de la lección: Que los alumnos sepan que tienen oídos y que pueden oír como lo hacía Jesús.

UNIDAD 1
SER COMO JESÚS ES SABER QUE ASÍ ES MI CUERPO

Objetivo de la unidad: Que los alumnos sientan que son especiales porque tienen un cuerpo como el que tenía Jesús.

Pensamiento bíblico de la unidad:
"Dios me hizo". Salmo 100:3

Base bíblica: "Dios... tus manos me hicieron". Salmo 119:73

Preparación de materiales
- Use un casete, disco compacto o tocadiscos para tocar una música quieta y que los niños conozcan.
- Coloque piedritas, campanas u otros objetos ruidosos en un bote de café u otro tipo de recipiente metálico. Sujete la tapa con pegamento o cinta adhesiva para que los niños no puedan abrirlo.
- Cascabeles (u otro material que haga ruido cuando se mueva) que puedan ser colocados en los zapatos del bebé. Cascabeles que puedan atarse a cintas elásticas para poner en las muñecas de los niños.
- Cucharas de madera, sartenes y ollas viejas con o sin tapa.
- Periódicos, papel celofán y otro tipo de papel que haga ruido cuando se arruga.

1 Bienvenida

Ponga la música suave mientras los niños llegan. Al recibir individualmente a cada niño, pregúnteles si pueden escuchar la música.

Cántele el canto al niño y luego dígale que hoy van a usar los oídos para escuchar muchas cosas hermosas. Señale a los oídos en la lámina, recordándoles que igual que Jesús, ellos también tienen oídos.

2 Conversación y oración

Busque los momentos propicios para insertar estas frases en su conversación:
- Creo que Jesús también se ponía contento cuando escuchaba una linda música.
- Jesús trabajaba con la madera y hacía mucho ruido.
- ¡Qué bueno que pueden oír tantos sonidos diferentes!
- Gracias, Jesús, porque (*nombre del niño*) puede oír.
- Dios nos dio oídos para oír.
- Oímos con nuestros oídos.

3 Cantos

Use la primera estrofa del canto: "Dios me hizo" (núm. 39 del *Cancionero para preescolares 1*) mientras los niños participan en las actividades.

4 Actividades

- Hacer ruido: Ponga los sonajeros en las manos de los bebés, animándolos a sacudirlos y comentando acerca de los sonidos que escuchan. Para los bebés mayores, déles las cucharas y ollas para que toquen en ellas. Anime a los niños sonriéndoles y aplaudiéndoles. Pida a los niños que hagan estos sonidos. Refuerce la enseñanza usando la palabra apropiada para el sonido que están haciendo (como "pum, pum", "clap, clap", etc.).
- Sonar los cascabeles: Ate cascabeles pequeños a los zapatos del bebé y ayúdelos a mover los pies y experimentar la sorpresa de ese sonido. Ponga las cintas elásticas en las muñecas de los niños mayores y, al tocar la música, permítales sonar los cascabeles al ritmo de la música.
- ¿Qué escuchas?: Ruede el bote en el piso y pregunte a los niños: "¿Qué oyen?". Deje que agarren el bote y lo rueden hacia donde está usted.
- Arrugar papeles: Permita que también arruguen los papeles. Arroje los papeles detrás de los niños y vea si pueden escuchar dónde caen, animándoles a ir por ellos.
- Diferentes clases de voces: Hable a los niños con una voz alta, baja, fuerte y suave (nunca use una voz que los pueda sobresaltar o asustar).

Jesús tenía una nariz

Objetivo de la lección: Que los alumnos sepan que tienen una nariz que pueden usar para oler, igual que Jesús.

0, 1 años

UNIDAD 1
SER COMO JESÚS ES SABER QUE ASÍ ES MI CUERPO

Objetivo de la unidad: Que los alumnos sientan que son especiales porque tienen un cuerpo como el que tenía Jesús.

Pensamiento bíblico de la unidad:
"Dios me hizo". Salmo 100:3

Base bíblica: "Dios... tus manos me hicieron". Salmo 119:73

Preparación de materiales
- Tenga un muñeco en el que se distinguen bien las facciones de la cara, especialmente la nariz.
- Coloque bolas de algodón rociadas con especias (canela, clavo, menta, vainilla) en botellas vacías de plástico. Agujeree la tapa.
- Lleve varios tipos de frutas que los niños puedan tocar y probar.
- Prepare un móvil que puedan oler los bebés. Recorte diversas formas (círculos, cuadrados, etc.) de tela, dos de cada una, y cósalas juntas, dejando una abertura en la parte superior. Coloque el algodón rociado con aromas dentro de las formas. Cuelgue dos o tres de estas en la cuna.
- Un pequeño recipiente de agua, extracto de menta y unas camisas viejas para proteger la ropa de los niños. Juguetes como embudos, tazas y cucharas de plástico con los que puedan jugar.

1 Bienvenida

Tenga el muñeco en la mano cuando lleguen los niños. Señale la nariz del muñeco y diga: "El muñeco tiene una nariz y también la tiene (*nombre del niño*). ¿Qué crees que puede oler con la nariz?". Vea si pueden encontrar la nariz en la lámina, pero si no, muéstresela usted. Al acompañar al niño al salón, trate de identificar los diferentes aromas.

2 Conversación y oración

Al guiar a los niños en las actividades, procure escoger momentos apropiados para conversar y orar con ellos.
- ¡Qué bonita nariz tienes! La usas para oler.
- Podemos oler cosas agradables en el salón.
- Jesús olió muchas cosas con su nariz.
- Jesús también tenía una nariz.
- Todos usan la nariz para oler.
- Gracias, Jesús, por nuestra nariz.

3 Cantos

Use la primera estrofa del canto: "Dios me hizo" (núm. 39 del *Cancionero para preescolares, 1*) mientras los niños participan en las actividades.

4 Actividades

- Botellas con aromas: Oler las botellas y comentar: "¡Qué bien huelen!". Permita que los niños las huelan también.
- Oler frutas: Deje que los niños toquen las frutas, animándolos a olerlas. Deje que las prueben, si ya están comiendo comidas sólidas y no tienen alergias a las comidas.
- Móvil: Cuelgue el móvil de tal forma que los bebés puedan tocarlo con los pies. Hable al bebé acerca de lo que él/ella huele al tocar las formas.
- Jugar con el agua: Después de ponerles a los niños las camisas viejas para proteger su ropa, permítales jugar con el agua perfumada, hablándoles de cómo huele. (ADVERTENCIA: los bebés se pueden ahogar en una cucharadita de agua, así es que debe supervisar muy de cerca esta actividad. ¡Nunca deje a los niños solos ni por un instante!).
- Aromas en el aire: Camine alrededor del salón o del templo o por afuera, si es posible. Arrugue la nariz y respire profundamente, comentando acerca de la diferentes cosas que huele (como la lluvia en el aire, la comida en la cocina, las flores, el talco del bebé, etc.).

Estudio 5 Jesús tenía manos

0, 1 años

Objetivo de la lección: Que los alumnos sepan que tienen manos con las que pueden jugar y trabajar como lo hizo Jesús.

UNIDAD 1
SER COMO JESÚS ES SABER QUE ASÍ ES MI CUERPO
Objetivo de la unidad: Que los alumnos sientan que son especiales porque tienen un cuerpo como el que tenía Jesús.

Pensamiento bíblico de la unidad:
"Dios me hizo". Salmo 100:3

Base bíblica: "Dios... tus manos me hicieron". Salmo 119:73

Preparación de materiales
- Provea tazas de medir para que los niños las usen para apilar. Use las medidas de 1 taza, ½ taza y ¼ de taza.
- Tenga ollas irrompibles con tapa para que los niños jueguen con ellas.
- Tenga a la mano un recipiente con tapa de plástico. Haga un agujero en la tapa lo suficientemente grande para que los niños puedan meter juguetes pequeños. Provea juguetes pequeños para los niños. Los juguetes no deben ser tan pequeños que los niños puedan tragarlos y asfixiarse.
- Objetos como una pañoleta de seda, juguetes de plástico, sonajeros que los niños puedan sujetar.

1 Bienvenida

Traiga puesto un collar largo con una cuenta grande. Cuando reciba a un niño, muéstrele cómo la cuenta se mueve de lado a lado en el collar. (¡Asegúrese de que el collar sea resistente!). Permítales jugar con la cuenta mientras les dice que hoy van a usar sus manos para hacer muchas cosas divertidas. Cuente sus dedos y examine sus manos cuidadosamente. Tome la mano del niño y señale a las manos en la lámina en la puerta.

2 Conversación y oración

- ¡Qué maravilloso! Tienes 10 dedos, igual que Jesús.
- Jesús usó sus manos para trabajar con la madera.
- Tus manos son muy fuertes. Jesús tenía manos fuertes.
- Me gusta cómo trabajas con tus manos.
- Jesús nos ayuda a trabajar con nuestras manos.
- Me alegro de que puedas usar tus manos para sostener las cosas. Gracias, Jesús.

3 Cantos

Cante: "Mi cuerpo" (núm. 27 del *Cancionero para preescolares 1*) con mímica; y la tercera estrofa de "Dios me hizo" (núm. 39 del *Cancionero para preescolares 1*) mientras el niño juega.

4 Actividades

- Palpando texturas: Guíe a los niños a palpar las diferentes texturas que hay en el salón, el pasillo y quizá afuera. Enfatice cómo se sienten estas texturas en las manos del niño. Muestre el contraste del piso, el colchón (de la cuna), el lavabo frío y duro, una pañoleta de seda, etc.
- Apilar tazas: Muestre a los niños cómo separar las tazas y luego cómo ponerlas juntas de nuevo, comenzando con la medida de ½ taza dentro de la de 1 taza y metiendo la de ¼ de taza dentro de la de ½.
- Ollas y sartenes: Muestre a los niños cómo quitar las tapas de las ollas. Quite todas las tapas. Luego muéstreles cómo volver a ponerlas. Cuando todas las tapas estén puestas, vuélvalas a quitar y poner.
- Colocar juguetes en el bote: Ponga el bote en el suelo con los juguetes pequeños enfrente de usted. Muestre a los niños cómo empujar los objetos por el agujero. Cuando todos los juguetes estén adentro, muéstreles cómo quitar la tapa y sacar los juguetes, uno a la vez. Repita el proceso.
- Colocar una pañoleta de seda en las manos del bebé y muy suavemente moverla por la palma de la mano. Anímelos a cerrar la mano. Luego coloque otros objetos en las manos del bebé. Asegúrese de quitar los juguetes del alcance de los bebés una vez que hayan terminado de jugar.

Estudio 6 Jesús tenía pies

Objetivo de la lección: Que los alumnos sepan que tienen pies que pueden usar como lo hizo Jesús.

0, 1 años

UNIDAD 1
SER COMO JESÚS ES SABER QUE ASÍ ES MI CUERPO

Objetivo de la unidad: Que los alumnos sientan que son especiales porque tienen un cuerpo como el que tenía Jesús.

Pensamiento bíblico de la unidad:
"Dios me hizo". Salmo 100:3

Base bíblica: "Dios... tus manos me hicieron". Salmo 119:73

Preparación de materiales
- Objetos blandos y suaves, como una pluma, animales de peluche y telas aterciopeladas.
- Toque música rítmica usando un casete o disco compacto.
- Una pelota muy suave que los niños puedan patear.
- Calcetines de color que los niños puedan usar. Puede coserle borlas o telas de color en los calcetines para atraer la atención de los niños.

1 Bienvenida

Quítese los zapatos y póngase calcetines muy coloridos (o chancletas) que llamen la atención a sus pies. Cuando lleguen los niños, señale a sus pies, diciendo: "Miren mis pies. ¿Son coloridos? ¡Qué bueno que tengo pies con que caminar!". Toque los pies del niño y diga: "Tú tienes dos pies. Hoy vamos a hablar de nuestros pies. ¿Puedes encontrar los pies en la lámina? ¡Jesús tenía pies así como tú!".

2 Conversación y oración

Busque oportunidades, al jugar con los niños, para usar estas frases y oraciones en su conversación.
- Tú tienes diez dedos en tus pies. Jesús también tenía diez dedos.
- Yo tengo dos pies. Tú tienes dos pies. Jesús tenía dos pies.
- Tú usas tus pies para caminar. Jesús caminó con los pies.
- Puedes golpear el suelo con los pies.
- Dios hizo tus pies.
- Jesús usó sus pies para ir a muchos lugares.
- Me alegro de que Dios hizo mis pies.

3 Cantos

Enseñe a los niños la última estrofa de "Dios me hizo" (núm. 39 del *Cancionero para preescolares 1*) y cante con ellos.

4 Actividades

- Hacerles cosquillas en los dedos del pie: Muy suavemente toque o haga cosquillas en los pies y dedos del niño con sus manos, una pluma, un animal de peluche suavecito y una tela aterciopelada. Tenga cuidado de no excitar demasiado a los niños.
- Contar los dedos: Quite los zapatos y calcetines de los niños y toque cada dedo, contando cada uno. Suavemente mueva los dedos al contarlos.
- Jugar con el pie: Coloque al niño en su regazo, o a los más grandes en el piso, con sus pies enfrente de usted. Frote sus pies. Júntelos. Procure ver si pueden tocar su barbilla o nariz con los pies. Mueva sus pies de un lado a otro.
- Movimientos rítmicos: Al tocar la música, guíe a los niños a golpear sus pies en el suelo, o moverlos para atrás y para adelante al ritmo de la música.
- Bicicleta: Acueste al bebé en una alfombra suave y mueva sus piernas como si estuviera en una bicicleta. Coloque sus manos en la planta de sus pies y anime al niño a empujar sus manos.
- Patear una pelota: Muestre a los niños cómo patear una pelota suave con los pies y divertirse al mismo tiempo.
- Ponga calcetines de colores en los pies del niño, al hacer algunas de sus actividades.

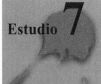

La familia de Jesús lo amó

0, 1 años

Objetivo de la lección: Que los alumnos sepan que sus familias los aman así como la familia de Jesús lo amó a él.

UNIDAD 2
SER COMO JESÚS ES TENER UNA FAMILIA
Objetivo de la unidad: Que los alumnos sepan que sus familias los aman y los cuidan.

Pensamiento bíblico de la unidad:
"La familia de Jesús lo amó y lo cuidó".
Lucas 2:7

Base bíblica: Lucas 2:7

Preparación de materiales
- Hable con las familias de los niños de antemano para que le presten, si es posible, una o dos fotos de sus hijos donde estén junto con la familia. Use estas fotos para preparar un cartel sobre "Nuestra querida familia". Cubra el cartel con plástico transparente para proteger las fotos. Coloque el cartel a la altura de los ojos de los niños.
- Si tiene libros que hablen de la familia, póngalos al alcance de los niños. Confeccione sus propios libros, si fuere necesario. Para hacerlo, busque figuras de familias en revistas, publicidad y periódicos. Péguelas en una cartulina o en un cartoncillo. Cubra cada hoja con plástico. Haga dos perforaciones en las hojas y asegúrelas con listón. (O puede usar un álbum de fotos). No hay necesidad de poner leyendas en las hojas; puede inventar una historia conforme les muestra los cuadros.
- Provea un muñeco bebé y una pequeña cobija. Si tiene varios niños querrá tener un muñeco para cada uno.
- Recorte caras de mamás, papás y bebés, y colóquelas en cartoncillo de color cortado en diferentes formas (círculos, cuadros, etc.). Haga una perforación en cada forma y póngale un listón. Cuélguelas de una varilla y colóquelas sobre la cuna.

1 Bienvenida

Reciba a cada niño dándole un fuerte abrazo, llamándolo por su nombre y diciendo: "Te amo. Tu familia también te ama. La familia de Jesús también lo amaba a él". Muéstreles una lámina de María, José y el bebé Jesús. (Ver Ayudas Didácticas).

2 Conversación y oración

(Debido a que estos niños son demasiado pequeños para escuchar una larga historia, use estas frases y pequeñas oraciones para comunicar la idea básica de la lección de hoy).
- Dios te dio una familia.
- Cuando nació Jesús, su mamá y papá lo cuidaron.
- La madre de Jesús era María. Su padre era José. Ellos amaban a Jesús.
- Tu familia te ama a ti. Yo también te amo.
- Tu familia es especial, así como la familia de Jesús.
- Demos "gracias" por la familia.

3 Cantos

Incluya estos cantos mientras los niños juegan y usted habla con ellos: "Yo amo" (núm. 35 del *Cancionero para preescolares 1*), "En mi familia" (núm. 29 del *Cancionero para preescolares 2*).

4 Actividades

- Cartel sobre la familia: Muestre el cartel a cada niño y ayúdelo a encontrar a su familia. Diga el nombre de cada miembro de la familia. Dé énfasis al hecho de que es amado(a) por su familia.
- Arte familiar: Coloque un papel grande en blanco en el piso (en un lugar donde no se arruine el piso en caso de que se hagan marcas fuera del papel). Asegure el papel al piso con cinta adhesiva. Entregue un crayón grueso a cada niño. Haga usted una marca en el papel y diga: "Esta es mi familia. ¿Puedes tú dibujar a tu familia que te ama?". Puede que otros niños quieran participar en el dibujo. Sin embargo, si el niño se pone el crayón en la boca, enséñele que el crayón es para pintar. Si el niño insiste en hacerlo, será mejor quitárselo.
- Libros sobre la familia: Si un niño muestra interés en los libros, invítelo a mirar con usted uno de los libros sobre la familia. Hable sobre la familia y cómo él/ella es amado(a) por su familia, de la misma forma como Jesús fue amado por su familia.
- Muñeco: Muestre a los niños cómo envolver al bebé en la cobija y explíquele que la mamá de Jesús lo envolvió en una cobija porque lo amaba. Arrulle al muñeco suavemente, animando a los niños a hacerlo también mientras se canta suavemente una canción de cuna.
- Móvil sobre la familia: Si el bebé ya se fija en las caras, háblele acerca de la mamá, el papá y el bebé.

Estudio 8

La familia de Jesús lo cuidó

Objetivo de la lección: Que los alumnos sepan que la familia de Jesús lo cuidó.

0, 1 años

UNIDAD 2
SER COMO JESÚS ES TENER UNA FAMILIA
Objetivo de la unidad: Que los alumnos sepan que sus familias los aman y los cuidan.

Pensamiento bíblico de la unidad:
"La familia de Jesús lo amó y lo cuidó".
Lucas 2:7

Base bíblica: Lucas 2:7

Preparación de materiales
- Prepare unos trajes muy sencillos para muñecas haciendo un agujero a trozos de telas para que puedan meterlos sobre la cabeza de las muñecas. Provea un recipiente pequeño de plástico y una esponja o toallita para bañar a la muñeca.
- Provea algunas blusas, camisas, bolsas y zapatos viejos que los niños puedan usar para jugar. También provea un espejo de pared o de mano.
- Use platos viejos de plástico (o tapas de recipientes de plástico), tazas y cucharas para jugar a la "comidita". Sería bueno proveer unas galletitas u otro alimento ligero, pero no es necesario.
- Busque cuadros de Navidad (en la literatura de la Escuela Dominical, tarjetas usadas de Navidad, etc.) que muestren a María y José cuidando al niño Jesús. Coloque estos cuadros donde los bebés puedan verlos (por ejemplo: cerca de las cunas), pero no tocarlos.

1 Bienvenida

Es importante que, según vaya llegando, cada niño tenga toda su atención. Enséñele el cartel, y cómo María y José cuidaban al niño Jesús. Recuérdele que usted lo estará cuidando bien durante ese tiempo. Señale una de las actividades o juguetes para animarle a entrar al aula.

2 Conversación y oración

(Use estas frases en los tiempos apropiados para conversar con ellos durante las actividades)
- La madre de Jesús lo cuidó cuando nació. Tu mamá te cuidó a ti.
- La mamá y el papá de Jesús lo mantuvieron calentito.
- Tu familia te da ropa y comida.
- Yo te estoy cuidando ahora, así como tu familia te cuida.
- Me alegra mucho poder cuidarte. Te cuido porque te amo.
- Qué bueno que Dios nos da familias.

3 Cantos

Durante el tiempo que estén juntos, cante la primera estrofa de: "En mi familia" (núm. 29 del *Cancionero para preescolares 2*), repitiéndolo seguido para que los niños lo "aprendan".

4 Actividades

- Vestir a la muñeca: Muestre a los niños cómo poner el vestido a la muñeca y cómo envolverla en una cobija. Permita que tomen turnos quitándole y poniéndole la ropa. Cuando la muñeca esté desvestida, muéstreles la bandeja y la esponja, y pretenda bañarla. Hable sobre cómo sus familias los cuidan bañándolos.
- Jugando con la ropa: Ayude a los niños a ponerse ropa vieja y anímelos a verse en el espejo. Cuando lo hagan, recuérdeles que sus familias los cuidan dándoles ropa, de la misma manera que la familia lo hizo con Jesús.
- "Comidita": Ponga platos, cucharas y tazas de plástico en una mesa pequeña o en el piso. Puede servir comida de juguete, o galletitas y jugo, según su situación lo permita. No olvide hacer una oración antes de comer. Hable sobre cómo nuestras familias nos cuidan dándonos alimentos.
- Cuadros: Asegúrese de que los cuadros estén en un lugar donde los bebés puedan verlos. Hábleles de los cuadros de Jesús y cómo nació.
- Coloque a un bebé en su regazo y **suavemente** hágalo brincar sobre sus rodillas. Mientras sonríe y ríe y juega con el bebé, háblele sobre cómo usted lo cuida mientras juegan. María y José también cuidaban al bebé.

28

La familia de Jesús lo llevó al templo

0, 1 años

Objetivo de la lección: Que los alumnos sepan y se sientan felices al saber que la familia de Jesús lo llevó al templo.

UNIDAD 2

SER COMO JESÚS ES TENER UNA FAMILIA

Objetivo de la unidad: Que los alumnos sepan que sus familias los aman y los cuidan.

Pensamiento bíblico de la unidad:
"La familia de Jesús lo amó y lo cuidó". Lucas 2:7

Base bíblica: Lucas 2:7

Preparación de materiales

- Prepare un juguete usando una caja de fósforos y pegando un cuadro alegre en la parte de afuera y otro en la parte de adentro (tenga cuidado de usar pegamento no tóxico). Obviamente, la caja no debe contener fósforos.
- Provea varias muñecas y cobijitas para el área del hogar.
- Coloque un espejo grande en la pared, a una altura donde los niños se puedan ver cuando se paran o se sientan. Si es posible, sería ideal colocar un espejo irrompible en las cunas.
- Llene un recipiente con calcetines limpios y de colores. Deben ser piedras grandes.
- Usando una casetera o tocadiscos, provea música alegre para los niños.

1 Bienvenida

Cuando lleguen los niños, recíbalos hablando suavemente y con movimientos lentos para no asustarlos. Señale el cartel en la puerta y pregúntele qué ve. Háblele de las personas que aparecen en el cuadro. Luego señale hacia la persona que lo llevó y diga: "Qué bueno que (*el nombre de la persona*) te trajo al templo hoy. (Si la persona ya se retiró, igual mencione su nombre). La mamá y el papá de Jesús (*señáleselos*) lo llevaron al templo. Tú haces lo mismo que Jesús".

2 Conversación y oración

(Use estas frases en los tiempos apropiados para conversar con ellos durante las actividades).
- La mamá y el papá de Jesús lo llevaron al templo.
- La/El (nombre a la persona correspondiente) trajo a (nombre del niño) al templo.
- Me siento contento/a porque (nombre del niño) vino al templo hoy.
- Las familias vienen al templo. Tu familia vino al templo hoy.
- La familia de Jesús lo amaba y fue al templo con él.
- La familia de Jesús se sentía feliz al ir al templo.

3 Cantos

Canten "Vengo al templo" (núm. 13 del *Cancionero para preescolares 2*), sustituyendo el nombre de la persona que trae al niño al templo.

4 Actividades

- Juguete de caja de fósforos: Muestre al niño el cuadro en la parte de arriba de la caja. Luego muéstrele cómo puede empujarla para ver el cuadro de adentro. Diga: "Qué divertido es ver los cuadros cuando venimos al templo. Me siento contenta porque viniste al templo con tu familia hoy".
- Área del hogar: Conforme juegan, pretenda que está envolviendo a la muñeca y tomando la Biblia para ir al templo. Anímelos a jugar y diga: "Los padres de Jesús lo llevaron al templo".
- Juegos con los espejos: Puede jugar a una variedad de juegos con los espejos, enseñándole al bebé sus ojos, nariz, boca, etc. e identificando las partes de su cara. Salude al bebé por el espejo. Deje que él también haga ademanes. Diga: "¡Veo a (*nombre del niño*)! Vino al templo hoy. Su *mami* lo trajo al templo, así como lo hizo la mamá de Jesús".
- Intercambio de calcetines: Ayude a los niños más grandes a quitarse sus zapatos y calcetines y ponerse calcetines más grandes. Anímelos a verse en el espejo para ver cómo se ven. Diga: "¡Mira, estás listo para salir! Nos preparamos para ir al templo y nos divertimos, ¿verdad? Los padres de Jesús también lo vistieron para ir al templo".
- Movimientos al ritmo de la música: Toque la música alegre para los niños y luego anímelos a imitar lo que usted hace. Diga: "Este es un juego feliz que jugamos en el templo. El templo es un lugar feliz".
- Jugando con los pies: Mientras el bebé está acostado de espaldas, juegue con los pies del bebé. Diga: "La mamá y el papá de Jesús usaron los pies para llevar a Jesús al templo".

Estudio 10 La familia de Jesús lo protegió

0, 1 años

Objetivo de la lección: Que los alumnos se sientan seguros.

UNIDAD 2
SER COMO JESÚS ES TENER UNA FAMILIA
Objetivo de la unidad: Que los alumnos sepan que sus familias los aman y los cuidan.

Pensamiento bíblico de la unidad: "La familia de Jesús lo amó y lo cuidó". Lucas 2:7

Base bíblica: Lucas 2:7

Preparación de materiales
- Consiga una pelota grande y colóquela en el piso.
- Tenga un par de almohadas para usar como soporte para que los bebés se sienten en el piso.

Coloque dos pelotas en un recipiente de plástico. Ponga el recipiente en el piso.
- Prepare un área para que jueguen con la arena. Cubra el área con plástico (puede usar una cortina vieja de baño) o una sábana.

Coloque la arena en recipientes de plástico. Provea juguetes apropiados para jugar en la arena, como embudos, palitas, cucharas, tazones y tazas.
- Ate cordones cortos a unos animales de peluche para que los niños los jalen.

1 Bienvenida

Cuando lleguen los niños, diga algo como: "(*Nombre de usted*) va a cuidar a (*nombre del niño*). Yo te cuidaré y te protegeré; la pasaremos muy bien en el templo hoy". Con mucha ternura, tome al niño en sus brazos. Anime a los padres a compartir con usted cualquier información nueva o especial acerca del niño, mientras usted lo acomoda en la cuna o en el piso.

2 Conversación y oración

(Use estas frases en la conversación con ellos, al igual que los cantos durante las actividades en que el niño participa).
- La mamá y el papá de Jesús lo cuidaron.
- Tu mamá y tu papá te cuidan a ti.
- Una vez la mamá y el papá de Jesús tuvieron que hacer un largo viaje. Llevaron a Jesús con ellos.
- Mientras tú estés en el templo, yo te protegeré.
- Gracias, Dios, por las mamás y los papás que los cuidan.
- La mamá y el papá de Jesús protegieron muy bien a Jesús.

3 Cantos

Aunque usted se canse de repetir los mismos cantos, estos niños aprenden con la repetición y es necesaria para que ellos aprendan. "En mi familia" (núm. 29 del *Cancionero para preescolares 2*).

4 Actividades

- Pelota grande: Siente a un bebé en el piso, y ruédele la pelota grande animándolo a extender sus brazos para recibirla. Diga que la pelota está muy suave y no lo lastimará. Usted lo está protegiendo.
- Alcanzar la pelota: Ayude a un niño a sentarse en el piso, poniendo almohadas para protegerlo en caso de que se caiga. Ponga juguetes de varios colores enfrente del niño, para que trate de alcanzarlos. Anímelo a tomarlos y jugar con ellos. Dígales que ha puesto las almohadas para protegerlos.
- Pelota giratoria: Mientras que gira dos pelotas en un recipiente de plástico para que las vea el bebé, diga algo como: "(*Nombre del bebé*) ve las pelotas. Estoy jugando con (*nombre del bebé*). Te estoy cuidando. La mamá y el papá de Jesús lo cuidaron muy bien. Gracias, Dios, por las mamás y los papás".
- Juego en la arena: Deberá supervisar muy de cerca cuando los niños juegan en la arena, asegurándose de que no se la coman. Permítales jugar libremente con los juguetes, pero dígales: "No te dejo tirar la arena o comerla porque quiero protegerte. La mamá y el papá de Jesús también lo protegieron".
- Pretenda llevar a un animal de peluche a caminar jalándolo alrededor del aula con el cordón. Vea si los niños también quieren hacerlo. Si muestran interés, dele a cada uno un animal de peluche con un cordón. Diga: "Estás cuidando bien al (nombre del animal), así como tu mamá y tu papá te cuidan bien a ti". Cuando los niños terminen este juego, tenga cuidado de quitar los cordones a los juguetes y guardarlos fuera del alcance de los niños.

Jesús tenía un hogar

Objetivo de la lección: Que los alumnos sepan que Jesús era feliz en su hogar

0,1 años

UNIDAD 3
SER COMO JESÚS ES SENTIRSE FELIZ
Objetivo de la unidad: Que los alumnos se sientan felices porque tienen una familia.

Pensamiento bíblico de la unidad:
"Me siento feliz con mi familia".
Deuteronomio 14:26

Base bíblica: Lucas 2:39-52

Preparación de materiales

- Provea un molde para hornear galletas (ver figura) y suficientes juguetes pequeños para poner uno en cada cavidad.
- Si desea y puede hacerlo, intente confeccionar una casa de muñecas para los niños. Tenga cuidado de quitar todas las grapas u objetos filosos de las cajas.
- Provea bloques de madera (asegúrese de que no tengan astillas o esquinas filosas) y martillos de juguete para que los niños los usen para golpear. Para evitar que hagan demasiado ruido, coloque un trozo de alfombra o goma espuma debajo del bloque.
- Ponga al alcance de los niños ollas y sartenes de aluminio liviano, y cucharas de plástico o madera.
- Coloque diferentes láminas que representen diferentes tipos de casas alrededor del aula de modo que los niños, tanto los que están en las cunas como los que andan gateando o caminando puedan verlas.

1 Bienvenida

Asegure con alfileres de seguridad un par de dibujos de casas en su ropa, a fin de que cuando los niños lleguen tenga algo de qué hablar con ellos. Después de saludarlos, muéstreles los cuadros de las casas y exclame con sorpresa: "¡Mira, tengo una casa en mi vestido! Hoy vamos a hablar acerca de las casas. Jesús vivía en una casa y tú también. Tenemos tantas cosas divertidas para hacer hoy. Comencemos".

2 Conversación y oración

Debido a que es difícil mantener la atención de los niños por largos períodos, necesitará insertar las siguientes frases en su conversación con ellos mientras juegan:
- Jesús vivió en su casa con su mamá y papá.
- Jesús era feliz en su casa con su familia.
- ¡Qué lindo es tener una familia!
- Gracias, Dios, por mi familia.
- Yo vivo en mi casa con mi familia y ¡tú también!
- Gracias, Dios, porque soy tan feliz en mi casa.
- La Biblia dice: "Me siento feliz con mi familia".

3 Cantos

Hoy pueden cantar "Si estás alegre" (núm. 3 del *Cancionero para preescolares 2*), haciendo las mociones que el canto indica. Repita el canto para que los niños se familiaricen con él.

4 Actividades

- Juego con el molde para hornear: Muestre al bebé uno de los juguetes que están en el molde y anímelo a tomarlo y volverlo a poner en su lugar. Puede añadir más juguetes, uno por uno, hasta que haya llenado todas las cavidades. Al jugar juntos diga: "Nos estamos divirtiendo. Jesús se divertía en su casa también".
- Mientras los niños juegan con la casa de muñecas, mencione el hecho de que Jesús tenía una casa y se sentía feliz en ella. Hable con los niños acerca de sus casas.
- Muestre a los niños cómo pegarle al bloque de madera con el martillo. Dígales que Jesús trabajaba con madera en su casa. Hable acerca de lo que los niños hacen en su casa.
- Mientras los niños mayores juegan con los bloques de madera, coloque a un bebé en su regazo para que pueda ver lo que está pasando y háblele de lo que están haciendo los otros niños. Haga lo mismo mientras los niños juegan en la casa de muñecas.
- Llame la atención de los niños a las ollas, sartenes y cucharas. Permita que los exploren. Diga: "Es divertido jugar con las ollas y sartenes. Usamos esto en la casa para cocinar. La mamá de Jesús también usaba las ollas y sartenes en su casa".
- Señale las láminas a los niños. Repita la palabra "casa" para que comiencen a aprender que son cuadros de casas. Recuérdeles que Jesús también vivió en una casa.

Jesús salió de viaje

0, 1 años

Objetivo de la lección: Que los alumnos se sientan felices cuando salen a pasear.

UNIDAD 3
SER COMO JESÚS ES SENTIRSE FELIZ
Objetivo de la unidad: Que los alumnos se sientan felices porque tienen una familia.

Pensamiento bíblico de la unidad:
"Me siento feliz con mi familia".
Deuteronomio 14:26

Base bíblica: Lucas 2:39-52

Preparación de materiales

• Confeccione una carreta para que los niños paseen a las muñecas. Corte un lado de una caja mediana resistente. Amarre un cordón grueso a un lado.

• Coloque una caja, mochila o maleta pequeña en un área del aula. Provea trozos pequeños de telas para que pongan en la maleta.

• Doble una cobija a la mitad y enróllela. Colóquela en el piso.

• Confeccione una tabla con cerraduras. Lije un trozo de madera de 45 cm. Si las orillas no están lisas, cúbralas con cinta adhesiva. Atornille fuertemente diferentes clases de cerraduras y pestillos al trozo de madera. Quizá quiera clavarla a un extremo de un librero para que no se ladee.

• Un trozo de papel brillante.

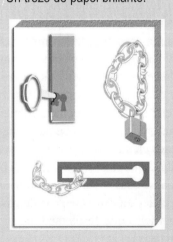

1 Bienvenida

Conforme van llegando los niños, no olvide de poner nombre a todas sus pertenencias y colocarlas en un lugar seguro. También anote cualquier instrucción que los padres le den ya que fácilmente se puede distraer y olvidar lo que los padres le dicen. Al guiar al niño al aula, hágalo en forma divertida, jugando y hablando con él. Puede mecerlo suavemente o darle una vuelta o caminar de una forma especial diciendo: "Hoy vamos a viajar a nuestro salón. Hoy aprenderemos acerca de algunos viajes que hizo Jesús".

2 Conversación y oración

Estas frases cortas sustituyen las historias más largas que generalmente se usan con los niños mayores:
• Jesús tenía una familia.
• Jesús hizo un viaje con su familia.
• La familia de Jesús lo cuidó.
• Jesús fue al templo con su familia.
• Yo vengo al templo con mi familia.
• A ti te gusta salir con tu familia.
• Gracias, Dios, porque tengo una familia.

3 Cantos

Mientras los niños juegan, cante uno de estos cantos: "Formamos una familia feliz" (núm. 28 del *Cancionero para preescolares 2*); "Jesús crecía" (núm. 41 del *Cancionero para preescolares 2*) y "Si estás alegre" (núm. 3 del *Cancionero para preescolares 2*).

4 Actividades

• Muestre a los niños cómo colocar la muñeca en la carreta y jalarla. Diga: "Están llevando al bebé en un viaje. Los padres de Jesús también lo llevaron en un viaje". Coloque la ropa en la maleta y diga: "Vayamos a un viaje". Anime a los niños a que imiten lo que usted ha hecho.

• Coloque al bebé en su estómago sobre la cobija enrollada y dele algunos juguetes que pueda ver y tocar. Mueva los juguetes un poquito para que se tenga que empujar con sus manos y brazos. Cuando se mueva diga: "Estás viajando, así como lo hizo Jesús con su familia".

• Camine alrededor del aula con un niño en brazos, con la cabeza apoyada en el hombro de usted. Señale cosas que le puedan interesar. Cámbielo de hombro para que mueva el cuello en dirección diferente. Dígale que están viajando alrededor del aula, como viajó Jesús.

• Ponga un trozo de papel de color brillante enfrente de su cara. Luego esconda el papel por detrás. Luego vuélvalo a enseñar. Muévase lentamente y diga: "El papel viaja atrás de mí. Jesús viajó con su mamá y papá". Repítalo varias veces.

• Den un paseo y hable de las diferentes cosas que ven al caminar alrededor del edificio.

• Muestre la tabla con cerraduras. Si es necesario, muéstreles cómo mover los pestillos. Recuérdeles que los padres de Jesús lo llevaron en un viaje y tuvieron que cerrar la casa antes de salir de viaje.

Estudio 13 Jesús estuvo en el templo

Objetivo de la lección: Que los alumnos sepan que Jesús se sintió feliz cuando fue al templo.

UNIDAD 3
SER COMO JESÚS ES SENTIRSE FELIZ

Objetivo de la unidad: Que los alumnos se sientan felices porque tienen una familia.

Pensamiento bíblico de la unidad:
"Me siento feliz con mi familia".
Deuteronomio 14:26

Base bíblica: Lucas 2:39-52

Preparación de materiales
- Use el rompecabezas (ver Ayudas Didácticas). Péguelo a un cartón y luego lamínelo. Córtelo en tres pedazos, siguiendo las líneas quebradas.
- Confeccione serpentinas de papel para usar en su marcha feliz.
- Confeccione o provea plastilina (arcilla) para que jueguen.
- Prepare títeres (tristes y felices) de platos de papel. Puede usar un plato de papel para dibujar una cara feliz y otro para la cara triste. Dibuje las caras lo más realísticas posible. Pegue un palo de helado o golosina al plato. Luego pegue los platos juntos por el lado de atrás. Usando estambre (lana), pegue o cosa cabello en los títeres.
- Pegue con cinta adhesiva un trozo grande de papel o periódico en el piso. Dé a cada niño un crayón grueso.

1 Bienvenida

Conforme llega cada niño, vaya a la puerta para recibirlo. Extienda los brazos para levantarlo, para que él vea lo contento que usted está de que ha llegado. Dentro de poco él también comenzará a extender sus brazos para que lo levante. Sin embargo, si el niño lo rechaza, no se ofenda. Es posible que esté pasando por un período en que no quiera separarse de sus padres. Sea paciente y siga mostrándole su amor y felicidad de que haya ido al templo.

2 Conversación y oración

Tiene que hacer un esfuerzo consciente para conversar y orar espontáneamente con frases que se relacionen al tema. Algunas sugerencias:
- Jesús fue al templo con sus padres.
- A Jesús le gustaba ir al templo.
- Jesús se sentía feliz en el templo.
- Me siento feliz cuando voy al templo con mi familia.
- Me divierto cuando voy al templo.
- Me siento contento cuando voy al templo, así como lo hizo Jesús.

3 Cantos

"Al templo quiero ir" (núm. 7 del *Cancionero para preescolares 2*); "Como mi iglesia" (núm. 25 del *Cancionero para preescolares 2*); "Formamos una familia feliz" (núm. 28 del *Cancionero para preescolares 2*); "Jesús crecía" (núm. 41 del *Cancionero para preescolares 2*)

4 Actividades

- Use este juego digital con los niños:
Aquí hay un templo *(levante los brazos en forma de ángulo)*
Con una puerta abierta *(extienda los brazos hacia los lados)*
La gente está sonriendo *(sonría)*
Al entrar *(camine en su lugar)*
Cantan y oran *(junte las manos en acción de oración)*
- Diga a los niños que tendrán un desfile. Dé a cada niño serpentinas y permítales marchar, cantando al mismo tiempo que ondean las serpentinas.
- Dé a los niños plastilina, cuidando que no se la metan a la boca. Haga casas, templos, autobuses, coches. Diga: "¡Miren! Esta familia va cantando mientras van al templo. ¡Qué felices se ven!".
- Muestre a los niños los trozos del rompecabezas, explicándoles que será un cuadro de Jesús en el templo. Guíelos a poner las piezas correctamente. Cuando lo hayan hecho correctamente, apláudales y subraye lo mucho que se están divirtiendo en el templo hoy.
- Muestre a los niños el títere de la cara feliz y dígales que así se sienten cuando vienen al templo. Muestre el otro lado y diga que es una cara triste y diga que así se sienten cuando no pueden ir al templo.
- Coloque al bebé en el piso y dibuje unas cuantas líneas en el papel. Vea si el bebé lo imita. Quizá tenga que sostener su mano para ayudarle. Si pone el crayón en su boca, deberá quitárselo. Mientras pinta, mencione lo divertido que es estar en el templo.

Jesús estaba con sus amigos

0, 1 años

Objetivo de la lección: Que los alumnos se sientan felices cuando están con sus amigos.

UNIDAD 3
SER COMO JESÚS ES SENTIRSE FELIZ
Objetivo de la unidad: Que los alumnos se sientan felices porque tienen una familia.

Pensamiento bíblico de la unidad:
"Me siento feliz con mi familia ".
Deuteronomio 14:26

Base bíblica: Lucas 2:39-52

Preparación de materiales
• Tenga una pelota pequeña y suave para rodar en el suelo.
• Confeccione "bloques" especiales usando cajas de comida de varios tamaños y formas que estén limpias y vacías. Ponga algo dentro de las cajas para que suenen (como arroz o frijoles) y luego SELLE las cajas para que no las puedan abrir. Cúbralas con papel transparente (preferiblemente adhesivo). Ponga las cajas en el piso donde los niños puedan jugar con ellas.
• Provea papeles de varios colores y texturas para que los bebés rompan.

1 Bienvenida

Coloque un corazón grande en su ropa con un alfiler imperdible. Cuando llegue el niño, recíbalo con brazos abiertos, diciendo su nombre. Luego muéstreles su corazón. A los niños mayores póngales un corazón. (Vigílelos para guardarlos cuando se los quiten y así evite que se lo metan a la boca). Diga: "Tenemos corazones iguales. Somos buenos amigos. Hoy vamos a jugar con nuestros amigos en el templo, así como lo hizo Jesús".

2 Conversación y oración

Mientras los niños juegan los unos con los otros, use estas frases en una forma natural:
• A Jesús le gustaba hablar con sus amigos.
• Jesús tenía amigos en el templo.
• Jesús tenía amigos en su casa.
• ¡Qué bueno es tener amigos!
• Me siento feliz cuando estoy con mis amigos.
• Dios quiere que tengamos amigos.
• Gracias, Dios, por mi amigo (mencione el nombre de un amigo).

3 Cantos

Use cantos que hablen de los amigos. Puede cantar "Con mis amigos" (núm. 30 del *Cancionero para preescolares 1*).

4 Actividades

• Jueguen este juego de movimientos:
Los amigos se sonríen unos a los otros. *(Sonríanse)*
A los amigos les gusta estar juntos. Aplauden porque se sienten felices. *(Aplaudan)*
Se abrazan porque se quieren. *(Abrácense)*
Brincan de gozo porque se quieren unos a otros. *(Brinquen)*
• Ruede una pelota a un niño y al hacerlo diga: "Te ruedo la pelota porque tú eres mi amigo. A los amigos les gusta jugar juntos". Repita hasta que se cansen de rodar la pelota.
• Muestre a los niños cómo apilar las cajas. Llame su atención al sonido que hacen. Anímelos a apilar dos o tres de ellas. Conforme juegan, hable de cómo juegan juntos como amigos y lo bueno que es tener amigos.
• Dé a los niños trozos de papel que puedan romper como el comienzo de un proyecto de "arte". Hable de cómo juegan juntos con sus amigos. Cuando hayan roto el papel, pegue los trozos en un papel grande. Coloque el trabajo de arte en la pared. Cuide que no se metan el papel a la boca.
• Coloque de uno a cuatro bebés boca abajo en la alfombra (debe estar limpia). Suene un juguete enfrente de ellos (sin que lo puedan alcanzar), animándoles a empujarse hacia adelante para obtener el juguete. Provea un juguete para cada niño, diciendo: "Ven, tú lo puedes alcanzar. ¡Qué divertido es estar con nuestros amigos! (mencione el nombre de cada niño que está en el suelo con ellos)".

Jesús estaba feliz con su familia

0, 1 años

Objetivo de la lección: Que los alumnos se sientan felices cuando están con su familia.

UNIDAD 3
SER COMO JESÚS ES SENTIRSE FELIZ
Objetivo de la unidad: Que los alumnos se sientan felices porque tienen una familia.

Pensamiento bíblico de la unidad:
"Me siento feliz con mi familia".
Deuteronomio 14:26

Base bíblica: Lucas 2:39-52

Preparación de materiales
• Prepare un móvil. Pegue retratos de miembros de la familia en pedazos redondos de cartón. (Ver ejemplo). Coloque el móvil sobre la cuna, pero asegúrese de que esté bien puesto para que no se caiga y el bebé no lo pueda alcanzar.
• Prepare un juego "para esconder". Use una caja sin tapa y varios objetos que diferentes miembros de la familia podrían usar (cuchara para mamá, martillo para papá, juguete para la hermana, pelota para el hermano, etc.). Coloque los objetos debajo de la caja.
• Confeccione su propio cubo, o use una caja pequeña. Llene la caja con papel y séllela con pegamento para que quede maciza. En los seis lados de la caja, pegue retratos de mamás, papás, niños, abuelos y otros miembros de la familia.
• Provea plastilina, y cuchillos, cucharas y vasos de plástico, etc.
• Tenga una casetera y el casete para los cantos del *Cancionero para preescolares 1*, y hojas de papel (pegadas a la mesa) y crayones gruesos para un proyecto de arte.

1 Bienvenida

Al ir recibiendo a los niños, demuéstreles lo contento que está de verlos. Es importante que hable con ellos por un tiempo para ayudarles a acostumbrarse al aula. Mientras les habla, haga pausas para que el niño pueda "contestar", y así comenzar a aprender que la conversación es un diálogo. Señale a su mamá (o a la persona que lo trajo) y comente lo feliz que está con su mamá y que Dios está contento porque tiene una familia así como la tuvo Jesús.

2 Conversación y oración

Combine el cuidado de los niños y la enseñanza de conceptos religiosos. Haga un esfuerzo consciente para intercalar estas frases durante el tiempo que esté con los niños:
• Jesús tenía una mamá y un papá.
• Jesús amaba a su mamá y a su papá.
• Jesús tenía hermanos y hermanas.
• Jesús se sentía feliz con su familia.
• Tú (*use el nombre del niño*) tienes una mamá y un papá.
• Tú (*el nombre del niño*) te sientes feliz con tu mamá y con tu papá.
• Gracias, Dios, por mi familia.

3 Cantos

Toque estos cantos: "Si estás alegre" (núm. 3 del *Cancionero para preescolares 2*) "Formamos una familia feliz" (núm. 28 del *Cancionero para preescolares 2*).

4 Actividades

• Señale las diferentes figuras del móvil, hablando de cada miembro de la familia. (Por ejemplo: "Ella es una mamá. Qué gusto me da que tú tienes una mamá".)
• Llame la atención de los niños a la caja y luego levántela un poquito. Muéstreles lo que hay debajo de la caja. Levante y baje la caja para estimular el interés. Deje que él o usted escoja uno de los objetos y explique quién lo usa en la familia.
• Ruede el cubo en el piso y señale una de las fotos que está en la parte de arriba. Hable del miembro de la familia y dé gracias a Dios por él. Vuélvalo a rodar. Permita a los niños que rueden el cubo y hablen de los miembros de la familia en las fotos.
• Siéntese en una silla mecedora con un niño y al mecerlo, dele atención especial, diciendo: "Te amo. Tu mamá y tu papá te aman. Tú eres feliz con tu familia. Me alegro de que Dios te haya dado una familia". Querrá repetir esto con cada niño.
• Dé la plastilina a algunos de los niños para que jueguen, añadiendo algunos objetos como los que usa su mamá en la cocina, pero que no sean peligrosos para ellos. Mientras juegan con ellos, dígales que están trabajando como sus mamás en la familia.
• Mientras toca el canto: "Mi mamá" (núm. 31 del *Cancionero para preescolares 1*), permita a los niños que rayen el papel con un crayón al ritmo de la música. Repita el canto mientras siguen rayando.

Objetivo de la lección: Que los alumnos se sientan felices al observar las diferentes cosas.

UNIDAD 4
SER COMO JESÚS ES SABER QUE DIOS HIZO COSAS LINDAS
Objetivo de la unidad: Que los alumnos sepan que Dios hizo todas las cosas.

Pensamiento bíblico de la unidad:
"Dios hizo todas las cosas".
Eclesiastés 3:11

Base bíblica: Génesis 1—2

Preparación de materiales

- Provea toda clase de espejos **irrompibles** de mano, de bolsillo, que se paran solos, etc., así como otros objetos en los cuales los niños puedan ver su reflejo. Colóquelos alrededor del salón.
- Confeccione un libro de bolsas de plástico, usando bolsas de plástico que se cierren. Si no las puede conseguir, use hojas de plástico protectoras, o álbumes con hojas magnéticas. Debe ser un libro de colores. Corte cartulina de color para meter dentro de las bolsas de plástico. Pegue los cuadros de la lámina (ver Ayudas Didácticas) sobre la cartulina. Introduzca cada cuadro en una bolsa de plástico y ciérrela. Junte varias de las bolsas, perfore orificios en el lado donde se cierran y únalas pasando una cinta o cordón.
- Cambie uno de los focos de la luz por uno de color.
- Coloque algunos cuadros ladeados o al revés en la pared. Los cuadros deben estar montados sobre cartón grueso y las ilustraciones deben ser cosas conocidas para los niños.

1 Bienvenida

Cuando lleguen los niños, aléjese un poquito de ellos y pregunte: "¿Me pueden ver? ¡Yo los puedo ver a ustedes!". Luego dé otros pasos hacia atrás y haga la misma pregunta. Luego acérquese y pregunte lo mismo. Diga: "¿Les gustó nuestro juego?; ¡qué bueno que pueden ver con los ojos! Hoy vamos a usar nuestros ojos para muchas cosas".

2 Conversación y oración

Durante el tiempo de la clase, inserte estos comentarios y pequeñas oraciones en su conversación con los niños:

- ¡Qué bueno que puedo ver! Gracias, Dios, por mis ojos.
- Dios hizo mis ojos.
- Dios hizo todo.
- Puedo ver con mis ojos.
- Puedo ver muchas cosas.
- Dios hizo muchas cosas interesantes para ver.
- Es divertido ver con mis ojos.

3 Cantos

Cante: "Dos ojitos" (núm. 32 del *Cancionero para preescolares 1*), la segunda estrofa de "Dios me hizo" (núm. 39 del *Cancionero para preescolares 1*).

4 Actividades

- Busque en el salón algo que sea conocido para los niños. Hábleles del objeto y descríbalo en términos que los niños puedan comprender, sin decir el nombre del objeto. Pregunte a uno de los niños si pueden "ver" el objeto que usted está describiendo.
- Juegue a las "escondidas" cubriendo parte de su cara con un pañuelo y diciendo: "¿Dónde está mi boca? Quítese el pañuelo y diga: "Aquí está mi boca".
- Invite a unos pocos niños a que encuentren objetos donde puedan ver su reflejo. Hábleles sobre lo que pueden ver en el espejo. Anímelos a que hagan muecas y señas con las manos, etc.
- "Lean" juntos el libro de colores y hablen de cómo usan los ojos para ver los colores.
- Hable con el bebé de los colores nuevos que ven en el foco de la luz.
- Agite un juguete ruidoso de colores enfrente del bebé (sin asustarlo) para lograr su atención. Cuando esté poniendo atención, mueva lentamente el juguete de lado a lado para que lo siga con los ojos.
- Miren juntos los cuadros en la pared y vea si los niños se dan cuenta de que están ladeados y los pueden enderezar.

Dios hizo las cosas que puedo oler

0, 1 años

Objetivo de la lección: Que los alumnos sientan placer al oler las cosas.

UNIDAD 4
SER COMO JESÚS ES SABER QUE DIOS HIZO COSAS LINDAS
Objetivo de la unidad: Que los alumnos sepan que Dios hizo todas las cosas.

Pensamiento bíblico de la unidad:
"Dios hizo todas las cosas".
Eclesiastés 3:11

Base bíblica: Génesis 1—2

Preparación de materiales
- Tenga listo un jabón con un fuerte aroma. Provea agua para que se laven las manos y una toalla para que se las sequen.
- Saque las botellas que preparó con diferentes aromas para el estudio 4 de la Unidad 1.
- Cuelgue el móvil que confeccionó con diferentes aromas para la lección 4 de la Unidad 1.
- Corte una cara de felpa. Recorte ojos, nariz, boca y cabello para agregar a la cara. Coloque la cara en un franelógrafo.
- Prepare plastilina aromática usando esta receta: Mezcle 2 ½ tazas de harina, 1 taza de sal y 2 paquetes de Kool Aid (o puede añadir polvo de chocolate o café instantáneo); añada 3 cucharaditas de aceite y 2 tazas de agua hirviendo. Tenga cuidado, pues está caliente; mezcle con una cuchara y luego amase la mezcla cuando se haya enfriado un poco.
- Prepare cubitos de hielo aromáticos y de color. Use un aroma fuerte en el agua (como clavo de olor o canela) y agregue un poco de color. (¡Esta actividad es para un día caluroso!).

1 Bienvenida

Antes de que lleguen los niños, pele una naranja o limón (o alguna otra fruta de fuerte aroma). Cuando lleguen los niños, acérqueseles lentamente hablándoles suavemente. Señale las actividades interesantes del día. Respire en forma exagerada y pregunte si ellos pueden oler algo diferente. Vuelva a respirar y diga: "Puedo oler una naranja. Busquemos la naranja".

2 Conversación y oración

La conversación de hoy debe centrarse alrededor de las experiencias con el olfato y la nariz.
- Puedo oler con la nariz.
- Puedo oler cosas buenas.
- Me gusta oler cosas con la nariz.
- Dios hizo las cosas que huelo.
- ¡Ay!, puedo oler algo ahora mismo. ¿Qué será?
- Me gusta oler cosas diferentes.
- Qué bueno es poder oler las cosas.
- Gracias, Dios, por tantos aromas bonitos.

3 Cantos

Mientras los niños juegan canten: "Dios me hizo" (núm. 39 del *Cancionero para preescolares 1*) con estas palabras:
"Jesús me dio una nariz; con ella puedo yo oler; las cosas que hizo Dios; la fruta y la flor".

4 Actividades

- Muestre a los niños el jabón y luego permítales que se laven las manos, haciendo mucha espuma, y luego que se las sequen. Hable de lo bonito que ahora huelen sus manos, animándoles a que ellos mismos se las huelan. (Supervíselos muy de cerca cuando estén usando el agua. Nunca los deje solos).
- Abra las botellas aromáticas y permita que las huelan. Hable de cómo huelen (fuerte, dulce, agrio, etc.) para ayudarles a desarrollar su vocabulario en esta área.
- Voltee el móvil de tal modo que el bebé se fije en él. Diga: "¡Qué bonito huele!".
- Muestre la cara a los niños. Muéstreles los rasgos que van en la cara. Vea si ellos pueden colocarlos en los lugares correctos, después de que les muestre dónde van. Nombre cada parte de la cara. Ponga énfasis en la nariz que usamos para oler las cosas.
- Coloque la plastilina aromática en la mesa y permita a los niños jugar libremente. Explíqueles que la plastilina es para oler y jugar, no para comer.
- Coloque los cubos de hielo en un recipiente, usando uno por cada dos niños. Cuando toquen el hielo, diga: "¡Ay, qué frío!". Hable de cómo huele, se ve y se siente el hielo. Quizá quiera añadir un poco de agua tibia en el recipiente para hacer que flote el hielo.

Dios hizo las cosas que toco

0, 1 años

Objetivo de la lección: Que los alumnos sepan que Dios hizo las cosas que pueden tocar.

UNIDAD 4
SER COMO JESÚS ES SABER QUE DIOS HIZO COSAS LINDAS
Objetivo de la unidad: Que los alumnos sepan que Dios hizo todas las cosas.

Pensamiento bíblico de la unidad:
"Dios hizo todas las cosas".
Eclesiastés 3:11

Base bíblica: Génesis 1—2

Preparación de materiales
- Prepare una bolsa "para tocar" que contenga 3 ó 4 cosas de diferentes texturas (taza de plástico duro, juguete suave de peluche, esponja, cepillo para el cabello).
- Arregle una mesa para que pinten. Cúbrala completamente con papel, pegándolo con cinta adhesiva. Ponga una cantidad de pintura para pintar con los dedos sobre la mesa y cúbrala con plástico, asegurándolo a la mesa con cinta adhesiva (alrededor de las orillas de la mesa). Provea camisas viejas para proteger la ropa de los niños.
- Prepare una caja de texturas, llenándola con pedazos de alfombra, tela, madera, esponjas, vinilo o aluminio, lijas, etc. (Todos los trozos deben ser lo suficientemente grandes como para que no haya peligro de que se los traguen).
- Con una camisa vieja confeccione una "bata para tocar". Cosa en toda la camisa diferentes trozos de tela de color de diferentes texturas asegurándolos bien para que no los puedan quitar.
- Consiga algunas cobijas, sábanas o trozos de tela de diferentes texturas para que los niños se acuesten (toallas de franela, suéteres suavecitos, cobijas suaves, etc.).
- Dos animalitos de juguete; uno de ellos de peluche.

1 Bienvenida

Al recibir a los niños, tenga un animalito de peluche en la mano y otro en un lugar cercano. Permítales tocar un animalito, diciendo: "¿Sientes lo suavecito que es este pequeño (*nombre del animal*)? ¿Se siente bien, verdad? Toquemos otro". Enséñele el otro que, si es posible, tenga una textura diferente. Diga: "Este se siente diferente. ¡Hoy vamos a tocar muchas cosas diferentes! Comencemos".

2 Conversación y oración

Hable sobre las diferentes texturas y cómo se sienten, usando palabras específicas como "suave, duro, etc.", así como las siguientes frases:
- Puedo tocar las cosas con las manos.
- Puedo tocar las cosas con mi cuerpo.
- Puedo tocar muchas cosas diferentes.
- Algunas cosas son suaves. Algunas cosas son duras. Algunas cosas son rasposas.
- Dios hizo todas las cosas que puedo tocar.
- Me gusta tocar cosas diferentes.
- ¡Qué bueno que Dios me dio tantas cosas diferentes para tocar.

3 Cantos

Canten: "Mi cuerpo" (núm. 27 del *Cancionero para preescolares 1*), usando los ademanes. Use la tercera estrofa de "Dios me hizo" (núm. 39 del *Cancionero para preescolares 1*).

4 Actividades

- Con un niño en los brazos haga un recorrido por el salón, permitiendo que el bebé toque los objetos mientras usted nombra su textura. Encuentre y describa objetos que estén rasposos, resbalosos, suaves, lisos, espinosos, fríos, que tengan una superficie desigual.
- Sostenga la bolsa de forma que los niños no puedan ver lo que hay adentro. Permita a un niño meter la mano y tocar algo. Hable acerca de lo que está tocando. Después de conversar con él, permítale sacar el objeto y verlo.
- Pintura que no ensucia para pintar con los dedos. Permita a los niños frotar con los dedos la pintura sobre el papel. Hable de lo extraño que se siente mover la pintura por del papel.
- Saque la caja de texturas y permita que los niños saquen los materiales de diferentes texturas y los toquen. Hable acerca de lo que están sintiendo.
- Muéstrele al bebé su bata "para tocar" mientras lo tiene en los brazos. Permítale tocar las diferentes texturas. Anímelo a frotarlas y jugar con ellas. Comente sobre lo que sienten.
- Coloque algunas de las cobijas o telas en el piso (o en las cunas para los bebés). Anime al niño a tocar la tela y luego tocar otra. Anímelos a tocarlas con las piernas, los brazos y todas las partes del cuerpo.

Dios hizo las cosas que como

0, 1 años

Objetivo de la lección: Que los alumnos sepan que Dios hizo las cosas que comen.

UNIDAD 4
SER COMO JESÚS ES SABER QUE DIOS HIZO COSAS LINDAS
Objetivo de la unidad: Que los alumnos sepan que Dios hizo todas las cosas.

Pensamiento bíblico de la unidad:
"Dios hizo todas las cosas".
Eclesiastés 3:11

Base bíblica: Génesis 1— 2

Preparación de materiales
- Traiga al salón una licuadora, vasos pequeños de cartón, plátanos (u otra fruta de temporada), leche y azúcar para hacer un licuado. Coloque una lista de los ingredientes en la puerta, advirtiendo a los padres de lo que se servirá a sus niños hoy, para asegurarse de que ningún niño sea alérgico a alguno de los ingredientes. Señale la lista a los padres cuando lleguen.
- Prepare una bandeja de frutas y verduras que se puedan conseguir en su área para que los niños prueben.
- Recorte figuras de frutas de paquetes de comidas, anuncios del periódico, revistas y libros viejos. Trate de usar figuras de una sola clase de comida. Pegue las figuras sobre cartulina y cuélguelas alrededor del salón.
- Use una fruta o verdura que sea de un color brillante (como los plátanos que son amarillos) y colóquela en una mesa cubierta de papel blanco. Provea crayones gruesos (o marcadores lavables) del mismo color.
- Traiga utensilios para cocinar que sean aptos para los niños, como recipientes de plástico, cucharas de madera, etc. y colóquelos en el área de la familia.

1 Bienvenida

Si no tiene un traje o vestido que esté impreso con figuras de comida, coloque figuras pequeñas de comida en su ropa con alfileres de seguridad. Cuando lleguen los niños, asegúrese de recibirlos a su nivel. Señáleles algunas figuras de comida, diciendo: "¡Hmm! ¡Qué rico! Dios nos da tantas comidas deliciosas para comer. ¿Cuál te gusta a ti?". Muéstreles algunas de las actividades alrededor del salón para que pronto se ocupen de participar en el proceso de aprendizaje.

2 Conversación y oración

Recuerde usar el versículo bíblico (Eclesiastés 3:11) frecuentemente, al igual que las siguientes frases:
- Me gusta comer.
- La comida está rica.
- Alguna comida es dulce. Alguna comida es salada. La comida es buena.
- Algunas comidas saben diferente.
- Qué bueno que Dios hizo tantas comidas diferentes.
- Gracias, Dios, por mi comida.

3 Cantos

Durante las actividades use estos cantos: "Dios nos da los alimentos" (núm. 7 del *Cancionero para preescolares 1*) "Lo que Dios hizo" (núm. 45 del *Cancionero para preescolares 1*) sustituyendo estas palabras: "Dios hizo la uva, Dios hizo el maíz, Dios hizo los peces, también el arroz".

4 Actividades

- Pida a niños mayores que le ayuden a pelar un plátano y meterlo a la licuadora. Agregue leche fría (o agua y leche de polvo) y azúcar. Encienda la licuadora en la velocidad más alta. Una vez que todo esté licuado, ponga un poquito del licuado en vasos pequeños de cartón para cada niño. Guarde la licuadora; cuando termine no la deje al alcance de los niños.
- Muéstreles el plato de frutas y verduras, dejando que cada uno escoja unos cuantos pedacitos para comer. Anímelos a probar algo nuevo, pero no los obligue. Coma usted también unos pedacitos y comente sobre lo delicioso que están.
- Vea junto con los niños las figuras de la comida y explíqueles si son dulces o saladas. Diga: "Dios hizo toda la comida que comemos".
- Muestre a los niños la fruta o verdura en la mesa, y luego muéstreles el crayón del mismo color. Diga: "Hagamos un dibujo de este delicioso *plátano* (o cualquier fruta que esté usando)". Permita a los niños hacer los garabatos que quieran mientras usted habla sobre el color y sabor de la comida.
- Mientras los niños juegan con las cucharas de madera y los recipientes de plástico, dígales que su mamita los usa para preparar la comida. Diga: "Estoy muy feliz por la comida que comemos. Juguemos a preparar una rica comida para comer".

Estudio 20 — Dios hizo las cosas que escucho

0, 1 años

Objetivo de la lección: Que los alumnos sientan gozo cuando escuchan diversos sonidos.

UNIDAD 4
SER COMO JESÚS ES SABER QUE DIOS HIZO COSAS LINDAS

Objetivo de la unidad: Que los alumnos sepan que Dios hizo todas las cosas.

Pensamiento bíblico de la unidad:
"Dios hizo todas las cosas".
Eclesiastés 3:11

Base bíblica: Génesis 1—2

Preparación de materiales
- Cosa unos cascabeles en la punta de algunos calcetines (tanto para los bebés como para los niños más grandecitos).
- Provea un juguete con sonido (como un teléfono, cascabel, caja de música). Provea varias cajas de cartón y coloque en ellas objetos que hagan un ruido diferente cuando les dé un golpe. Por ejemplo, pruebe con una almohada, un juego de llaves o recipientes de aluminio. Provea una pelota que quepa en las cajas.
- Prepare unos recipientes "que hagan ruido", colocando diferentes objetos en recipientes donde vienen las películas para las cámaras fotográficas, o en botellas de plástico. Tenga cuidado de asegurar la tapa con cinta adhesiva o pegamento. Puede probar cosas como monedas, arroz, sal, avena. Prepare dos botellas con cada una de las cosas que vaya a usar.

1 Bienvenida

Agregue algunos cascabeles a un trozo de tela y colóquela en la puerta. Colóquela a un nivel que los niños la puedan alcanzar y tocar. Cuando los niños lleguen, sorpréndase del ruido que hacen los cascabeles. Anime a los niños a tocar los cascabeles diciendo: "¿Les gusta escuchar el sonido de los cascabeles? Escucho el ruido con mis oídos. Dios hizo muchos lindos sonidos. Veamos cuántos sonidos podemos oír hoy".

2 Conversación y oración

Repitan el versículo bíblico para la unidad. Use estas ideas:
- Dios hizo mis oídos.
- Podemos oír con los oídos.
- Dios hizo todo lo que escuchamos.
- Podemos oír cosas quietas. Podemos oír cosas ruidosas.
- Podemos oír cosas que no podemos ver.
- Gracias, Dios, por todos los sonidos agradables.

3 Cantos

Permita a los niños marchar con la música, sacudir sonajeros al son de la música y soplar a través de rollos de cartón. Querrán cantar: "Dios me dio" (núm. 19 del *Cancionero para preescolares 2*). "Música puedo hacer" (núm. 16 del *Cancionero para preescolares 2*).

4 Actividades

- Coloque un calcetín en el pie del bebé o niño después de quitarle un zapato. Anímelo a sacudir el pie y escuchar el sonido que hace.
- Esconda el juguete ruidoso a su espalda y permita que el niño lo escuche sin poderlo ver. Luego pregúntele qué está escuchando, permitiéndole que vea lo que tiene a sus espaldas.
- Elabore el concepto de ruidoso/quieto haciendo ruido con algo y diciendo en una voz fuerte: "¡Qué RUIDOSO es!". Haga lo mismo con algo quieto, diciendo la palabra "quieto" en voz baja.
- Pida a uno de los voluntarios o maestros que se escondan de los niños y luego llámelos mientras están escondidos. Permita a los niños buscar a la persona que está escondida.
- Pida a los niños que escuchen mientras tiran la pelota en una de las cajas. Hable del sonido que hace. Luego permita que ellos tiren la pelota en otra caja y hable del sonido que hace.
- Dé a cada niño una de las botellas. Sacuda otra botella y pregúntele si es el mismo sonido. Siga sacudiendo las otras botellas hasta que encuentren una que tenga el mismo sonido. Repita con las otras botellas.

Estudio 21 Rut cuidó a Noemí

Objetivo de la lección: Que los alumnos den gracias por las personas que los cuidan.

UNIDAD 5
SER COMO JESÚS ES DAR GRACIAS A DIOS
Objetivo de la unidad: Que los alumnos sientan gratitud a Dios por el cuidado que reciben, por su hogar, por la comida, por sus amigos, por las personas que los aman y por su familia.

Pensamiento bíblico de la unidad:
"Doy gracias a Dios por todo".
1 Tesalonicenses 5:18a

Base bíblica: Rut 1:22—4:13

Preparación de materiales
- Coloque una muñeca, jabón, toalla y otros objetos que se usan para el baño, y una tina para el baño en el área del hogar.
- Confeccione un tablero de cierres (cremalleras) cosiendo unos cierres cerrados en un trozo de medio metro de tela resistente. Fije los cierres a la tela cosiendo ambas puntas (pero esté segura de que el cierre se puede abrir y cerrar). Sujete la tela a la pared o a un tablero usando cinta adhesiva o tachuelas. Si usa tachuelas o clavos, cúbralos con cinta adhesiva gruesa para que los niños no se lastimen con ellos.
- Use la tabla con cerraduras que confeccionó para la Unidad 3, estudio 2.
- Prepare una canasta o caja llena de calcetines, de diferentes tamaños.
- Coloque dos o tres almohadones, uno arriba del otro, en el centro del salón.

1 Bienvenida

Cuando vaya a la puerta para recibir a los niños, póngase un saco o camisa extragrande que se pueda abotonar. Cuando se agache para recibir a los niños, o tomarlos en sus brazos, muéstreles su camisa, que todavía está desabrochada. Con su ayuda, abroche uno o dos botones. Diga: "Gracias por ayudar a cuidarme. Durante el tiempo que estemos juntos, yo también te cuidaré a ti".

2 Conversación y oración

Durante el tiempo de la clase, use estos comentarios en su conversación con los niños:
- Algunas veces necesitamos ayuda.
- Cuando alguien nos ayuda, está cuidando de nosotros.
- Cuando tienes hambre, tu mamita te cuida dándote alimentos.
- Yo te cuido cuando vienes al templo.
- En la Biblia hay una historia acerca de Rut. Ella cuidó a su amiga Noemí.
- Gracias, Dios, por las personas que me cuidan.

3 Cantos

Mientras los niños juegan, cante: "Te damos gracias hoy" (núm. 29 del *Cancionero para preescolares 1*); y "Gracias, Señor" (núm. 1 del *Cancionero para preescolares 1*).

4 Actividades

- Enrede un listón de color brillante alrededor de su dedo y muestre la punta suelta al bebé. Al tirar él el listón, se agranda, cambiando su forma. Cuando salga completamente del dedo, guárdelo, diciendo: "Jugamos juntos con el listón, pero ahora lo voy a guardar para que no te lastimes. Te estoy cuidando".
- Cuando los niños se fijen en la muñeca y los objetos para el baño, diga: "Cuidemos al bebé. Vamos a jugar que le estamos dando un baño. Estamos cuidando del bebé así como sus mamitas los cuidan a ustedes.
- Demuestre cómo funcionan los cierres en el tablero de cierres. Diga: "Ustedes pueden abrir y cerrar el cierre. Cuando tu mamita te cuida ella abrocha el cierre, ¿verdad?".
- Mientras los niños juegan con las cerraduras, diga: "Usamos cerraduras en nuestras casas. Tu mamá y papá te cuidan en tu casa".
- Quítele los calcetines al niño y muéstrele la canasta de calcetines. Deje que se ponga algunos de ellos solito. Ayúdele si es necesario, diciendo: "Te estoy cuidando".
- Acérquese a los almohadones y anime a los niños a subirse a ellos. Mientras se divierten haciéndolo, ayúdeles mientras se suben y caen, diciendo lo divertido que es cuidarlos mientras juegan.

Estudio 22 Rut y Noemí vivían en una casa

Objetivo de la lección: Que los alumnos escuchen expresiones de gratitud por su hogar.

0, 1 años

UNIDAD 5
SER COMO JESÚS ES DAR GRACIAS A DIOS
Objetivo de la unidad: Que los alumnos sientan gratitud a Dios por el cuidado que reciben, por su hogar, por la comida, por sus amigos, por las personas que los aman y por su familia.

Pensamiento bíblico de la unidad:
"Doy gracias a Dios por todo".
1 Tesalonicenses 5:18a

Base bíblica: Rut 1:22—4:13

Preparación de materiales
- Prepare un nido de pájaro o use una foto de un nido.
- Recorte siluetas de casas, usando dos modelos y haciendo tres copias de cada casa.
- Cubra una mesa con papel. Corte las siluetas de las casas de cartoncillo y asegúrelas con cinta adhesiva al papel. Provea pinceles grandes y una lata de pintura no tóxica. Provea camisas viejas para proteger la ropa de los niños.
- Arregle el área del hogar con objetos que el niño tiene en su hogar: sillas, mesa, trapeador, ollas, cucharas, cajas de comida, fregadero, refrigerador, escoba, cocina (estufa) y otras cosas de la cocina.
- Coloque figuras de diferentes tipos de casa alrededor del salón, en lugares donde todos los niños los puedan ver.
- Saque cuatro carteras de mujer, o mochilas. Coloque objetos pequeños al lado de ellas que los niños puedan colocar adentro de la cartera (peine, pañoleta, juguetes, autitos, etc.).
- Si no tiene un títere que puede usar, confeccione uno sencillo usando un calcetín o una cuchara de madera, o una bolsa de papel.

1 Bienvenida

Al llegar los niños muéstreles el nido de pájaro, diciendo: "Miren esto. Aquí vivían unos pajaritos. Ellos se fueron volando, así es que lo traje para que lo vieran. ¿Viven ustedes en una casa como ésta? Me alegro mucho de que Dios les dio un hogar que es perfecto para ustedes".

2 Conversación y oración

Durante el tiempo de la clase, inserte estos comentarios y pequeñas oraciones en su conversación con los niños:
- En la Biblia dice que Rut y Noemí vivían juntas en una casa.
- Dios dio a Rut y a Noemí una casa en donde vivir.
- Yo vivo en una casa.
- Me alegro de tener una casa donde vivir.
- Gracias Dios, por mi casa. Gracias, Dios por la casa de (*nombre del niño*).
- Dios me cuida en mi casa. Dios también te cuida a ti en tu casa.

3 Cantos

Tome al niño en sus brazos y cante un canto. Diga sus propias palabras y tonada, especialmente para cantar acerca de lo que el niño está haciendo y usando su nombre en el canto. Cante: "Gracias, Señor" (núm. 1 del *Cancionero para preescolares 1*), repitiendo la segunda parte "por nuestra casa" durante todo el canto.

4 Actividades

- Muestre una de las siluetas de una casa y diga: "Esta es una casa. ¿Puedes encontrar otra igual?". Déjelos buscar entre las cinco casas para encontrar la que se parece. Vuélvalo a hacer con una casa diferente. Puede repetir el juego hasta que hayan dominado la idea.
- Ponga las camisas a los niños y muéstreles cómo meter el pincel en la pintura y pintar el papel. Después de que terminen, quite las siluetas de las casas y coloque todo el dibujo (el lugar donde estaban las siluetas quedará en blanco) en la pared, hablando de las casas bonitas que los niños pintaron.
- Mientras los niños juegan en el área del hogar, explíqueles que están jugando como si estuvieran en su casa. Permita a los bebés observar este juego desde una distancia segura, o mientras lo tiene en su regazo.
- Ayude a los niños a fijarse en las figuras y hable con ellos acerca de las diferentes casas que están viendo. Asegúrese de que las figuras estén protegidas para que los niños las puedan tomar y ver de cerca.
- Permita a los niños llenar, cargar, meter y jugar con las carteras viejas. Hable de cómo las mamás llevan una cartera cuando salen de la casa.
- Use el títere para hablar a los bebés. Permita que el títere hable: "Me llamo Rut. Tengo una buena amiga que se llama Noemí. Ella y yo vivimos juntas en una casa como la tuya". Sea creativo y use una voz que suene diferente a la suya.

Estudio 23 Rut buscó comida

Objetivo de la lección: Que los alumnos sientan gratitud porque Dios les da comida.

UNIDAD 5
SER COMO JESÚS ES DAR GRACIAS A DIOS

Objetivo de la unidad: Que los alumnos sientan gratitud a Dios por el cuidado que reciben, por su hogar, por la comida, por sus amigos, por las personas que los aman y por su familia.

Pensamiento bíblico de la unidad:
"Doy gracias a Dios por todo".
1 Tesalonicenses 5:18a

Base bíblica: Rut 1:22—4:13

Preparación de materiales

- Prepare algún tipo de comida que tenga un olor muy fuerte para que los niños la puedan oler cuando lleguen. Puede ser una naranja cortada, o un pan con canela, o cebolla o ajo dorado.
- Cubra el piso con plástico o una sábana vieja. Coloque en el piso un recipiente (uno para cada niño) con maicena o sal. Coloque cucharas y otros recipientes de varios tamaños en un lugar cercano.
- Coloque cajas vacías de comida y recipientes de plástico en estantes bajos. Confeccione carritos de supermercado atando un cordón a una caja grande.
- Coloque ollas y tapas en el piso, junto con algunas cucharas de madera.
- Prepare o provea plastilina o arcilla.
- Esconda comida de juguete (o cuadros de comida) alrededor del salón.

1 Bienvenida

Al hablar con los bebés cuando lleguen, trátelos con mucha ternura, para no asustarlos. Hoy al hablar con ellos, respire profundo y pregúnteles qué huelen. Afirme que huelen comida. Diga: "Hoy vamos a decir 'Gracias Dios por la comida'". Llévelos a la mesa donde está la comida olorosa para que la puedan oler de cerca.

2 Conversación y oración

Repita estas frases durante su conversación con los bebés:
- La Biblia dice que Dios dio comida a Rut y a Noemí.
- Dios nos da comida a ti y a mí.
- Me gusta comer la comida que Dios me da.
- Hay tantas diferentes clases de comida.
- Gracias, Dios, por mi comida.
- Gracias, Dios, por hacer tantas clases de comidas deliciosas.

3 Cantos

Cante: "Lo que Dios hizo" (núm. 45 del *Cancionero para Preescolares, 1*), usando las siguientes palabras:
"Dios hizo la uva
Dios hizo el maíz
Dios hizo los peces
También el arroz".

4 Actividades

- Permítales jugar libremente con la maicena, dándoles cucharas y recipientes. Es una oportunidad para enseñarles a manejar los cubiertos. Supervise bien esta actividad. Diga: "Rut y Noemí comieron comida como esta. Yo también".
- Diga: "Vamos al supermercado a comprar comida". Muestre cómo tirar el carrito y llenarlo con las cajas de comida. "Están llevando comida para su familia, así como Rut salió para traer comida a Noemí".
- Mientras juegan con las ollas y las cucharas, explíqueles que las usamos para preparar la comida. Dé gracias por las personas que nos preparan la comida.
- Lleve a los bebés en una "caminata de color". Al ir caminando, señale el color de algún objeto y haga referencia a la comida que es del mismo color. Por ejemplo: "Mira, veo un vestido amarillo. Es amarillo como la banana".
- Coloque la plastilina o arcilla en la mesa y permita que los niños pretendan que están preparando la comida. Explíqueles que la plastilina es para jugar a hacer comida, pero no pueden comerla.
- Pretenda encontrar alguna de la comida que escondió y luego anime a los niños a encontrar la que escondió alrededor del salón. Indíqueles qué tan cerca están, diciendo: "Están buscando comida así como Rut buscó comida para Noemí".

Estudio 24 Boaz ayudó a Rut

Objetivo de la lección: Que los alumnos sepan dar gracias a Dios por sus amigos.

0, 1 años

UNIDAD 5
SER COMO JESÚS ES DAR GRACIAS A DIOS
Objetivo de la unidad: Que los alumnos sientan gratitud a Dios por el cuidado que reciben, por su hogar, por la comida, por sus amigos, por las personas que los aman y por su familia.

Pensamiento bíblico de la unidad:
"Doy gracias a Dios por todo".
1 Tesalonicenses 5:18a

Base bíblica: Rut 1:22—4:13

Preparación de materiales
- Provea algunas esponjas húmedas para los niños.
- Provea un calcetín viejo cuyo elástico esté flojo.
- Prepare un juguete económico que se pueda tirar como un trencito, atando juntos algunos objetos que hagan ruido. Sugerencias: tazas de medir de metal, pulseras viejas, tubos de cartón (del papel sanitario), cajas chicas y carretes vacíos de hilo. Coloque cada objeto dejando un espacio entre cada uno. Haga un nudo entre cada uno para separarlos.
- Prepare un títere, cosiendo, hilvanando o pintando caras en cada uno de los dedos de un guante viejo. (Si no tiene un guante, use marcadores para pintar las caras en sus dedos).
- Provea un tubo de cartón (del papel sanitario o toallas de papel) y un autito de juguete que pueda caber dentro del tubo.

1 Bienvenida

Use su "bata para tocar" que hizo para la Unidad 4, Estudio 18. Cuando lleguen los niños, permítales tocar todas las diferentes cosas en la bata, y encontrar cosas interesantes que ha puesto en los bolsillos. Al hacerlo, hable de lo mucho que se divertirán juntos como amigos especiales. Dígales lo contento que se siente que son sus amigos.

2 Conversación y oración

Durante intervalos apropiados, querrá mencionar los versículos bíblicos con estas frases: "La Biblia dice: 'Doy gracias a Dios por todo'. Hoy doy gracias por mis amigos". Otras frases que querrá repetir con frecuencia son:
- Tengo amigos en el templo.
- Tú eres mi amigo.
- Los amigos se ayudan unos a otros. Tú me estás ayudando. Yo te ayudo a ti.
- En la Biblia, Boaz ayudó a Rut dándole comida. (Puede usar esta frase cuando dé a los niños su refrigerio).
- Gracias, Dios, por mis amigos.

3 Cantos

Cante este canto del *Cancionero para preescolares 1*: "Con mis amigos" (núm. 30).

4 Actividades

- Demuestre cómo los niños pueden usar las esponjas mojadas en el piso (si no tiene alfombra) o en las paredes. Mientras trabajan, diga: "Gracias por ayudarme. Ustedes son mis amigos que ayudan".
- Haga oscilar el calcetín enfrente del bebé, a una distancia que no lo pueda alcanzar. Anímelo a tratar de atraparlo. Cuando lo haya hecho, tire del calcetín un poquito con el fin de jugar un juego de tironeo. Mientras juegan, háblele de lo bueno que es tener un amigo con quien jugar.
- Dé la punta del cordón a los niños para que jueguen con el juguete. Mientras se gozan por el ruido que están haciendo, diga: "Gracias por jugar con el juguete que hice para ti. Te lo hice porque eres mi amigo".
- Juegue un juego de "Dar instrucciones". Dé algunas instrucciones sencillas al bebé como: "Siéntate, párate, ve a la puerta, etc.". Cuando sigan las instrucciones diga: "Somos amigos y estamos jugando juntos".
- Muestre a los niños los títeres y dé un nombre a cada dedo. Invente una historia acerca de que son amigos (usando el nombre del niño en la historia).
- Ruede el autito por el tubo de cartón. Mientras el bebé espera que el autito salga por el otro lado, diga: "¡Mira! El autito rueda por el tubo. Me gusta jugar este jugo contigo porque tú eres mi amigo especial. Gracias, Dios, por mi amigo".

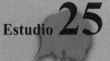

Estudio 25 Boaz amó a Rut

0, 1 años

Objetivo de la lección: Que los alumnos oigan a otros expresar su gratitud a Dios por las personas que los aman.

UNIDAD 5
SER COMO JESÚS ES DAR GRACIAS A DIOS
Objetivo de la unidad: Que los alumnos sientan gratitud a Dios por el cuidado que reciben, por su hogar, por la comida, por sus amigos, por las personas que los aman y por su familia.

Pensamiento bíblico de la unidad:
"Doy gracias a Dios por todo".
1 Tesalonicenses 5:18a

Base bíblica: Rut 1:22—4:13

Preparación de materiales

- Traiga un sombrero o gorra que pueda usar y que los niños puedan usar también. Provea un espejo irrompible. Quizá quiera proveer varios sombreros para los niños.
- Coloque detrás de una mecedora un cuadro de alguien besando o cargando a un bebé, para que los bebés puedan verlo por sobre su hombro mientras los carga.
- Cubra o pinte dos cajas de cartón de diferentes colores. Coloque tres bolsas llenas de frijoles (prepárelas cosiendo círculos de trozos de tela y llenándolos de arena o frijoles) de un color similar en cada caja.
- Provea una muñeca y una cunita para cada bebé (pues los niños de un año no saben compartir).
- Cubra una mesa con papel, sujetándolo con cinta adhesiva. Tenga listo un tocacasete y los casetes del *Cancionero para preescolares*. Provea crayones gruesos.

1 Bienvenida

Reciba a los niños con el sombrero puesto. Diga: "¿Ven mi sombrero? (*tóquelo*). La persona que los ama lleva un sombrero. ¿Quién lleva el sombrero? Yo. Es cierto. ¡Te amo!". Luego póngale el sombrero a alguien más y repita el juego. Póngale el sombrero a un niño y pregúntele: "¿A quién amas?". Permita al niño verse en el espejo mientras trae puesto el sombrero. Cada vez que le ponga el sombrero a un niño, repita la frase: "¿Quién te ama? ¡Yo!".

2 Conversación y oración

Use estas frases y oraciones durante su tiempo juntos:

- La Biblia dice que Rut y Boaz se amaban. Se ayudaban uno al otro.
- Te amo. Tu mami te ama... (mencione también a otras personas de la familia del bebé).
- A las personas que se aman les gusta estar juntas.
- Me gusta estar contigo.
- Demos gracias a Dios porque te ama.
- Demos gracias a Dios por (mencione el nombre de alguien más) que te ama.
- (*Nombre del niño*) está feliz porque lo aman.

3 Cantos

Cante "Yo amo" (núm. 35 del *Cancionero para preescolares 1*): "Amo a mamá y a papá" (Núm. 54 del *Cancionero para preescolares 2*).

4 Actividades

- Mientras mece al bebé, señale el cuadro y diga: "¡Mira! Ella ama al bebé. Yo también te amo".
- Saque las bolsas de frijoles de las cajas y permita a los niños que jueguen con ellas echándolas a la caja. Anímelos a ponerlas en las cajas del mismo color. Diga: "Estás mostrando tu amor por tus amigos jugando con ellos. Me da gusto que se amen".
- Cante una canción de cuna a la muñeca y duérmala. Coloque una muñeca en los brazos del bebé y con señas anímelo a hacer lo mismo. Anímelo a expresar su amor al "bebé".
- Muestre al bebé cómo "tirar" besos. Es una buena práctica para que usen sus brazos. Permita a todos los niños "tirarse" besos unos a otros.
- Junte a los niños en un círculo mientras canta: "Hagamos una ronda" (núm. 28 del *Cancionero para preescolares 1*). Al final del canto, guíe a los niños a sentarse diciendo: "¡Cuánto nos amamos unos a otros!".
- Toque el casete de uno de los cantos sugeridos para hoy. Siéntese en la mesa cubierta de papel y comience a rayar al ritmo de la música. Anime a los niños a hacer lo mismo.

Estudio 26 La familia de Boaz y Rut

Objetivo de la lección: Que los alumnos sientan gratitud por su familia.

0, 1
años

UNIDAD 5
SER COMO JESÚS ES DAR GRACIAS A DIOS

Objetivo de la unidad: Que los alumnos sientan gratitud a Dios por el cuidado que reciben, por su hogar, por la comida, por sus amigos, por las personas que los aman y por su familia.

Pensamiento bíblico de la unidad:
"Doy gracias a Dios por todo".
1 Tesalonicenses 5:18a

Base bíblica: Rut 1:22—4:13

Preparación de materiales
- Provea varias muñecas de tela y una cunita.
- Provea una variedad de ropa que represente la vestimenta que usan diferentes miembros de la familia. Por ejemplo: vestidos, carteras, pañoletas para las mamás, abuelitas y hermanas, sacos, corbatas y sombreros para los papás, abuelitos y hermanos.
- Prepare un "libro para tocar". Corte pedazos de fieltro de 15 cm por 15 cm. Cosa los pedazos de un lado, para formar un libro. En cada hoja, cosa un objeto apropiado para "tocar" para representar a un miembro de la familia. Sugerencias: Un pedazo de tela suave para la mamá, papel lija para el papá, un pedazo de goma o plástico para el hermano, piel sintética para el animal doméstico, franela para la hermana, etc.
- Sujete con cinta adhesiva una tela suave en una mesa. Provea papel blanco y crayones gruesos al lado de la tela suave.
- Corte los cuadros de la mamá, el papá, el hermano, y la hermana de la lámina que viene en las Ayudas Didácticas.

1 Bienvenida

Reciba a los bebés llevando una muñeca de tela en sus brazos y tarareando cante: "Así cargamos al bebé, al bebé, al bebé; así cargamos al bebé en nuestra familia". "Así mecemos al bebé, al bebé, al bebé" (arrulle al bebé). "Así mecemos al bebé en nuestra familia". "Así abrazamos al bebé, al bebé, al bebé. Así abrazamos al bebé en nuestra familia" (abrace a la muñeca). Puede añadir otros versos, como dar de comer al bebé, jugar con el bebé, etc. Cuando termine, murmure: "Creo que el bebé está bien dormido. Vayamos de puntitas y acostemos al bebé en su cuna. ¡Shh!". Anime a los niños a cargar a la muñeca y cuidarla como lo hizo usted.

2 Conversación y oración

Intercale frases como estas en su conversación:
- La Biblia dice que Rut y Boaz tuvieron un bebé. Amaban a su bebé. Eran una familia feliz.
- Tú tienes una familia.
- Tu familia te ama.
- Dios dio a Rut y a Boaz una familia cariñosa.
- Dios te dio a ti una familia cariñosa.
- Gracias, Dios, por mi familia (o el nombre de la familia del bebé).

3 Cantos

Cante "Gracias, Señor" (núm. 1 del *Cancionero para preescolares 1*), repitiendo la frase "por mi familia" durante todo el canto.

4 Actividades

- Repita este canto de acción durante la clase: "Gracias, Dios" (*apunte hacia arriba*). "Mi familia me ama" (*cubra su corazón*). "Yo amo a mi familia también" (*lentamente extienda sus brazos*). "Gracias, Dios, por mi familia" (*dese una vuelta*). "¡Mi familia te envía un beso!" (*"tire" un beso hacia arriba*).
- Saque los cuadros de mamá, papá, hermano y hermana. Pida a los bebés que encuentren el cuadro de mamá diciendo: "Las mamitas son especiales. ¿Quién puede encontrar el cuadro de mamá?". (Pegue los cuadros en la pared). Haga lo mismo con los papás, hermanos y hermanas. Muestre los cuadros a los bebés.
- Invite a los niños a vestirse como los miembros de su familia y luego que diga a quién está imitando.
- "Lea" el "libro para tocar" inventando una historia para cada niño, acerca de su familia. Hágala personal, usando los nombres correctos.
- Juegue el juego "alto/pequeño" de esta forma: "Háganse altos (*párese de puntitas*) como sus papás. Háganse pequeños (*agáchese lo más bajo que pueda*) como sus hermanos". (*Repita usando diferentes nombres de las familias al hacerse alto o pequeño*).
- Permita a los niños tocar la tela suave y diga: "Así me siento cuando doy gracias a Dios por mi familia. Se siente bonito". Luego sujete papel sobre la tela y permita a los niños usar los crayones para rayar el papel. Diga: "¡Miren, la tela hace que sus dibujos se vean bonitos también!".

Estoy con mis amigos en el templo

0, 1 años

Objetivo de la lección: Que los alumnos sepan que estamos entre amigos en el templo.

UNIDAD 6
SER COMO JESÚS ES IR AL TEMPLO
Objetivo de la unidad: Que los alumnos sepan que se sentirán contentos cuando estén en el templo.

Pensamiento bíblico de la unidad:
"Me siento feliz en el templo".
Salmo 84

Base bíblica: Samuel y Elí:
2 Samuel 2:18, 19; 3:1-11, 15-19

Preparación de materiales

• Junte y lleve al templo diferentes tipos de muñecas para que los bebés jueguen con ellas. Colóquelas en un estante que esté al alcance de los niños.

• En un calcetín pegue o cosa algunos botones o pedazos de tela (asegurándose de que no los puedan arrancar) en la forma de una cara. Quizá querrá hacer más de una para que los niños no se vayan a pelear.

• "Aquí estoy". Confeccione un tablero de fotos para jugar a las escondidas, recortando seis cuadros (25 cm cada uno) de un material atractivo. Luego, cosa la punta de cada cuadro a un metro de tela (de tal forma que estos cuadros formen aletas que cuelguen. Si el material se deshilacha querrá bastillarlo. Coloque fotos de personas de la iglesia (puede también usar las ilustraciones que vienen en las Ayudas Didácticas), asegurándolas con un imperdible por el lado de atrás de la aleta. Si es posible, las fotos deben ser de personas que ellos conocen. Coloque la tela grande en la pared con cinta adhesiva resistente, o con tachuelas (cubriendo las tachuelas).

1 Bienvenida

Cuando llegue cada niño, vaya a la puerta y recíbalo diciendo: "Mi amigo (nombre del niño) ya llegó". Luego cante: "Bienvenido" (núm. 2 del *Cancionero para preescolares 1*) u otro canto de bienvenida que conozca. No cante demasiado fuerte ni sea agresivo, a fin de no asustar o sobresaltar al niño.

2 Conversación y oración

Como una parte natural de su tiempo junto con los niños, repita el versículo bíblico y use las siguientes frases cuando sea apropiado:

• La Biblia dice que cuando Samuel era un niñito fue al templo.

• A Samuel le gustaba ir al templo. Tenía un amigo especial que se llamaba Elí.

• Tú tienes amigos especiales en el templo.

• Yo soy tu amigo. (Mencione los nombres de otros amigos de la iglesia).

• Cuando estoy en el templo, estoy con mis amigos.

• Es divertido venir al templo y estar con los amigos.

3 Cantos

Al cantar "Vengo al templo" (núm. 13 del *Cancionero para preescolares 2*), pretenda que va caminando al templo. Al cantar la primera estrofa de "Al templo quiero ir" (núm. 7 del *Cancionero para preescolares 2*), haga los diferentes movimientos: caminar al templo, cantar (manos tocando la boca), orando (manos juntas), etc.

4 Actividades

• Coloque al bebé en su asiento o camine alrededor del salón con él en sus brazos. Comience a contar a los niños. Diga: "Tenemos a muchos amigos en el templo hoy. Uno, Tomás; dos, María; etc. Mencione el nombre de todos los niños, contando a cada uno.

• Llame la atención de los niños a las diferentes muñecas. Hable acerca de la muñeca que decidan escoger. Mientras habla de lo diferentes que son, diga: "Tú escogiste una muñeca morena. Creo que veo a un amigo que también es moreno. Las muñecas son diferentes y así también los amigos son diferentes".

• Juegue a las escondidas con una muñeca. Muestre una muñeca al bebé y luego cúbrala y descúbrala con una cobija. Diga: "Ves a la muñeca, cubrámosla. ¿A dónde se fue? ¡Allí está!". Repita diciendo: "Somos amigos y estamos jugando un juego aquí en el templo".

• Coloque el calcetín en la mano de un bebé y muévalo para que capte su atención. Anímelo a fijarse en él. Diga: "¿Ves la cara? Nos gusta ver la cara de nuestros amigos. Hoy tienes a muchos amigos aquí". (Vigile que no se metan el calcetín en la boca, especialmente si tienen dientes).

• Muestre a los niños cómo levantar las aletas y ver cada foto en el tablero. Hable acerca de cada foto, mientras las observan. Hable de los amigos de la iglesia. Use el rompecabezas que hizo en la Unidad 3, Estudio 13. Permita que los niños arreglen el rompecabezas, hablando de lo divertido que es jugar con los amigos en el templo.

Mis maestros me aman

0, 1 años

Objetivo de la lección: Que los alumnos sepan que sus maestros los aman.

UNIDAD 6
SER COMO JESÚS ES IR AL TEMPLO

Objetivo de la unidad: Que los alumnos sepan que se sentirán contentos cuando estén en el templo.

Pensamiento bíblico de la unidad:
"Me siento feliz en el templo".
Salmo 84

Base bíblica: Samuel y Elí:
2 Samuel 2:18, 19; 3:1-11, 15-19

Preparación de materiales

- Traiga el libro que preparó para la Unidad 4, estudio 16.
- Amarre a un listón de un color alegre una cuenta que atraiga la atención, y cuélguelo sobre la mesa donde cambia al bebé, o sobre la cuna.
- Confeccione una libreta para que cada niño pueda rayar. Doble tres trozos grandes de papel a la mitad y luego grápelos. Provea crayones y/o marcadores lavables.
- Recorte una "X" en el centro de una tapa de plástico (como la de una lata de café o chocolate o leche en polvo). Asegúrese de que las orillas de la lata estén completamente lisas. Junte algunos juguetes pequeños (pero no tan pequeños que se los puedan tragar) que puedan caber por la "X" y caer dentro de la lata, cosas como un bloque, un carro pequeño, un animal pequeño de plástico, etc.
- Provea un tubo de cartón, como los que vienen en las toallas de papel o papel sanitario. Provea varios juguetes pequeños que quepan dentro del tubo. Pero tenga cuidado de NO usar juguetes que los niños puedan tragarse. Algunos ejemplos: cuchara, peine, guante, calcetín.

1 Bienvenida

Cuando lleguen los niños, use el mismo saludo que usó en la Unidad 5, estudio 25, ya que a los niños les encanta la repetición. Así estará reforzando la idea de que ama a los niños, un concepto que ya está tratando de enseñar.

2 Conversación y oración

Aunque piense que no es necesario platicar con los niños, ellos están en una edad cuando la conversación es crítica, ya que están aprendiendo sus primeras palabras y frases. Usted tiene una oportunidad excepcional de enseñarles sus primeras palabras y frases. Esta semana querrá enfatizar:

- La Biblia dice que Samuel fue al templo. Tenía un amigo especial en el templo. Elí era su amigo especial. Elí enseñó a Samuel.
- Elí amaba a Samuel.
- Yo te enseño cuando vienes al templo.
- Yo soy tu maestro en el templo.
- Te amo.

3 Cantos

Querrá repetir durante todo el período de la clase: "Con mi iglesia" (núm. 25 del *Cancionero para preescolares 2*), añadiendo cosas diferentes que los niños aprenden en el templo (amar, jugar, etc.). Use los movimientos apropiados mientras canta.

4 Actividades

- Encuentre un rincón quieto y vean juntos un libro a colores. Aproveche este momento de quietud como una expresión de su amor por el niño.
- Mueva el listón de un lado a otro para que los niños puedan verlo mientras les cambia el pañal. Hable con ellos: "¿Puedes ver el bonito listón y la cuenta? Los puse allí porque quería que vieras algo bonito. ¡Te amo!".
- Saque la libreta para rayar y muéstrela al niño. Diga: "¡Mira lo que preparé para ti! Es tu propio libro para dibujar. Voy a escribir tu nombre en él. M-A-R-Í-A, María (*deletreando el nombre de la niña*). Tú eres especial". Permita que raye libremente en la libreta.
- Anime a los niños a que abracen y besen a las personas que quieren y con quien se sienten cómodos. Diga: "Veo que estás abrazando al osito. ¿Me puedes dar un abrazo a mí también?". O "Me encanta enseñarte. Me gusta darte un beso. ¿Puedes darle un beso a la muñeca?". El niño asocia la emoción del amor, con acciones de amor.
- Siéntese con el niño y enséñele cómo empujar los objetos por el agujero (la "X"). Luego enséñele cómo quitar la tapa y sacar los objetos. Dele la lata para que juegue con ella. Diga: "Te hice este juguete porque soy tu maestra".
- Use el tablero de fotos de la semana pasada para jugar a las escondidas.
- Los niños quedarán fascinados mientras coloca los objetos en el tubo y desaparecen y reaparecen por el otro lado. Diga: "Me gusta ser tu maestra. Nos divertimos juntos".

Veo la Biblia en el templo

Objetivo de la lección: Que los alumnos sepan que se usa la Biblia en el templo.

0, 1 años

UNIDAD 6
SER COMO JESÚS ES IR AL TEMPLO

Objetivo de la unidad: Que los alumnos sepan que se sentirán contentos cuando estén en el templo.

Pensamiento bíblico de la unidad:
"Me siento feliz en el templo".
Salmo 84

Base bíblica: Samuel y Elí:
2 Samuel 2:18, 19; 3:1-11, 15-19

Preparación de materiales

- Recorte las figuras de la Biblia que vienen en las Ayudas Didácticas. Cuidadosamente péguelas a un cartón grueso. Cúbralas con plástico para laminar. Córtelas en dos pedazos para hacer rompecabezas.
- Pegue cuadros de Biblias (los puede dibujar usted mismo o imprimirlos de la computadora) en cartón y luego cúbralas con plástico. Coloque las figuras en un recipiente de plástico con tapa.
- Provea una Biblia para niños que los niños puedan manejar. Si no tiene una Biblia para niños, entonces recorte de literatura vieja, o dibuje, figuras de Biblias e insértelas en una Biblia.
- Esconda algunas Biblias en lugares obvios para que los niños las encuentren.
- Confeccione una Biblia "contando libros" de diez páginas. En la primera página dibuje una Biblia, en la número dos, dos Biblias. Siga así hasta que tenga diez Biblias en la última página. Use su forma favorita de armar un libro, asegurándose de que sea suficientemente resistente para este grupo.

1 Bienvenida

Al llegar los niños, mencione a sus padres (después de recibir a los niños con una Biblia en la mano) que hoy hablarán acerca de la Biblia. Anime a los padres a enseñarles la Biblia durante la semana, para que los niños aprendan que es un libro especial.

2 Conversación y oración

Mencione la Biblia todas las veces que pueda durante la clase, usando algunas de estas frases:

- Usamos la Biblia en el templo.
- Puedo ver una Biblia. ¿Tú puedes ver una Biblia?
- La Biblia es un libro especial.
- Hay tantas historias en la Biblia.
- Me gusta leer la Biblia.
- El templo es un buen lugar para leer la Biblia.
- Me siento feliz cuando leo la Biblia.
- Tú (nombre del niño) te sientes feliz al ver la Biblia.

3 Cantos

Debe cantar gozosamente estos cantos a y con los niños mientras están ocupados en sus actividades. La repetición es importante para el aprendizaje eficaz. "La Biblia amo" (núm. 43 del *Cancionero para preescolares 2*); segunda estrofa de "Este libro" (núm. 9 del *Cancionero para preescolares 1*).

4 Actividades

- Arme el rompecabezas y luego desármelo. Permita a un niño hacer lo mismo. Luego separe las piezas y permítale volverlo a armar. Repita esto hasta que el niño haya aprendido cómo hacerlo. Diga: "Este es un dibujo de la Biblia".
- Dé el recipiente de plástico con las figuras de la Biblia a un bebé y permita que lo tenga en sus manos y juegue con él. Anímelo a abrirlo y vaciar las figuras. Diga: "Son figuras de la Biblia".
- Juegue un juego de identificación de la Biblia. Señale un libro y diga: "¿Es este una Biblia? No, es un libro". Luego señale a una Biblia y diga: "¿Es esta una Biblia? Sí, es una Biblia". Repita.
- Abra la Biblia y muestre a los niños cómo dar vuelta a las hojas. Viendo una de las figuras, cuénteles una historia con unas cuantas frases cortas.
- Diga: "¿Ves una Biblia en este salón? ¿Puedes traerme la Biblia que ves?". Permita que los niños le traigan las Biblias que encuentren. Si no es una Biblia diga: "Este es un libro, pero no es una Biblia. ¿Puedes encontrar la Biblia?". Ayúdelos a manejar la Biblia cuidadosamente.
- Enséñeles la Biblia "contando libros" diciendo: "Esta es una Biblia, ¡una! Estas son dos Biblias, ¡una, dos!". Ayúdelos a señalar las Biblias y contarlas.

Estudio 30

Escucho historias de la Biblia en el templo

Objetivo de la lección: Que los alumnos sepan que es bueno escuchar historias de la Biblia en el templo.

0, 1 años

UNIDAD 6
SER COMO JESÚS ES IR AL TEMPLO

Objetivo de la unidad: Que los alumnos sepan que se sentirán contentos cuando estén en el templo.

Pensamiento bíblico de la unidad:
"Me siento feliz en el templo".
Salmo 84

Base bíblica: Samuel y Elí:
2 Samuel 2:18, 19; 3:1-11, 15-19

Preparación de materiales

- En una caja o recipiente grande de plástico, ponga un cepillo, una Biblia y una fruta. Luego coloque un cuadro de cada uno de estos objetos (montados en un cartón) en la misma caja o recipiente.
- Grabe, en un casete, historias muy cortitas de la Biblia. Usted puede grabar la historia, o puede pedir a varias personas que lo hagan. Tenga un tocacasete disponible.
- Cuelgue figuras de Biblias en el área donde cambia a los niños, donde el niño los pueda ver al voltear la cabeza.
- Provea una Biblia grande para niños.
- Recorte el contorno de una Biblia abierta. Arranque o corte pedazos de papel negro o marrón y colóquelos en un recipiente. Ponga pegamento en un recipiente de plástico.
- Confeccione un móvil bíblico. Una figura grande de una Biblia servirá como la base y cuatro figuras de historias bíblicas colgarán de la Biblia. Cuélguelo sobre la cuna, o en otra área del salón donde pueda atraer la atención de los bebés. Esté seguro de que los bebés no lo puedan alcanzar.

1 Bienvenida

Reciba a los niños en la puerta, usando su "bata para tocar", pero esta vez en lugar de tela o pañoletas en las bolsas, meta Biblias pequeñas o figuras de Biblias. Al recibir a los niños y animarlos a tocar su bata, también recuérdeles que tiene algo en sus bolsillos. Permita que vean la Biblia y/o figuras, diciendo: "Sí, esta es una Biblia (o la figura de una Biblia). Hoy haremos muchas cosas interesantes. Miren. ¡Empecemos!".

2 Conversación y oración

Converse acerca del tema de la lección, usando algunas de estas frases:
- Me encantan las historias de la Biblia
- Mi historia bíblica favorita es...
- La Biblia es un libro especial que contiene muchas historias.
- Pueden escuchar muchas historias de la Biblia cuando vienen al templo.
- Sé que les gusta escuchar historias de la Biblia.
- La Biblia dice que cuando Samuel era un niño pequeño, Elí le contó historias de la Biblia.
- Yo (*su nombre*) te cuento a ti (*nombre del niño*) historias de la Biblia.

3 Cantos

Pueden cantar: "La Biblia amo" (núm. 43 del *Cancionero para preescolares 2*); segunda estrofa de "Este libro" (núm. 9 del *Cancionero para preescolares 1*).

4 Actividades

- Muestre a los niños cómo poner los objetos "reales" en las figuras, enseñándoles a igualar las cosas reales con las figuras. Después deje que los niños jueguen con las tarjetas y los objetos. Dé énfasis a la Biblia y a la figura de la Biblia
- Permítales escuchar una de las historias que ha grabado. Diga: "Es una historia de la Biblia". Muestre a los niños cómo encender la casetera y escuchar la historia.
- Mientras cambia los pañales, señale las figuras para que el bebé voltee a verlos. Dígales que es una figura de una historia de la Biblia. Cuéntele la historia en pocas palabras.
- Estimule el interés de ver la Biblia, tomándola en las manos y comenzando a verla. Diga: "¡Vean esta figura!". Cuando uno de los niños muestre interés, siéntelo en su regazo y comience a voltear las páginas juntos diciendo: "¡Qué historias tan interesantes hay en la Biblia!".
- Muestre a los niños cómo pegar el papel de color en el contorno de la Biblia abierta, metiendo el papel en el pegamento y colocando el papel de color en el contorno de la Biblia. Diga: "Están haciendo una figura de la Biblia. Hay tantas historias interesantes en la Biblia".
- Empuje suavemente o mueva el móvil para que lo vean los bebés. Cuando le pongan atención y lo señalen diga: "Esta es una historia de la Biblia". Cuente la historia en una o dos oraciones.

Escucho cantos en el templo

Objetivo de la lección: Que los alumnos sepan que en el templo se canta y se toca música

0, 1 años

UNIDAD 6
SER COMO JESÚS ES IR AL TEMPLO

Objetivo de la unidad: Que los alumnos sepan que se sentirán contentos cuando estén en el templo.

Pensamiento bíblico de la unidad:
"Me siento feliz en el templo".
Salmo 84

Base bíblica: Samuel y Elí:
2 Samuel 2:18, 19; 3:1-11, 15-19

Preparación de materiales
- Provea pañoletas o pedazos grandes de tela que los niños puedan usar.
- En un área del salón coloque algunos instrumentos musicales que los niños puedan tocar, como tambores, cascabeles y un piano de juguete. Tenga un tocacasete en un lugar cercano.
- Prepare un móvil musical para colocar sobre la cuna. Amarre a una percha, con hilo de nailon, varios objetos que hagan ruido: cucharas, sonajeros, platos de aluminio, cascabeles, etc. Cuelgue el móvil lo suficientemente alto para que el bebé sólo lo pueda tocar con los pies.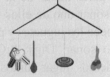
- Recorte siluetas de instrumentos musicales (como un tambor y una guitarra, algo que el niño pueda reconocer) de cartón grueso. Péguelos con cinta adhesiva a la mesa. Ponga un papel blanco, sujeto con cinta adhesiva, sobre los instrumentos. Provea crayones gruesos a los que les haya quitado el papel.

1 Bienvenida

Cuando lleguen los niños, vaya a la puerta y recíbalos cantando "Bienvenida" (núm. 2 del *Cancionero para preescolares 1*). Dígales lo contento que está de que hayan venido al templo hoy.

2 Conversación y oración

Repita el versículo bíblico durante la sesión de la clase diciendo: "La Biblia dice: 'Me siento feliz en el templo'. Creo que te sientes feliz de haber venido al templo hoy".
- En la Biblia dice que es bueno cantar y tocar instrumentos.
- A mí me gusta la música. Me gusta cantar.
- Tú (*nombre del niño*) puedes cantar y tocar instrumentos.
- En el templo cantamos y tocamos instrumentos.
- En el templo cantamos a Dios.
- Me siento feliz cuando canto. Tú también te sientes feliz cuando cantas.

3 Cantos

"Te alabo, oh Dios" (núm. 3 del *Cancionero para preescolares 1*), estrofa 2; "Al templo quiero ir" (núm. 7 del *Cancionero para preescolares 2*); "Con mi iglesia" (núm. 25 del *Cancionero para preescolares 2*), estrofa 2.

4 Actividades

- Coloque una cobija en el piso y siéntese con el bebé. Mientras toca o canta una música suave, frótele el estómago. Cante usando el nombre del bebé.
- Ya que a los niños de un año les encanta moverse, mientras toca o canta un canto activo, demuestre cómo mover la pañoleta al ritmo de la música. Anímelos a hacer lo mismo al decir: "¡Qué divertido es cantar en el templo!".
- Dele cucharas a los niños para que golpeen en la bandeja de la silla o en el piso. Demuéstrele cómo hacerlo, pegando suavemente en la bandeja de la silla al ritmo de la música. Mientras él golpea, diga: "Estamos tocando música bonita aquí en el templo".
- Anime a los niños a tocar los instrumentos, mientras canta un canto. Cuando toquen y "canten", grabe los sonidos que hacen. Toquéles el casete y hable acerca de lo que están escuchando.
- Mientras canta al niño que está en la cuna, mueva suavemente el móvil musical para que haga ruido. Diga: "Podemos hacer música juntos en el templo. Me gustan los cantos que cantamos en el templo".
- Demuestre cómo hacer las siluetas musicales tomando un crayón y rayando sobre el contorno de un instrumento. Cuando los niños terminen de pintar sus cuadros, quítelos de la mesa y cuélguelos en la pared. Permita que admiren su trabajo y diga: "Pintaron instrumentos musicales que usamos en nuestro templo para tocar y cantar. Tocamos y cantamos en el templo".

Damos gracias a Dios en el templo

0, 1 años

Objetivo de la lección: Que los alumnos sepan que damos gracias a Dios en el templo.

UNIDAD 6
SER COMO JESÚS ES IR AL TEMPLO
Objetivo de la unidad: Que los alumnos sepan que se sentirán contentos cuando estén en el templo.

Pensamiento bíblico de la unidad:
"Me siento feliz en el templo".
Salmo 84

Base bíblica: Samuel y Elí:
2 Samuel 2:18, 19; 3:1-11, 15-19

Preparación de materiales
- Provea tazas de medir que quepan una dentro de la otra para que los niños jueguen. Puede usar tazas de medir de 1 taza, ½ taza, ¼ de taza para esta actividad.
- Coloque en el piso las figuras de la lámina (de personas que encuentran en el templo).
- Junte algunos juguetes que hagan ruido: sonajeros, llaves, tazas metálicas de medir.
- Use el tablero de fotos que preparó para la primera lección. En esta ocasión debe poner fotos de cosas por las cuales el niño está agradecido. Sugerencias: casa, biberón, padres, templo, fruta, juguete.

1 Bienvenida

Antes de que comience la clase, señale con un listón de color el Salmo 84:4 en la Biblia para niños. Coloque la Biblia al lado de la puerta. Cuando llegue un niño, recíbalo con una sonrisa grande. Muéstrele la Biblia y señale el listón. Abra la Biblia y repita el versículo bíblico, añadiendo: "Me siento feliz de que estés aquí en el templo. Quiero dar gracias a Dios por eso".

2 Conversación y oración

Mientras habla con los niños, enfatice el hecho de que debemos dar gracias. Algunas frases que se pueden usar:
- La Biblia dice que un muchacho que se llamaba Samuel iba al templo. Cuando estaba en el templo daba gracias a Dios.
- Doy gracias a Dios en el templo.
- Tú (nombre del niño) das gracias a Dios en el templo.
- Me siento bien cuando doy gracias.
- Me siento feliz en el templo cuando doy gracias a Dios.
- Puedo dar gracias a Dios por todo. Dios se alegra cuando le doy gracias.

3 Cantos

Invente cantos pequeños mientras juega y se involucra en actividades. Por ejemplo: "Gracias Dios por Diego. Me alegro de que esté sano. Me gusta cambiarle su pañal". También pude usar el tema de dar gracias. (No. 29, *Cancionero para preescolares 1*) y "Gracias, Señor" (núm. 1, *Cancionero para preescolares 1*).

4 Actividades

- Coloque las tazas de medir en el piso. Diga: "Me gusta ir al templo, ir al templo, ir al templo, para aprender y jugar con mis amigos. Gracias, Dios, porque vine al templo". A los bebés de un año les encanta poner las tazas una arriba de la otra.
- Arregle los cuadros en el piso. Anime a los niños a ver y jugar con los cuadros. Diga: "Estas personas van al templo a dar gracias a Dios".
- Coloque una caja grande y vacía enfrente del bebé. Mientras él lo observa, deje caer un juguete dentro de la caja diciendo: "¡Uy! ¿A dónde se fue el juguete?". Ayude al bebé a encontrarlo. Repita el juego diciendo: "Me siento feliz cuando jugamos en el templo. ¡Gracias Dios por el templo!".
- Coloque los juguetes ruidosos frente al niño y muévalos. Luego retírelos y póngalos detrás de la espalda haciendo sonar uno de ellos. Luego muestre al bebé los juguetes y pregúnteles cuál hizo sonar. Diga: "¡Qué bueno que podemos jugar juntos en el templo! ¡Demos gracias a Dios!".
- En el tablero de fotos diga: "Doy gracias a Dios por estas cosas. ¿Puedes tú decir gracias, también?". Permita a los niños levantar la aleta de las fotos y diga: "Gracias, Dios, por... (*nombre del objeto*)".
- Lleve a un niño en una "caminata para dar gracias". Mientras caminan alrededor del salón o templo, toque cosas procurando que el bebé las vea. Diga: "Esta es... (*el nombre del objeto*). Puedo dar gracias a Dios por...".

Me gusta estar en el templo

Objetivo de la lección: Que los alumnos sepan que el templo es un lugar feliz.

0, 1 años

UNIDAD 6
SER COMO JESÚS ES IR AL TEMPLO

Objetivo de la unidad: Que los alumnos sepan que se sentirán contentos cuando estén en el templo.

Pensamiento bíblico de la unidad:
"Me siento feliz en el templo".
Salmo 84

Base bíblica: Samuel y Elí:
2 Samuel 2:18, 19; 3:1-11, 15-19

Preparación de materiales
- Coloque un par de toallas en una caja o canasto para la ropa.
- Provea alguna ropa que los niños puedan usar para ponerse. Puede ser ropa vieja, pañoletas, zapatos y un sombrero. No se olvide de proveer un espejo irrompible.
- Provea una tapa grande con agarradera para que los niños jueguen con ella.
- Prepare un títere en una cuchara de madera, dibujando una cara en la parte cóncava.
- Coloque objetos en el piso sobre los cuales el bebé puede gatear arriba de, por debajo de y alrededor de, para ayudarle a conocer más del mundo.
- Prepare un caminito en el piso con cinta adhesiva. Coloque carritos y camionetas de madera o plástico en esa área.

1 Bienvenida

Decore su ropa con muchas caras felices (sujételas bien para que los niños no las puedan arrancar). Cuando vaya a la puerta a recibir a cada niño, tenga una sonrisa grande y también enséñeles sus caras felices. Diga: "Me siento feliz hoy. ¿Sabes por qué? Porque viniste al templo. El templo es un lugar feliz. Entren y nos divertiremos mucho hoy".

2 Conversación y oración

Querrá que su conversación hoy sea lo más feliz posible para enfatizar el gozo de estar en el templo.
- En la Biblia dice que Samuel era un niño que fue al templo. Le gustaba estar en el templo.
- Es divertido estar en el templo.
- A mí me gusta ir al templo.
- La pasamos bien en el templo. A ti te gusta estar en el templo.
- El templo es un lugar feliz.

3 Cantos

"Me gusta mucho" (núm. 11, *Cancionero para preescolares 1*), "Al templo quiero ir" (núm. 7, *Cancionero para preescolares 2*), "Si estás alegre" (núm. 3, *Cancionero para preescolares 2*).

4 Actividades

- Ponga a un niño en la caja vacía o canasto para la ropa, y pídale que se siente. Póngase detrás de la caja y empújela, haciendo ruidos como los que hacen los autos o autobuses. Luego diga: "Vamos al templo. Me gusta ir al templo".
- Ayude a los niños a ponerse la ropa que usted trajo, animándoles a que se vean en el espejo. Diga: "Vamos al templo. Me gusta ir al templo".
- Coloque la tapa de una olla en el piso enfrente de un niño y enséñele cómo tomarla de las orillas y moverla como si fuera un volante. Toque la agarradera de la tapa como si fuera una bocina (claxon) y diga: "Beep, beep. Vamos en el auto al templo. ¡Qué divertido es ir al templo!".
- Muestre al bebé el títere que hizo con la cuchara de madera y hágalo hablar diciendo: "¡Qué feliz me siento de estar en el templo! Me gusta ir al templo". Luego permita al bebé examinar el títere.
- Coloque al bebé al lado de una mesa y déjelo gatear debajo de ella. Déjelo que lo persiga alrededor de la silla. Gatee hacia atrás para ver si el bebé lo puede imitar. Al gatear junto con el bebé, diga: "Vayamos al templo. ¡Qué divertido es ir al templo!".
- Toque el canto "Al templo quiero ir" como trasfondo. Cuando los niños muestren interés en los carritos de juguete diga: "Pueden pretender manejar el auto al templo. Me siento feliz porque vinieron al templo hoy. El templo es un lugar feliz".

Timoteo y el libro especial

0, 1 años

Objetivo de la lección: Que los alumnos sepan que la Biblia es un libro especial.

UNIDAD 7
SER COMO JESÚS ES CONOCER DE LA BIBLIA
Objetivo de la unidad: Que los alumnos sepan que la Biblia es un libro especial
porque nos cuenta acerca de Jesús y nos dice que Dios nos ama.

Pensamiento bíblico de la unidad:
"Amo la Biblia ". Salmo 119:97a

Base bíblica: 2 Timoteo 1:5;
3:14, 15; Hechos 16:1, 2;
1 Corintios 16:10, 11;
Filipenses 2:22

Preparación de materiales
• Use el tablero "Aquí estoy" que preparó para la Unidad 6, estudio 27. Recorte las figuras de la lámina que viene en las Ayudas Didácticas y móntelas en el tablero de fotos.
• Coloque una figura de la Biblia en el fondo de una caja honda o un recipiente para lavar platos. Cubra la figura con plástico. Coloque una Biblia en la caja, junto con otros libros.
• Provea una Biblia para niños o bebés.
• Cubra una mesa con plástico. Provea pinturas para pintar con los dedos. Póngales delantales a los niños para proteger la ropa.
• Envuelva un Nuevo Testamento pequeño o Biblia para niños en papel para regalo reciclado, o con periódico.

1 Bienvenida

Donde recibirá a los niños, tenga dos libros y una Biblia cerca de los libros. Cuando el niño llegue, recíbalo por nombre y dígale lo contento que está de que haya llegado. Señale los libros y la Biblia y pregúntele: "Estos son tres libros. Uno, dos, tres. ¿Cuál es la Biblia? ¡La Biblia es un libro muy especial!". Si señalan el libro correcto, apláudalos. Otra manera es simplemente señalar la Biblia y decir: "Este es un libro especial, la Biblia".

2 Conversación y oración

En la clase de hoy abra la Biblia y señale al versículo bíblico. Diga: "La Biblia dice 'Amo la Biblia'".
Otras frases se pueden repetir:
• Me siento tan feliz al ver la Biblia.
• La Biblia es un libro muy especial.
• Timoteo era un niñito del cual nos cuenta la Biblia.
• Timoteo aprendió acerca de la Biblia de su mamá y abuelita.
• Timoteo contó a otros acerca de la Biblia cuando creció.
• Timoteo sabía que la Biblia era un libro especial.

3 Cantos

Use estos cantos durante la clase: "La Biblia amo" (núm. 42 del *Cancionero para preescolares 2*); "La Biblia habla" (núm. 4 del *Cancionero para preescolares 2)*; "La Biblia me enseña" (núm. 20 del *Cancionero para preescolares 1*).

4 Actividades

• Cuando los niños muestren interés en el tablero de fotos, quite una de las aletas y observen la figura, identificando a la persona u objeto, repitiendo la palabra varias veces para que el niño comience a aprender a asociar la palabra correcta con la figura.
• Coloque la caja con la figura de la Biblia y la Biblia en el piso. Cuando el niño saque los libros, señale la figura de la Biblia en el fondo de la caja. Diga: "¿Cuál de estos libros es la Biblia? La Biblia es muy especial, ¿la puedes encontrar?".
• Muestre la Biblia para niños de manera que puedan ver las páginas. Hable acerca de las figuras que ven.
• Permita a los niños pararse alrededor de la mesa y pintar con los dedos, mientras les toca los cantos sobre la Biblia. Cuando el niño haya terminado, limpie la pintura de las manos y ayúdelo a colocar un pedazo de papel arriba del lugar donde estuvo pintando. Ayúdelo a quitarlo para revelar un patrón al revés. Escriba su nombre en el dibujo y colóquelo en un lugar seguro para que se seque.
• Saque las Biblias envueltas y deje que los niños se diviertan quitándoles el papel y descubriéndolas.
• Pregunte a uno de los niños si puede encontrar la Biblia que ha escondido. (La puede esconder debajo de una cobija para que su forma sea obvia). Si se les dificulta, deje parte de la Biblia destapada para que la puedan ver. Repita esto varias veces.

Estudio 35 Timoteo y su Biblia

Objetivo de la lección: Que los alumnos toquen y vean la Biblia.

0, 1
años

UNIDAD 7

SER COMO JESÚS ES CONOCER DE LA BIBLIA

Objetivo de la unidad: Que los alumnos sepan que la Biblia es un libro especial
porque nos cuenta acerca de Jesús y nos dice que Dios nos ama.

Pensamiento bíblico de la unidad:
"Amo la Biblia". Salmo 119:97a

Base bíblica: 2 Timoteo 1:5;
3:14, 15; Hechos 16:1, 2;
1 Corintios 16:10, 11;
Filipenses 2:22

Preparación de materiales

- Use el tablero "Aquí estoy", pero cambie el orden de las figuras en el tablero.
- Coloque el móvil de la Biblia que preparó para la Unidad 6, estudio 30, en el área donde juegan los niños.
- Use las figuras de la Biblia que preparó para la Unidad 6, estudio 29. Coloque las figuras en un recipiente para hornear (como un recipiente para hornear galletas) y luego cúbralos con una capa de arena. Coloque el recipiente para hornear en un pedazo grande de plástico.
- Coloque la Biblia para los niños y libros de historias bíblicas en las mesas donde los niños los puedan alcanzar. Para animarlos a explorar los libros, coloque un cobertor colorido en el piso, junto con algunas almohadas.
- Provea diferentes clases de Biblias que los niños puedan tocar y ver.

1 Bienvenida

Use ropa o accesorios de colores vivos, también agregue a su ropa algo de una textura diferente (como un trozo de papel lija). Después de recibir a los niños por nombre diga: "¿Ven mi ropa colorida?". Luego permítales tocar la textura que lleva puesta y diga: "Ahora pueden tocar algo diferente en mí también. Hoy vamos a ver algo especial y tocar algo especial. ¿Qué podrá ser? Veamos".

2 Conversación y oración

Algunas sugerencias para usar en su conversación son:

- La Biblia nos cuenta acerca de un niño que se llamaba Timoteo. Le gustaba escuchar historias de la Biblia.
- Timoteo usaba mucho la Biblia. La Biblia era especial para Timoteo.
- Tú (*nombre del niño*) puedes ver la Biblia. La puedes tocar también.
- Tú (*nombre del niño*) escuchas historias de la Biblia en el templo.
- Gracias, Dios, por la Biblia.
- Estoy contenta estoy porque tenemos una Biblia en el salón.
- La Biblia es un libro especial.

3 Cantos

Será muy fácil tararear y cantar estos cantos a los niños en los momentos apropiados durante la clase, ya que son adecuados para el tema de la clase de hoy: "La Biblia amo" (núm. 42 del *Cancionero para preescolares 2*); primera estrofa de "Este libro" (núm. 9 del *Cancionero para preescolares 1*).

4 Actividades

- Mientras los niños ven el tablero de fotos, use exactamente las mismas palabras que usó para nombrar las figuras la semana pasada. Luego señale la figura, animando al niño a usar la palabra correcta para identificarla.
- Ya que habrá tantas Biblias y figuras en el salón hoy, cuente, con los niños, cuántas Biblias hay, haciéndolo un juego: "Veo una Biblia, no, veo dos. Oh, no, veo tres. ¿Habrá más?".
- Mientras los niños están sentados en el piso, cerca del recipiente para hornear, pregúnteles si pueden encontrar las figuras del rompecabezas. Diga: "Esta es una figura de la Biblia". Luego permítales cubrir y descubrir la figura una y otra vez.
- Para animar a los niños a ver la Biblia y los libros de historias de la Biblia, siéntese en el piso con un libro y diga: "¿A quién le gustaría escuchar esta historia?". Comience a contar una historia. Enseñe a los niños cómo dar vuelta a las hojas cuidadosamente.
- Ponga a los bebés que puedan levantar la cabeza en el área designada para jugar y suavemente mueva el móvil para que levanten la cabeza y lo vean. Hable con ellos acerca de la Biblia.
- Permita a los niños tocar la cubierta de dos Biblias diferentes y hábleles acerca de cómo se sienten. Luego muéstreles dos Biblias que son diferentes en tamaño y color y hábleles acerca de cómo son diferentes. Repita esto, hablando del hecho de que todas son Biblias.

Timoteo aprendió de Jesús

Objetivo de la lección: Que los alumnos sepan que la Biblia nos cuenta de Jesús.

0, 1 años

UNIDAD 7
SER COMO JESÚS ES CONOCER DE LA BIBLIA

Objetivo de la unidad: Que los alumnos sepan que la Biblia es un libro especial
porque nos cuenta acerca de Jesús y nos dice que Dios nos ama.

Pensamiento bíblico de la unidad: "Amo la Biblia ".
Salmo 119:97a

Base bíblica: 2 Timoteo 1:5; 3:14, 15; Hechos 16:1, 2;
1 Corintios 16:10, 11; Filipenses 2:22

Preparación de materiales

• Coloque un pedazo de papel contacto a la pared, con el lado pegajoso hacia afuera. Quítele el papel protector. Si no tiene papel contacto, cubra una hoja grande de papel con pegamento, dejando que se seque un poco para que esté un poco pegajoso. Coloque las figuras de la Biblia que preparó para la Unidad 6, estudio 29 al lado del papel pegajoso.

• Arregle el centro del hogar con varias muñecas y algunas Biblias.

• Confeccione una bolsa "sorpresa", colocando juguetes interesantes en una bolsa de tela que se cierra con cordón (asegúrese de que el cordón no sea removible). Además de los juguetes añada una pequeña Biblia.

• Recorte contornos de una Biblia grande. Sujételos con cinta adhesiva a una mesa que esté protegida con periódico o plástico.

• Usando varias cajas vacías, quíteles las tapas de los extremos y péguelas extremo a extremo para formar un túnel.

1 Bienvenida

Cuando lleguen los niños, use algunas palabras "sorpresa" para recibirlos. Por ejemplo: "**¡Ah!**, mira quién llegó. Es Carolina" o "¡Qué **sorpresa!**, ya llegó Pedro". Esconda un juguete detrás de su espalda. Enséñeselo y diga: "Mira, tengo una sorpresa en mi mano. ¿Te gustan las sorpresas? Hoy tengo una sorpresa para ti. La Biblia nos cuenta acerca de Jesús. Empecemos pronto para que tengamos más sorpresas".

2 Conversación y oración

Trate de que su conversación llame la atención, pero que sea natural y espontánea.
• La Biblia es un libro especial.
• La Biblia nos cuenta muchas historias acerca de Jesús.
• Timoteo aprendió acerca de Jesús de la Biblia.
• Timoteo amaba a Jesús.
• Me gusta escuchar historias de la Biblia.
• Gracias, Dios, porque la Biblia nos habla de Jesús.

3 Cantos

Esta es una ocasión apropiada para cantar el canto favorito: "Cristo me ama" y al mismo tiempo introducir otros cantos nuevos como "La Biblia amo" (núm. 42 del *Cancionero para preescolares 2*) y "La Biblia habla" (núm. 4 del *Cancionero para preescolares 2*).

4 Actividades

• Permita a los niños tocar el papel pegajoso con los dedos. Muéstreles cómo pueden colocar las figuras de la Biblia en el papel para que se pegue. Déjelos que los pongan y los quiten mientras usted habla con ellos acerca de lo que la Biblia nos dice acerca de Jesús.

• Mientras los niños juegan en el centro del hogar, sugiérales que quizá las muñecas quieran escuchar una historia de la Biblia. Ayúdelos a pretender que están acomodando las muñecas y abriendo una Biblia para "leerles" una historia.

• Use la "bolsa sorpresa" para jugar con ellos a descubrir lo que hay adentro. Permita que los niños traten de adivinar qué hay adentro y sacar las cosas una a la vez. Enfatice el descubrimiento de la Biblia y lo especial que la Biblia es. Dé un nombre a cada objeto. Déjelos que vuelvan a colocar los objetos en la bolsa.

• Mientras los niños rayan en la mesa, muéstreles los contornos de las Biblias.

• Converse con ellos acerca de la Biblia y hasta podrá contarles una historia corta acerca de Jesús.

• Mientras los niños gatean por el túnel, recuérdeles que Timoteo era un niñito que le gustaba jugar como ellos. Diga: "Cuando Timoteo era un niño como ustedes su mamita le contaba historias de la Biblia. Él aprendió acerca de Jesús".

• Mientras juega con el bebé, ayúdele a aprender la palabra "Biblia". Señale una Biblia y diga: "¿Qué es esto? Es una Biblia. Es una Biblia que nos cuenta de Jesús. ¿Sabes lo que es? Es una Biblia".

Dios amó a Timoteo

0, 1 años

Objetivo de la lección: Que los alumnos sepan que la Biblia es un libro especial porque nos cuenta acerca de Jesús y nos dice que Dios nos ama.

UNIDAD 7
SER COMO JESÚS ES CONOCER DE LA BIBLIA

Objetivo de la unidad: Que los alumnos sepan que la Biblia es un libro especial porque nos cuenta acerca de Jesús y nos dice que Dios nos ama.

Pensamiento bíblico de la unidad:
"Amo la Biblia". Salmo 119:97a

Base bíblica: 2 Timoteo 1:5; 3:14, 15; Hechos 16:1, 2; 1 Corintios 16:10, 11; Filipenses 2:22

Preparación de materiales

- Confeccione un títere sencillo de un calcetín. Agregue ojos, boca y cabello y métaselo en la mano.
- Prepare el rompecabezas de la Biblia que preparó para la Unidad 6, estudio 29.
- Coloque arena húmeda en un recipiente de plástico o recipiente para hornear, uno para cada niño. Cubra el papel con plástico y póngales a los niños camisas para proteger su ropa.
- Coloque campanas pequeñas en botellas de plástico transparente. Asegure las tapas con pegamento.

1 Bienvenida

Lleve una Biblia en la bolsa de su ropa cuando vaya a recibir a los niños. Muestre mucho entusiasmo cuando llegue cada niño, diciendo su nombre y dándole un abrazo. Diga: "Estoy muy contento porque están aquí hoy. Los amo. Son especiales para mí. Miren este libro especial (saque la Biblia). Es la Biblia. Dice que Dios los ama. ¡Qué feliz me hace sentir! Juguemos unos juegos felices porque Dios los ama".

2 Conversación y oración

No es posible que estos niños se sienten en grupo para cantar o escuchar una historia, por esta razón necesitará usar el pensamiento bíblico, la historia y otras frases conversacionales durante todo el período de la clase:

- Yo te amo y Dios te ama.
- La Biblia dice que Dios te ama.
- La Biblia cuenta de un muchachito llamado Timoteo. Su mami le dijo que Dios lo amaba. Él le contó a otros que Dios también los amaba.
- Me siento feliz porque Dios te ama.
- ¡Amo la Biblia porque dice que Dios me ama y te ama a ti!

3 Cantos

No se preocupe si repite los cantos, a esta edad les gusta la repetición. "La Biblia habla" (núm. 4 del *Cancionero para preescolares 2*) y "Dios me ama" (núm. 36 del *Cancionero para preescolares 1*).

4 Actividades

- Permita a los niños ver cuando se ponga en la mano el títere hecho de un calcetín. Permítales tocarlo y verlo. Úselo para contar la historia: "¡Hola! Me llamo Timoteo. Mi mami me dijo que Dios me ama. Me contó historias de la Biblia". Use una voz diferente para hacer la historia más interesante.
- Juego de acción. Pregunte: "¿A quién ama Dios?" mientras señala a un niño. Luego diga: "Él te ama a ti", tocando al niño y "Él me ama", señalándose a usted misma. Luego pregunte: "¿Cómo lo sé?", encogiendo los hombros y usando sus manos como si estuviera haciendo una pregunta. Conteste diciendo: "La Biblia lo dice".
- Mientras los niños trabajan con el rompecabezas de la Biblia, pregúnteles qué es la figura. Si no responden con la palabra Biblia, usted diga la palabra, animándolos a repetirla.
- Permita que el bebé lo imite: sonidos (un perro ladrando, una carcajada, una tos) y acciones (pretenda comer, oler una flor, arrullar a una muñeca), béselo en la mejilla y vea si él lo besa a usted, y luego dele un abrazo y vea si lo imita. Diga: "Te amo y Dios también te ama. La Biblia lo dice".
- Muestre a los niños cómo mover sus dedos para hacer un diseño en la arena mojada. Mientras los niños hacen sus diseños, diga: "Dios hizo la arena porque te ama. La Biblia lo dice".
- Toque el casete de los cantos para hoy. Permítales sacudir y sonar las botellas con las campanas mientras escuchan la música acerca de la Biblia.

Un hombre especial

0, 1 años

Objetivo de la lección: Que los alumnos se sientan felices cuando salen a pasear.

UNIDAD 8
SER COMO JESÚS ES APRENDER DE ÉL

Objetivo de la unidad: Que los alumnos sepan que Jesús es un nombre especial, que Jesús fue un bebé así como ellos, que tuvo una familia, que creció y que ellos pueden aprender de él en la Biblia.

Pensamiento bíblico de la unidad:
"La Biblia me habla de Jesús".
2 Timoteo 3:15.

Base bíblica: Lucas 1:31-33; 2:21

Preparación de materiales

- Arme un libro con las figuras de la lámina que viene en las Ayudas Didácticas. Recorte las figuras, péguelas a un cartón grueso, cúbralas con papel contacto (o lamínelas). Coloque las páginas en el orden correcto, perfore dos agujeros y júntelos firmemente con una cinta para zapatos. También coloque una Biblia para niños y libros de historias sobre Jesús en el área de libros. Querrá usar estos libros durante toda esta unidad.
- Ponga no más de 2,5 cm. de agua en un recipiente para lavar platos. Póngalo sobre una toalla en el piso. Coloque algunas verduras como zanahorias (que se puedan comer crudas), un cepillo para lavarlas y un delantal cerca del recipiente.
- Provea unas hojas o tazas de plástico que los niños puedan poner en pilas.
- Tenga lista una pelota que los niños puedan rodar.
- Cubra una mesa con una hoja grande de papel. Sujétela con cinta adhesiva. Escriba los nombres de los niños en el papel. Provea tiza (o crayones grandes).

1 Bienvenida

Cuando llegue el primer niño, cante "Bienvenido" (núm. 2 del *Cancionero para preescolares 1*) usando su nombre. Luego repítalo, usando los nombres de los otros niños que vayan llegando. Diga el nombre de un niño que esté presente y pida a otro niño que apunte hacia él. Diga: "¡Qué bien! Conocemos los nombres de nuestros compañeros. Yo sé tu nombre".

2 Conversación y oración

Este es un tema difícil para los niños de esta edad, pues es muy abstracto. Durante las conversaciones con los niños querrá enfatizar sus nombres y hablarles acerca de lo especial que era el nombre de Jesús.

- Tú tienes un bonito nombre. Me gusta tu nombre, *Carina*.
- El nombre de Jesús era muy especial. Dios escogió su nombre.
- Yo amo a Jesús. Jesús te ama a ti.
- Cuando Jesús nació, su mamá y su papá le dieron el nombre *Jesús*.
- Dios les dijo a sus padres que le pusieran el nombre de Jesús.
- Me gusta escuchar el nombre de Jesús.

3 Cantos

Mientras canta, de vez en cuando llame la atención de los niños al hecho de que usó el nombre *Jesús* en el canto: "Contento estoy" (núm. 26 del *Cancionero para preescolares 2*); y "Tengo un buen amigo" (núm. 31 del *Cancionero para preescolares 1*).

4 Actividades

- Arregle el rincón del libro muy cómodo y atractivo. Saque un libro y comience a verlo. Esto debe animar a los niños a que vean el libro o escuchen la historia.
- Cuando un niño muestre interés en lavar la verdura, ayúdelo a ponerse el delantal. Coloque la verdura en el agua e invítelo a usar el cepillo para lavarla. Diga el nombre de la verdura, repitiéndolo varias veces. Luego diga: "El nombre de esta verdura es 'zanahoria'. Tu nombre es 'Ana'. Jesús también tenía un nombre. Su nombre era especial".
- Permita que los niños jueguen con los vasos de cartón/plástico y observe qué hacen con ellos. Mientras juegan, hábleles suavemente diciendo: "Usaste bien los vasos. Los padres de Jesús hicieron bien en darle a Jesús el nombre que Dios escogió para él".
- Cuando tenga a dos o tres niños sentados en el suelo, ruede la pelota a uno de ellos y diga: "Estoy rodando la pelota a *Pablo*. ¿Puedes rodar la pelota a *Cintia*? (*Apunte al niño indicado*). ¿Puede *Cintia* rodar la pelota a *Carlos*? Bien hecho. Conocen el nombre de sus amigos. Yo también conozco el nombre de Jesús. Es un nombre especial".
- Mientras los niños rayan en el papel con la tiza, señale dónde está escrito su nombre. Diga: "Mira, *Manuel*, aquí está tu nombre. Ese es tu nombre. Los padres de Jesús le dieron un nombre especial también. Su nombre era Jesús".

Jesús fue bebé

0, 1 años

Objetivo de la lección: Que los alumnos sepan que Jesús se sintió feliz cuando fue al templo.

UNIDAD 8
SER COMO JESÚS ES APRENDER DE ÉL

Objetivo de la unidad: Que los alumnos sepan que Jesús es un nombre especial, que Jesús fue un bebé así como ellos, que tuvo una familia, que creció y que ellos pueden aprender de él en la Biblia.

Pensamiento bíblico de la unidad:
"La Biblia me habla de Jesús".
2 Timoteo 3:15.

Base bíblica: Lucas 1:31-33; 2:21

Preparación de materiales

• Con tiempo, pida a los padres que le den un retrato de su hijo. Lamine la foto o cúbrala con papel contacto. Pegue un imán detrás de la foto. Coloque unos recipientes de metal en la pared a la altura de los niños.

• Provea tubo de cartón, cucharas de madera, botes de leche instantánea, tapas de ollas para usar como "instrumentos musicales".

• Recorte figuras de bebés de revistas y póngalas en un álbum para hacer un álbum de bebé.

• Provea varias muñecas, ropa para muñecas, cobijitas, camita y otro equipo para cuidar al bebé.

• Esconda un sonajero viejo en un recipiente con avena o arena. Tenga algunos vasos de plástico que puedan usar mientras juegan con la avena o arena. Coloque plástico en el piso para proteger el área de juego.

• Si no sabe coser, pida a una costurera que le haga unas cobijas con diferentes texturas. Agregue a la cobija telas con diferentes texturas, añadiendo encaje, cremalleras y otros objetos. Asegúrese de que nada se vaya a desprender y que todo sea lavable.

1 Bienvenida

Cuando lleguen los niños, recíbalos y dígales lo contento que está que hayan venido para aprender acerca de Jesús. Enséñeles su foto y luego enséñeles cómo colocarla en el recipiente de metal. Como tiene imán, fácilmente se pegará. Luego quite la foto y deje que el niño la coloque.

2 Conversación y oración

Use cada oportunidad para llamar la atención al hecho de que Jesús fue un bebé y niño normal, así como ellos.
• La Biblia dice que Jesús nació.
• Jesús fue un bebé como tú.
• Jesús tuvo una mamá y un papá.
• Jesús lloró cuando tenía hambre, así como todos los bebés.
• Jesús jugó con juguetes igual que tú.
• Gracias, Dios, que Jesús fue un bebé.

3 Cantos

"Contento estoy" (núm. 26 del *Cancionero para preescolares 2*).
Dé a los niños los "instrumentos musicales" hechos en casa mientras toca "Música puedo hacer" (núm. 6 del *Cancionero para preescolares 2*), recordándoles que Jesús tocó música cuando era un niñito, así como ellos lo están haciendo.

4 Actividades

• Al enseñarles, o mientras los niños ven el álbum de bebé, hable acerca de los bebés y recuérdeles que Jesús también fue un bebé.

• Permita a los niños jugar con las muñecas, animándoles a cuidar a los bebés, así como la mamá de Jesús lo cuidó bien a él.

• Periódicamente, los niños disfrutarán regresar al área donde están las fotos con imán y quitarlas y volverlas a poner. Mientras lo hacen, hable de quién está presente hoy.

• Recuérdeles que Jesús fue un bebé (niño) así como ellos.

• Cuando los niños tengan interés en jugar con la arena (o avena), dígales que ha escondido una muñequita y pídales que la encuentren, usando la taza para excavar. Cuando encuentren el sonajero, pídales que le enseñen cómo un bebé juega con eso. Luego recuérdeles que Jesús fue un bebé que jugó con juguetes.

• Coloque al bebé que puede levantar la cabeza en su estómago en la cobija con diferentes texturas y hable acerca de lo que está sintiendo. Hable de lo bonito que es ser un bebé y poder sentir estas cosas maravillosas.

Jesús tenía una familia

Objetivo de la lección: Que los alumnos sepan que Jesús vivió con su familia.

0, 1 años

UNIDAD 8
SER COMO JESÚS ES APRENDER DE ÉL

Objetivo de la unidad: Que los alumnos sepan que Jesús es un nombre especial, que Jesús fue un bebé así como ellos, que tuvo una familia, que creció y que ellos pueden aprender de él en la Biblia.

Pensamiento bíblico de la unidad:
"La Biblia me habla de Jesús".
2 Timoteo 3:15.

Base bíblica: Lucas 1:31-33; 2:21

Preparación de materiales

- Coloque varios bolsillos, cosiéndolos a un pedazo de tela. (Opción: Utilice una bolsa donde se guardan varios pares de zapatos, si la tiene). Meta una colección variada de muñecos de peluche en los bolsillos. Cuelgue la tela en un lugar donde los niños puedan alcanzar todos los compartimientos.
- Coloque los cuadros de la familia correspondientes a la lámina que viene en las Ayudas Didácticas (que se usó en el estudio 26, Unidad 5) en el tablero "Aquí estoy" (estudio 27, Unidad 6).
- Ponga en el área del hogar alguna ropa de adultos que los niños puedan ponerse para vestirse como mamá y papá.
- Provea plastilina y algunos animales pequeños de plástico para que los paren en la plastilina. Querrá proteger el piso debajo de la mesa donde usarán la plastilina.
- Coloque el cartel de la Unidad 2 en la pared a la altura de los niños.

1 Bienvenida

Cuando lleguen los niños, señale a la persona que los trajo y pregunte: "¿Quién es él? ¿Es tu papá? ¿Es ella tu mamá? ¿Es tu abuelita? Sí, él/ella es tu (identifique a la persona). Jesús tenía una madre (o "padre", "abuelita", "hermano", etc.) así como tú. Jesús vivía con su familia. ¿Ves? (Muéstrele el cuadro del libro que preparó para el estudio 27). Vamos a jugar con las familias hoy".

2 Conversación y oración

No será difícil hoy conversar naturalmente de las familias. Guíe la conversación hacia el objetivo de la lección de hoy con estas frases clave:

- Cuando Jesús nació tenía una mamá y un papá.
- La mamá de Jesús era María. Ella lo cuidaba.
- El papá de Jesús era José. Él cuidaba a Jesús.
- La mamá y el papá de Jesús lo amaban.
- Jesús vivía con su mamá y su papá.
- Yo vivo con mi familia así como Jesús lo hacía.

3 Cantos

Use el canto núm. 32 del *Cancionero para preescolares 2*. Ilústrelo con cuadros de animales bebés con sus mamás. Antes de cantar, señale el animal bebé y diga "bebé". Luego señale a la mamá y diga "mamá". Al repetir el canto anime a los niños a señalar también la figura correcta.

4 Actividades

- Si los niños no se animan a poner los animales de peluche en los bolsillos, muéstreles cómo hacerlo y hábleles sobre cómo poner a los animales en sus "casas". Dígales que Jesús vivía en una casa con sus padres.

- Use este juego digital con los niños. Tocando el dedo correcto de la mano del niño diga: "Este chiquito es mi hermanito (*el dedo gordo*); este es mi mamá (*el índice*); este altito es mi papá (*el dedo de en medio*); esta es mi hermana (*el dedo anular*); y éste chiquito y bonito soy yo (*el meñique*)".
- Permita a los niños abrir las aletas del tablero de fotos y dígales el nombre de la persona (*mamá, papá, etc.*) que ven para que empiecen a aprender las palabras.
- Mientras los niños se ponen la ropa que les provea, diga: "Te pareces a mamá (o a papá). Jesús tenía una mamá y un papá". Ponga a los bebés donde puedan ver a los niños jugando a vestirse como mamá y papá.
- Mientras los niños juegan con la plastilina, sugiera que hagan "casas" para los animales de plástico. Diga: "Qué bueno que estás haciendo una casa para la vaca. Ella necesita una casa. Yo vivo en una casa con mi familia. Tú también. Jesús también".
- Llame la atención de los niños al póster de María y José y Jesús y hable acerca de que Jesús vivía con su familia, mientras ven la figura.

Estudio 41 Jesús crecía

Objetivo de la lección: Que los alumnos sepan que Jesús creció de la misma forma cómo ellos están creciendo.

UNIDAD 8
SER COMO JESÚS ES APRENDER DE ÉL

Objetivo de la unidad: Que los alumnos sepan que Jesús es un nombre especial, que Jesús fue un bebé así como ellos, que tuvo una familia, que creció y que ellos pueden aprender de él en la Biblia.

Pensamiento bíblico de la unidad:
"La Biblia me habla de Jesús".
2 Timoteo 3:15.

Base bíblica: Lucas 1:31-33; 2:21

Preparación de materiales

- Amarre tres pedazos de 45 cm de largo con 0,5 cm de elástico a una vara o barra que esté bien asegurada (y que no se pueda caer con el peso del niño). Fije algunos juguetes al elástico. El juguete debe estar a unos 20 cm del piso, donde un bebé pueda alcanzarlo. Los juguetes deben ser lo suficientemente grandes para que no se los puedan tragar.
- Provea trozos de cinta adhesiva pegajosa.
- Infle, pero no completamente, algunas pelotas para la playa u otros juguetes grandes que se inflan.
- Saque el bote con la ranura en la tapa que preparó para el estudio 28, Unidad 6, junto con los juguetes pequeños que puedan caber adentro.
- Saque el tablero con cerraduras (confeccionado para el estudio 12, Unidad 3), y el tablero con cremalleras que usó en el estudio 21, Unidad 5.
- Provea una colección de dos diferentes clases de juguetes (como animales de peluche y bloques) y dos cajas.

1 Bienvenida

Cuando reciba a los niños, tenga dos muñecas en la mano, una pequeña y otra más grande. Diga: "¡Miren! Tengo dos muñecas. Una muñeca pequeña y otra muñeca grande (muéstreles la muñeca correcta al decirlo). Tú eras muy pequeño, pero ahora estás creciendo ya estás más grande. Eso fue lo que le sucedió a Jesús. Entra para que juguemos juntos y descubramos qué grande eres".

2 Conversación y oración

Use estas actividades para la conversación.
- La Biblia dice que Jesús nació y fue un bebé pequeño.
- La Biblia dice que Jesús creció a ser un niño.
- Jesús vivió con su mamita y papito cuando era un niño.
- La Biblia dice que Jesús creció y fue un niño fuerte.
- La Biblia dice que todos querían a Jesús cuando estaba creciendo.
- Tú estás creciendo. Me siento feliz porque estás creciendo como creció Jesús.

3 Cantos

Después de haber cantado acerca de Jesús, use el pensamiento bíblico para que los niños sepan que esa verdad está en la Biblia. "Jesús crecía" (núm. 41 del *Cancionero para preescolares 1*); "Voy creciendo" (núm. 24 del *Cancionero para preescolares 1*).

4 Actividades

- Siente al niño en su regazo para que pueda ver y alcanzar los objetos colgados. Déjelo que los alcance y háblele acerca de cómo él está creciendo y haciendo más cosas, así como Jesús creció e hizo más cosas.
- Pegue un trozo de cinta adhesiva (aproximadamente 15 cm de largo) en la ropa del niño y déjelo que la jale y se la quite. (Tenga cuidado de que no se la meta a la boca). A medida que se la quita y se la pone, hable de lo fuerte y listo que es para poder hacer eso. Está creciendo como lo hizo Jesús.
- Llame la atención de los niños a las pelotas grandes. Diga: "¡Ay! ¡Qué grande está esta pelota (o juguete). ¿Crees que lo puedes levantar? ¡Sí puedes! Estás creciendo y haciéndote fuerte".
- Muestre a un niño cómo empujar los objetos por la abertura (la "X"). Luego muéstrele cómo quitar la tapa y sacar los objetos. Permítale jugar con él. Diga: "Ya estás creciendo y puedes meter los juguetes por la abertura".
- Mientras anima a los niños a jugar con las cerraduras y las cremalleras, hábleles acerca de lo grande y fuertes que están para poder jugar con estos juguetes.
- Saque los dos juegos de juguetes y mézclelos. Diga: "Estos juguetes están revueltos. ¿Pueden poner los animales en la caja y los bloques en la otra?". Cuando un niño haga esto, alábelo por su esfuerzo.

La Biblia habla de Jesús

0, 1 años

Objetivo de la lección: Que los alumnos se pan que pueden aprender de la vida de Jesús en la Biblia.

UNIDAD 8
SER COMO JESÚS ES APRENDER DE ÉL

Objetivo de la unidad: Que los alumnos sepan que Jesús es un nombre especial, que Jesús fue un bebé así como ellos, que tuvo una familia, que creció y que ellos pueden aprender de él en la Biblia.

Pensamiento bíblico de la unidad:
"La Biblia me habla de Jesús".
2 Timoteo 3:15.

Base bíblica: Lucas 1:31-33; 2:21

Preparación de materiales
- Coloque el móvil de la Biblia que preparó para el estudio 30, Unidad 6 en el área donde les cambia los pañales. Colóquelo donde los niños lo puedan ver mientras les cambia el pañal.
- Coloque las figuras de la Biblia que preparó para el estudio 29, Unidad 6 en un recipiente poco profundo o en una caja y cúbralo con una cobija o toalla.
- Saque el rompecabezas que hizo para el estudio 29, Unidad 6.
- Use la Biblia "contando libros" que usó en el estudio 29, Unidad 6.
- Haga agujeros en los lados extremos de una caja de zapatos (u otras cajas pequeñas) y amárrelas juntas para hacer un tren. Colóquele un cordón de unos 25 cm de largo a la última caja. Tenga varias Biblias pequeñas y libros de historias bíblicas que quepan en las cajas.

1 Bienvenida

Si no tiene un vestido o traje con muchos bolsilloss, use su "bata para tocar" que preparó para el estudio 18, Unidad 4, pero coloque cuadros de Biblias en los bolsillos. Cuando los niños lleguen, permítales descubrir los cuadros en las bolsas. Pregúnteles qué son. Responda diciendo: "Sí, es una Biblia. ¡Nos alegraremos mucho aprendiendo de la Biblia hoy!".

2 Conversación y oración

Repita el versículo bíblico e inserte estas frases en su conversación:
- Me gusta leer la Biblia.
- La Biblia tiene muchas historias que hablan de Jesús.
- La Biblia nos dice que Jesús fue un bebé (niño) así como tú.
- La Biblia es especial porque nos cuenta acerca de Jesús.
- Me siento tan feliz porque tengo una Biblia que me cuenta acerca de Jesús.
- Gracias, Dios, por mi Biblia.

3 Cantos

Además de estos dos cantos, querrá cantar "Cristo me ama" a los niños. "La Biblia habla" (núm. 4 del *Cancionero para preescolares 2*); "Dios me ama" (núm. 36 del *Cancionero para preescolares 1*).

4 Actividades

- Converse con los niños mientras cambia sus pañales. Señale y toque las figuras en el móvil de la Biblia. Diga: "Estas son historias de la Biblia. La Biblia nos cuenta de Jesús".
- Saque la caja de figuras y con cuidado saque una figura de debajo de la cobija. Diga: "Esta es una Biblia". Vuélvala a poner en la caja y pregunte: "¿Dónde está la Biblia?". Anime al niño a buscar y descubrir la figura. Diga: "La Biblia nos habla de Jesús".
- Mientras los niños trabajan con el rompecabezas de la Biblia diga: "Aprendemos acerca de Jesús en la Biblia". Señale la Biblia y pregunte: "¿En dónde aprendemos acerca de Jesús? Así, es en la Biblia".
- Siéntese en el rincón de los libros y comience a leer la Biblia "contando libros" en voz alta, aunque lo haga usted sola. Con el tiempo uno de los niños se interesará. Después de leer o ver el libro, diga al niño: "Hay muchas Biblias. Nos hablan de Jesús".
- Deje que los niños llenen las cajas con las Biblias y los libros de historias bíblicas y muévalas de un lado del salón al otro. Luego permítales que los saquen y cuidadosamente los pongan en los estantes. Pregúnteles: "¿De quién nos habla la Biblia?". Si no contestan que habla de Jesús, ayúdeles.

Un amigo para David

Objetivo de la lección: Que los alumnos expresen su amor por sus amigos.

0, 1
años

UNIDAD 9
SER COMO JESÚS ES TENER AMIGOS
Objetivo de la unidad: Que los alumnos comprendan que amamos, compartimos, ayudamos y nos gusta estar con nuestros amigos.

Pensamiento bíblico de la unidad:
"Amo a mis amigos".
1 Juan 4:7

Base bíblica: 1 Samuel 18:1-3

Preparación de materiales

- Confeccione una "bolsa de sorpresas" llena de juguetes. En una bolsa grande de tela (hasta puede ser una funda de almohada), meta varios objetos de diferentes formas, como cucharas de plástico, muñecas pequeñas, carritos de plástico, bloques de plástico o animales pequeños de peluche.
- Provea una cubeta pequeña de agua y algunos pinceles para pintar. Póngales a los niños delantales de plástico o impermeables. Si no tiene forma de proteger los pisos, querrá hacer esta actividad al aire libre.
- Prepare botellas "para apretar". Use botellas que puedan ser apretadas (como las botellas de mostaza y ketchup). Llene las botellas con partes iguales de harina, sal y agua para hacer una mezcla cremosa. Añada varios colores de colorante a la "masa". Cubra la mesa con plástico y luego coloque papel por encima.
- Prepare la figura para la Unidad que viene en el paquete de Ayudas Didácticas y colóquelo en el salón de clase.

1 Bienvenida

Lleve la bolsa de sorpresas a la puerta cuando reciba a los niños. Muéstreles la bolsa y si son suficientemente grandes para meter la mano, pídales que escojan un juguete. Si son muy pequeños para meter la mano, saque uno y déselos. Cuando tengan el juguete, anímelos a jugar con él, diciendo: "Hoy vamos a jugar con nuestros amigos (mencione los nombre de algunos de los niños que están presentes) y a divertirnos con nuestros juguetes".

2 Conversación y oración

Busque oportunidades para conversar con los niños. Asegúrese de que sus palabras coincidan con sus acciones.
- A los amigos se les ama.
- Amamos a nuestros amigos cuando somos buenos con ellos.
- Amamos a nuestros amigos cuando jugamos con ellos.
- Nos gusta estar con nuestros amigos.
- La Biblia dice que David y Jonatán eran amigos.
- David y Jonatán se amaban.
- Tú y yo somos amigos. Te amo.

3 Cantos

Cante la primera estrofa de "Con mis amigos" (núm. 30 del *Cancionero para preescolares 1*); y "Me gusta mucho" (núm. 11 del *Cancionero para preescolares 1*) cuando sea oportuno durante la clase. Invente una tonada y cante las palabras del versículo bíblico varias veces.

4 Actividades

- Cuando un niño le esté escuchando, imite un sonido o palabra que usa. Luego haga una pausa y vea si lo imita a usted. Puede repetir este ejercicio y comentar: "Somos amigos. Platicamos juntos. Qué bueno es ser amigos".
- Haga esta pregunta a uno de los niños: "¿Dónde está tu amigo Carlos (el nombre de un niño que él conoce)". Aplauda si el niño apunta hacia donde está Carlos. Si no, usted señálele a Carlos y vuelva a hacer la pregunta.
- Comience a enseñar a los niños que abrazar es una expresión de amistad, dándoles un abrazo y diciendo: "Tú eres mi amigo/a". Luego anímelos (pero no los fuerce o insista) a dar un abrazo a sus amigos en el salón.
- Ruede la pelota alrededor del salón hasta que la ruede a un lugar donde no la puedan ver. Pregunte a los niños dónde está la pelota y anímelos a encontrarla. Diga: "La estamos pasando bien jugando juntos como amigos". Repita el juego varias veces.
- Bajo supervisión constante, deje que los niños metan los pinceles en el agua y "pinten" las paredes. Diga: "Qué alegres estamos trabajando juntos como amigos. Es bueno ser amigos y amarnos unos a otros".
- Permita que los niños aprieten la botella y vean cómo sale la pintura. Mientras trabajan todos juntos, felicítelos por trabajar juntos con sus amigos que aman. PRECAUCIÓN: Vigílelos de cerca para que no chupen las botellas.

Jonatán compartió con David

0, 1 años

Objetivo de la lección: Que los alumnos sepan que deben compartir con sus amigos.

UNIDAD 9
SER COMO JESÚS ES TENER AMIGOS
Objetivo de la unidad: Que los alumnos comprendan que amamos, compartimos, ayudamos y nos gusta estar con nuestros amigos.

Pensamiento bíblico de la unidad:
"Amo a mis amigos".
1 Juan 4:7

Base bíblica: 1 Samuel 18:1-3

Preparación de materiales
- Provea un recipiente grande lleno de juguetes interesantes.
- Provea dos camioncitos o autos grandes que los niños puedan empujar.
- Coloque hojas grandes de papel en la pared, asegurándose de que estén al nivel del niño. Clave unos ganchos a la pared, arriba del papel, pero donde los niños no los puedan alcanzar. Amarre cordón a tres o cuatro crayones (puede hacer una ranura en el crayón donde puede sujetar el cordón). Amarre la otra punta del cordón en el gancho. El crayón debe estar al alcance del niño, pero el cordón no debe ser tan largo que haga que el niño se tropiece con él.

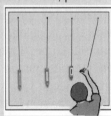

- Confeccione pelotas de calcetines viejos. Haga un nudo en la parte de abajo del calcetín y rellénelo. Haga otro nudo en la otra punta del calcetín. Hasta puede teñir los calcetines para que sean de diferentes colores. (Puede lavar estas bolas cuando se ensucien).

1 Bienvenida

Al recibir a los niños, tenga un animal de peluche en su mano. Pretenda que el animal llama el nombre del niño mientras avanza hacia él. Para los bebés, esto será suficiente. Para los niños más grandes, puede hacer que el juguete se mueva hacia el niño haciendo un ruido gracioso. Luego, cuando el animal casi toca al niño, diga: "Me gusta mi amigo (nombre del niño)". Si al niño le gusta esta interacción (risas, sonrisas, etc.), la puede repetir.

2 Conversación y oración

Invite a los niños a compartir y hacer comentarios positivos acerca de compartir. Evite frases como: "TIENES que compartir".
- Quiero compartir "estos juguetes" (o cualquier objeto) contigo.
- ¿Puedes compartir tus crayones (o cualquier objeto) conmigo?
- Nos divertimos al compartir.
- Compartiste tu... (cuando comparten algo). Tu amigo (nombre del niño) se puso muy contento.
- Jonatán y David eran amigos. Jonatán compartió con David.
- Los amigos comparten sus juguetes
- Nos sentimos felices cuando compartimos.

3 Cantos

Repita la primera estrofa de "Con mis amigos" (núm. 30 del *Cancionero para preescolares 1*) durante toda la clase.

4 Actividades

- Cuando observe que dos niños están juntos, ponga un recipiente con muchos juguetes entre ellos y diga: "Compartan los juguetes que están adentro".
- Cuando los niños estén sentados en un círculo, empuje un camión a uno de los niños, luego ayúdele a empujarlo a otro niño. Si rehúsa empujar el camión, tome otro camión y haga lo mismo con otro niño. Enfatice el gozo de compartir.
- Ayude a los niños a escoger un compañero y tomarse de las manos. Toque una música alegre (sugerencia: "Hagamos una ronda" [núm. 28 del *Cancionero para preescolares 1*]). Diga: "Escuchemos la música juntos y gocémonos moviéndonos juntos al ritmo de la música".
- Coloque a un niño sobre cada rodilla y mientras los mece SUAVEMENTE diga: "Roberto y Angelina (sus nombres) se gozan compartiendo mi regazo".
- Permita que dos o tres niños se paren lado a lado y garabateen en una hoja. Cuando se llene la hoja, deles otra limpia. Mientras los niños dibujan diga: "Fíjense cómo comparten la hoja y hacen un hermoso dibujo".
- Coloque varias de las pelotas de calcetín en una caja o canasta. Invite a los niños a que juntos las echen en otra caja, o las tiren contra la pared. Diga: "¡Miren, están compartiendo los juguetes!".

Jonatán ayudó a David

0, 1 años

Objetivo de la lección: Que los alumnos sientan el deseo de ayudar a sus amigos.

UNIDAD 9
SER COMO JESÚS ES TENER AMIGOS

Objetivo de la unidad: Que los alumnos comprendan que amamos, compartimos, ayudamos y nos gusta estar con nuestros amigos.

Pensamiento bíblico de la unidad:
"Amo a mis amigos".
1 Juan 4:7

Base bíblica: 1 Samuel 18:1-3

Preparación de materiales

- Coloque una variedad de cajas (diferentes tamaños y formas) en una esquina del salón. Provea una pelota grande.
- Acumule cosas que tengan mangos o correas y que los niños puedan cargar. Cosas como: carteras viejas, mochilas, bolsas para cargar provisiones, maletines viejos, maletas, canastas, etc. En un lugar cercano coloque juguetes que puedan caber dentro de las bolsas.
- Provea a los niños algunos juguetes que puedan apilar, como bloques o recipientes con tapa de plástico, cajas vacías, etc.
- Coloque un espejo en la pared a la altura de los niños. Además, cuelgue un espejo irrompible sobre la cuna (o sujeto al barandal).
- Confeccione o traiga dos sencillos títeres pequeños. (Puede usar una bolsa de papel o una cuchara de madera).

1 Bienvenida

Cuando reciba a los niños, tenga un teléfono de juguete en la mano. Cuando vea al niño, pretenda que el teléfono está sonando y usted lo contesta, diciendo: "Bueno. ¿Saben quién está aquí? Es mi amigo (nombre del niño/a). ¿Quiere hablar con él/ella?". Sostenga el teléfono de manera que el niño/a pueda hablar. Este es un buen juego para desarrollar las habilidades sociales del niño/a. Cuando termine la conversación, guíe al niño al salón y anímelo a ocuparse en una de las actividades.

2 Conversación y oración

Repita las siguientes frases frecuentemente durante la clase:

- Dios nos dio amigos.
- Me gozo porque tengo amigos.
- Amo a mis amigos. Así dice la Biblia: "Amo a mis amigos".
- La Biblia dice que David y Jonatán eran amigos.
- Cuando David se sentía triste, Jonatán le ayudó.
- Es bueno que los amigos se ayuden unos a los otros.

3 Cantos

Repita el canto "Yo soy ayudante" (núm. 34 del *Cancionero para preescolares 2*) durante la clase, animando a los niños a ayudarlo a cantar. Además, sería bueno cantarlo con estas palabras: "Somos amigos. Nos ayudamos unos a otros".

4 Actividades

- Esconda un juguete grande y pregunte a los niños: "¿Dónde está (nombre del juguete)?". Mientras comienzan a buscarlo diga: "Mira, Juan está ayudando a Antonio a buscar (nombre del juguete)".
- Muestre a los niños cómo rodar la pelota y derrumbar las diferentes cajas. Cuando uno de ellos lo haga, sugiera a otro niño: "Ayudemos a Carina a jugar. Acomodémosle las cajas". (Evite insistir en esto).
- Despierte el interés de los niños al colocar algunos de los juguetes en una bolsa y luego preguntar si alguien le puede ayudar. Mientras lo hacen diga: "Me están ayudando. Gracias".
- Cerca de los juguetes que tiene para apilar diga: "¿Quién me ayudará a construir una torre?". Cuando hayan terminado la torre pregunte: "¿Quién me ayudará a derrumbar la torre?". Esto se puede repetir varias veces.
- Cuando observe que algún niño está molesto, llorando o lastimado, anime a los demás a tratar de ayudarle a sentirse mejor. Diga: "Rebeca se siente triste. ¿Cómo podemos ayudarla a sentirse mejor? Démosle un abrazo". (Sugiera acciones apropiadas: llevarle un juguete o cantarle, etc.).
- Anime a los niños a verse en el espejo junto con usted o con otros niños. Diga: "Veo a dos amigos en el espejo. Me siento muy feliz de que tú (nosotros) seas (seamos) amigos".
- Use los títeres para inventar una historia de dos amigos que se ayudaron. Use los nombres de los niños en su grupo y situaciones con las que se puedan relacionar.

A David y a Jonatán les gustaba estar juntos

0, 1 años

Objetivo de la lección: Que los alumnos se sientan felices cuando están con sus amigos.

UNIDAD 9
SER COMO JESÚS ES TENER AMIGOS

Objetivo de la unidad: Que los alumnos comprendan que amamos, compartimos, ayudamos y nos gusta estar con nuestros amigos.

Pensamiento bíblico de la unidad:
"Amo a mis amigos".
1 Juan 4:7

Base bíblica: 1 Samuel 18:1-3

Preparación de materiales

- Si no tienen sillas apropiadas para los niños en el salón, procure conseguir algunas para el desarrollo de este estudio.
- Pegue un papel bastante grande a una mesa apropiada para niños. Quite las sillas, si las hubiera. Prepare pinturas para pintar con las manos (1/4 de taza de maicena; dos taza de agua; colorante). Revuelva la maicena y el agua en una cacerola. Póngala a hervir hasta que la mezcla se espese. Permita que la pintura se enfríe, luego añada colorante. Vierta en un recipiente apropiado.
- Con anticipación, pida a los padres que le den una foto de su hijo/a. Cubra la foto con papel contacto (o lamínelo). Coloque fieltro o franela al dorso de la foto. Incluya también una foto de cada uno de los maestros. Monte el franelógrafo.
- Confeccione "botellas para jugar", usando botellas de plástico resistentes (como las de agua). Quítele la etiqueta. Llénela con agua y luego añada algunos objetos interesantes (como brillo, estambre, cuentas, canicas). Agregue la tapa, asegurándola con pegamento. Pruebe la tapa para asegurase de que no se puede abrir.

1 Bienvenida

Cuando lleguen los niños diga: "Mira, ya llegó Sara (nombre del niño/a). Hola, Sara". Salude a la niña, ayudándola a saludar con la mano. Luego cante "Bienvenido" (2 del *Cancionero Para preescolares 1*) usando el nombre de la niña. Cuando cante "hola", salude a la niña. Después de terminar de saludarse uno al otro, muestre al niño las actividades y juguetes que están listos para que él juegue junto con sus amigos.

2 Conversación y oración

Anime a los niños a interactuar los unos con los otros, y usted debe modelar frases que enfaticen la amistad.
- José (nombre del niño) es tu amigo.
- Están jugando juntos.
- Los amigos se aman.
- Los amigos son amables los unos con los otros.
- Me gusta estar contigo.
- La Biblia dice que David y Jonatán eran amigos.
- David y Jonatán se gozaban cuando estaban juntos, así como tú te gozas cuando estás con Carla.
- Gracias, Dios, por mi amiga Carla.

3 Cantos

Querrá cantar la primera estrofa de "Con mis amigos" (núm. 30 del *Cancionero para preescolares 1*), así como "Me gusta mucho" (núm. 11 del *Cancionero para preescolares 1*).

4 Actividades

- Coloque a un niño en su regazo y diga: Aplaude conmigo, 1, 2, 3; tócate la cabeza, 1, 2, 3; patea así como yo, 1, 2, 3. (Puede inventar su propia rima). Diga: "Nos divertimos juntos. Qué bueno que somos amigos".
- Anime a los niños a poner las sillas en una fila, y a sentarse en ellas, pretendiendo que van manejando a algún lugar (haciendo ruidos como los de un tren, o auto). Mientras los niños están ocupados en esta actividad, pregunte: "¿A dónde van los amigos juntos?".
- Anime a los niños a pintar juntos y hacer un dibujo grande. Deben pararse alrededor de la silla y pintar. Cuando terminen, escriba el título: "Los amigos pintan juntos" y coloque el dibujo en la pared.
- Coloque las fotos de los niños en el franelógrafo. Permítales jugar con las "muñecas de la foto"; mientras lo hacen, señale cada foto diciendo: "Ella es María (el nombre del niño/a). Ella/él es tu amiga/o". Haga lo mismo con cada niño.
- Coloque las "botellas para jugar" en la cuna o en el piso para que el niño las vea y las pueda maniobrar. Juegue con el niño, rodando la botella. Mientras lo hace diga: "Nos estamos divirtiendo juntos porque somos amigos".
- Mientras esté sentado en el piso, tenga a un bebé en el regazo, para que pueda ver a los otros niños jugar. Cuando los niños se fijen en el bebé diga: "Ves, quiere ser tu amigo". Anima a los niños a traerle un juguete al bebé.

Objetivo de la lección: Que los alumnos sientan gozo al escuchar acerca de los pastores que cuidaban a sus ovejas.

UNIDAD 10
SER COMO JESÚS ES SENTIR GOZO AL ESCUCHAR QUE JESÚS NACIÓ
Objetivo de la unidad: Que los alumnos sientan gozo al escuchar acerca del nacimiento de Jesús.

Pensamiento bíblico de la unidad:
"Me gusta escuchar que Jesús nació".
Lucas 2:7

Base bíblica: Lucas 2:8

Preparación de materiales
• Prepare suficientes ovejas para que cada niño tenga una y colóquelas cerca de los bloques. Puede confeccionarlas pegando la figura de una oveja a un tubo de cartón (como el del papel sanitario).

• Recorte figuras de ovejas (puede bajarlas de la computadora o puede amplificar la que aparece en esta página) de cartón y recárguelas contra la pared.
• Provea un recipiente pequeño de pegamento no tóxico y bolitas de algodón. Reproduzca un contorno grande de una oveja en un papel blanco, haciendo una copia para cada niño.
• Prepare el rompecabezas que viene en el paquete de Ayudas Didácticas. Pegue el cuadro en cartón grueso. Cúbralo completamente con plástico transparente (de contacto). Usando una navaja para rasurar recorte el pastor y las ovejas del cuadro, dejando el trasfondo intacto.

1 Bienvenida

Cuando reciba a los niños, entone un canto usando palabras como estas: "Me siento feliz, me siento feliz, me siento feliz porque Roberto vino hoy. Me siento feliz, me siento feliz, me siento feliz porque Jesús nació". Pregunte al niño: "¿Sabías que celebramos la Navidad porque Jesús nació?". Enseguida puede cantar al niño: "Cumpleaños feliz".

2 Conversación y oración

Aunque a esta edad los niños son muy pequeños para comprender lo que es la Navidad, formarán sus primeros conceptos viendo lo que está sucediendo a su alrededor. Su conversación será importante:
• ¡Jesús era un bebé igual que tú!
• En Navidad recordamos que Jesús nació.
• Las personas que cuidan a las ovejas se llaman pastores.
• La noche que Jesús nació, los pastores cuidaban a sus ovejas.
• Me gusta escuchar la historia de los pastores.

3 Cantos

Use estos cantos cuando se presente la oportunidad. No espere a que estén todos. Puede cantarlo a un solo niño. "Contento estoy" (núm. 26 del *Cancionero para preescolares 2*); y "El día de la Navidad", segunda estrofa (núm. 58 del *Cancionero para preescolares 2*); "Tiempo atrás" primera estrofa (núm. 44 del *Cancionero para preescolares 2*).

4 Actividades

• Muestre a los niños las ovejas que están en el área de los bloques y pídales que los junten y hagan un corral alrededor de ellas. Explíqueles que eso es lo que los pastores hacen.
• Juegue con los niños el juego de "las ovejas". Mientras juegan diga: "Voy a pretender que ustedes son ovejas y yo soy el pastor. Los voy a juntar a todos". Mientras se los dice, tome la mano de un niño, luego la de otro y otro hasta que todos los niños estén juntos.
• Pida a los niños que hagan "bee, bee" como las ovejas que los pastores cuidaban. Comience usted haciendo el sonido y pídales que lo imiten.
• Muestre a los niños cómo mojar las bolitas de algodón en el pegamento y ponerlas en el dibujo de las ovejas. No se preocupe dónde las colocan, ya que no tienen el suficiente control para hacerlo en el lugar preciso. Déjelos disfrutar la experiencia de confeccionar ovejas como las que los pastores cuidaban.
• Permita a los niños confeccionar juntos el rompecabezas de los pastores, y mientras lo hacen repetidas veces, sostenga las piezas correctas y diga: "Este es un pastor. Esta es una oveja. El pastor estaba cuidando a las ovejas la noche en que Jesús nació".

Objetivo de la lección: Que los alumnos sientan el gozo al escuchar acerca de los ángeles que cantaron dando la noticia a los pastores.

UNIDAD 10
SER COMO JESÚS ES SENTIR GOZO AL ESCUCHAR QUE JESÚS NACIÓ
Objetivo de la unidad: Que los alumnos sientan gozo al escuchar acerca del nacimiento de Jesús.

Pensamiento bíblico de la unidad:
"Me gusta escuchar que Jesús nació".
Lucas 2:7

Base bíblica: Lucas 2:8

Preparación de materiales
- Un casete o CD con música navideña. Evite tener cantos que hablen de Santa Claus u otros temas seculares.
- Recorte la figura de un ángel de un tamaño apropiado para que quepa dentro del rompecabezas del cuadro de los pastores que preparó la semana pasada.
- Haga perforaciones a las figuras de las ovejas que preparó la semana pasada. Póngales un trozo de cordón o estambre para que las pueda colgar. 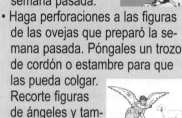 Recorte figuras de ángeles y también póngales cordón o estambre. Coloque una rama de árbol en un balde lleno de piedras o arena para que quede parada.
- Un tubo de cartón largo, como los que se usan para enrollar papel de regalo. Si no lo tiene, use tubos de cartón de las toallas de papel.
- Recorte un buen número de siluetas de ángeles y escóndalas alrededor del salón, pero en lugares obvios.
- Coloque cascabeles pequeños a unos calcetines. Use el tamaño apropiado para los niños de su grupo.

1 Bienvenida

Cuando lleguen los niños, salúdelos con alegría y pregúnteles si pueden escuchar la música. Deténganse y escuchen por un momento. Diga: "¿Pueden oír la música navideña? Nos gusta cantar cantos de Navidad. Los ángeles cantaron dando la noticia a los pastores cuando nació Jesús. Nosotros podemos cantar como los ángeles". Comience a cantar el canto que se está tocando mientras le señala al niño las actividades en las que puede participar.

2 Conversación y oración

Además de incluir las frases que se encuentran enseguida en su conversación, no olvide repetir el pensamiento bíblico varias veces durante la clase.
- En Navidad celebramos el nacimiento de Jesús.
- Los pastores cuidaban a sus ovejas la noche que Jesús nació.
- Los ángeles contaron a los pastores que Jesús había nacido.
- Los ángeles dijeron a los pastores que Jesús estaba envuelto en pañales.
- Los ángeles cantaron un hermoso canto acerca de Jesús.
- Me gusta escuchar la historia acerca de los ángeles que cantaron.

3 Cantos

Ya que la música es parte del tema de hoy, toque "Tiempo atrás", segunda estrofa (núm. 44 del *Cancionero para preescolares 2*); "Cantos Navideños" (núm. 24 del *Cancionero para preescolares 2*).

4 Actividades

- Mientras los niños arreglen el rompecabezas nuevamente, pídales que señalen los pastores y sus ovejas. Agregue el ángel al cuadro y diga: "Ahora el ángel está hablando con los pastores".
- Señale la rama de árbol a los niños. Muéstreles cómo colgar las figuras de las ovejas y los ángeles en la rama. Mientras "decora" el árbol, hábleles acerca de los pastores y cómo cuidaban de sus ovejas cuando escucharon a los ángeles cantar.
- Cante a los niños a través del tubo de cartón. Haga diferentes sonidos (altos, bajos, etc.) y luego deje que el niño lo imite usando el tubo. Hable sobre cómo oyeron los pastores a los ángeles.
- Cargue a un niño y muévase alrededor del salón al ritmo de la música navideña. Mientras el niño siente el movimiento y escucha la música, cante también. Diga: "Qué divertido es cantar acerca de Jesús. Los ángeles también cantaron acerca de Jesús".
- Muestre la figura de un ángel a los niños y diga: "Esta es una figura de un ángel. ¿Pueden encontrar otros ángeles que cantaron a los pastores?". Guíelos a los lugares donde escondió los ángeles y anímelos a encontrarlos.
- Ponga los calcetines con los cascabeles en los pies de los bebés. Para los niños mayores, permita que ellos mismos se pongan los calcetines. Pídales que muevan los pies, y llame la atención a la música que están produciendo. Diga: "Los ángeles también produjeron hermosa música la noche que nació Jesús".

Estudio 49 Los pastores buscaron al bebé

Objetivo de la lección: Que los alumnos sientan gozo al escuchar que los pastores buscaron al bebé Jesús.

0, 1 años

UNIDAD 10
SER COMO JESÚS ES SENTIR GOZO AL ESCUCHAR QUE JESÚS NACIÓ
Objetivo de la unidad: Que los alumnos sientan gozo al escuchar acerca del nacimiento de Jesús.

Pensamiento bíblico de la unidad:
"Me gusta escuchar que Jesús nació". Lucas 2:7

Base bíblica: Lucas 2:8

Preparación de materiales
• Esconda las figuras de las ovejas y ángeles que usó en la sesión anterior en recipientes hondos llenos de arena. Coloque los recipientes (varios para que los niños no tengan que compartir) sobre sábanas grandes para proteger el piso.
• Envuelva una muñeca con trozos de tela y colóquela en una caja en un rincón del salón. Coloque otras muñecas alrededor del salón.
• Coloque en tapas de botellas una pequeña cantidad de pegamento no tóxico. Provea tarjetas de Navidad usadas o pedazos de papel de envoltura con motivos de Navidad.
• Recorte marcos de cartón y coloque papel celofán de diferentes colores en cada marco.
• Recorte figuras pequeñas de ángeles y ovejas de plástico (por ejemplo, de una botella de detergente). Coloque las figuras dentro de una botella de plástico transparente de dos litros. Llene la botella de agua de color. Asegure la tapa con pegamento o cinta adhesiva.

1 Bienvenida

Cuando lleguen los niños, es importante que los reciba individualmente y converse con ellos antes de guiarlos al salón. No se apresure a quitar a los niños de los brazos de sus padres, ni hablarles muy fuerte y asustarlos. Hoy querrá jugar el juego "Aquí estoy" y preguntarles qué ven. Luego recuérdeles que verán muchas cosas interesantes en el salón de clase.

2 Conversación y oración

Mientras se ocupan en las diversas actividades recuerde hacer comentarios que lleven a los niños a pensar en los pastores que buscaron al bebé Jesús.
• Los pastores cuidan a las ovejas.
• Mientras los pastores cuidaban a las ovejas, Jesús nació.
• Los ángeles contaron a los pastores que Jesús había nacido.
• Los pastores comenzaron a buscar a Jesús.
• ¡Qué feliz me siento porque los pastores amaron a Jesús!
• Yo amo a Jesús.

3 Cantos

Además de este canto, que habla acerca de los pastores, "Tiempo atrás", tercera estrofa (núm. 44 del *Cancionero para preescolares 2*), cante algunos cantos conocidos de Navidad para que los niños comiencen a aprenderlos. Evite cantar música secular que no hable del nacimiento de Jesús.

4 Actividades

• Diga a los niños que hay algo escondido en la arena. Diga: "Busquen las ovejas y los ángeles. Los pastores tuvieron que buscar al bebé Jesús".
• Anime a los niños a buscar la muñeca que está envuelta en trozos de tela. Al ver otras muñecas diga: "¿Es ésta la que buscamos? ¡No! Buscamos la que está envuelta en trozos de tela". Cuando la encuentre diga: "La muñeca está envuelta como el bebé Jesús. Los pastores buscaron a Jesús, así como nosotros buscamos la muñeca".
• Muestre al niño cómo meter el dedo en el pegamento y untarlo en la tarjeta o papel de envoltura y pegarlo en otro papel. Mientras, hable acerca de los cuadros que están pegando.
• Permita a los niños detener el marco del papel celofán enfrente de la cara y ver de un lado a otro. Vea si le gusta ver al mundo cambiar de colores. Dígales que los pastores buscaron a Jesús con los ojos.
• Deje que los niños rueden, sacudan y empujen la botella de plástico, permitiendo que las figuras que están adentro se muevan de diferentes maneras. Recuerde a los niños que los pastores cuidaron a las ovejas y que los ángeles dijeron a los pastores que Jesús había nacido.
• Ponga los calcetines con los cascabeles en los pies de los bebés. Los niños mayores pueden ponerse los calcetines. Pídales que muevan los pies, y diga: "Los ángeles también produjeron hermosa música la noche en que nació Jesús".

50 Los pastores encontraron a Jesús

Objetivo de la lección: Que los alumnos den gracias porque nació Jesús.

0, 1 años

UNIDAD 10
SER COMO JESÚS ES SENTIR GOZO AL ESCUCHAR QUE JESÚS NACIÓ

Objetivo de la unidad: Que los alumnos sientan gozo al escuchar acerca del nacimiento de Jesús.

Pensamiento bíblico de la unidad:
"Me gusta escuchar que Jesús nació".
Lucas 2:7

Base bíblica: Lucas 2:8

Preparación de materiales

- Coloque un cuadro grande de Jesús en la pared a la altura de los niños.
- Provea muñecas bebé y cunas en el área del hogar.
- Provea una varita (o alambre) y jabón para hacer burbujas (o una cucharada de detergente para lavar platos en un litro de agua).
- Provea plastilina y algunos objetos con qué hacer huellas, como una cuchara, conchas, tapas de botellas, espirales de plástico de un cuaderno viejo, etc.
- Limpie minuciosamente un neumático viejo. Colóquelo en el piso arriba de una sábana vieja u otro material que proteja el piso. Llene el centro con objetos sensoriales interesantes, como bolitas de algodón, cascabeles grandes, juguetes que se engranan, etc.

1 Bienvenida

Coloque en su ropa (firmemente para que los niños no los puedan arrancar) algunos cascabeles y otros objetos que hagan ruido, de modo que cuando se mueva produzca "música". Cuando reciba a los niños, muévase para que puedan escuchar. Pregunte si saben por qué está produciendo música. Diga: "Estoy tan contenta que tenía que celebrar con música. Los pastores buscaron al bebé Jesús en Navidad y lo encontraron. ¡Qué maravilloso! ¿verdad?".

2 Conversación y oración

Enfoque sus comentarios y conversación en el nacimiento de Jesús, especialmente en la visita de los pastores. No confunda el tema mencionando a los reyes magos (que llegaron años después).
- Estoy contento porque Jesús nació.
- Gracias, Dios, por Jesús.
- En Navidad celebramos el nacimiento de Jesús.
- Los ángeles anunciaron a los pastores el nacimiento de Jesús.
- Los pastores buscaron a Jesús.
- Los pastores fueron a visitar a Jesús.

3 Cantos

Además de tararear y cantar himnos de Navidad durante la clase, también use estos cantos: "Contento estoy" (núm. 26 del *Cancionero para preescolares 2*), y "Tiempo atrás", estrofas 1 al 3 (núm. 44 del *Cancionero para preescolares 2*).

4 Actividades

- Señale el cuadro de Jesús a los niños, hablándoles de los pastores. Explíqueles que los pastores fueron a visitar a Jesús cuando nació.
- Mientras los niños juegan en el área del hogar diga: "Pretendamos que esta muñeca es el bebé Jesús. Visitémoslo cuando nació, así como lo hicieron los pastores". Comente lo feliz que estaban todos cuando Jesús nació.
- Sople burbujas donde los niños puedan verlas. No las sople en sus caras u ojos. Diga: "Me siento feliz cuando veo las burbujas. Los pastores se sintieron contentos cuando vieron a Jesús".
- Mientras los niños juegan con la plastilina, hable con ellos acerca de lo divertido que es y lo felices que se sienten en ese momento. Recuérdeles que los pastores se sintieron muy felices cuando encontraron a Jesús.
- Siéntese con un niño cerca del neumático para que sostenga al niño mientras se agacha para sacar un juguete o jugar con los juguetes. A medida que el niño descubre cosas nuevas y se goza en la experiencia, háblele acerca de su felicidad y lo feliz que los pastores estuvieron cuando encontraron a Jesús.

Estudio 51 Los ángeles cantaron cuando nació Jesús

0, 1 años

Objetivo de la lección: Que los alumnos sepan que los mismos ángeles cantaron cuando nació el bebé Jesús.

UNIDAD 10
SER COMO JESÚS ES SENTIR GOZO AL ESCUCHAR QUE JESÚS NACIÓ
Objetivo de la unidad: Que los alumnos sientan gozo al escuchar acerca del nacimiento de Jesús.

Pensamiento bíblico de la unidad:
"Me gusta escuchar que Jesús nació".
Lucas 2:7

Base bíblica: Lucas 2:13, 14

Preparación de materiales
- Prepare una cartulina con figuras de ángeles cantando y colóquela en un lugar visible.
- Prepare también una especie de gafete para cada niño. En el mismo debe ir un dibujo sencillo de un ángel cantando y un espacio para escribir el nombre del niño.
- Tenga puesta música navideña para ambientar el lugar.
- Prepare un par de alas sencillas para ponerle a un niño que represente a un ángel.
- Tenga materiales para preparar un pesebre. Puede ser una caja vacía y alguna sábana de cuna.
- Traiga a la clase también un muñeco para que ponga en el pesebre.

1 Bienvenida

Cuando llegue cada niño, póngale su gafete y diga: "Así como los ángeles cantaron cuando nació Jesús, nosotros también cantaremos y estaremos alegres". Deles la bienvenida cantando de los mismos cánticos que tiene preparados.

2 Conversación y oración

(Durante las actividades converse con sus alumnos usando las siguientes oraciones).
- Cuando Jesús nació, los ángeles cantaron con mucha alegría.
- En el cielo había alegría por el nacimiento de Jesús.
- Los ángeles cantaron una linda canción por el nacimiento de Jesús.
- A mí me gusta cantar porque Jesús nació.
- El nacimiento del bebé Jesús nos hace estar felices.

3 Cantos

Use la música navideña mientras los niños desarrollan las actividades correspondientes.
Básicamente este será un día lleno de cánticos alegres. Escoja lo mejor de la música alusiva al nacimiento de Jesús.

4 Actividades

- Ángel: Escoja a uno de los niños mayorcitos para que represente a un ángel; póngale las alas que preparó.
- Imitar ángeles: Haga movimientos como volando y cante al mismo tiempo.
- Hacer un pesebre: Prepare, con la ayuda de los niños, un pesebre y coloque el muñeco allí. Entretanto, platique acerca de las canciones de los ángeles cuando nació Jesús.
- Pase lista: Leyendo el nombre de cada niño, de acuerdo con su gafete, señálelos y diga: "(el nombre del niño(a) está contento y canta porque nació Jesús".

Estudio 52

María y José estaban felices porque Jesús nació

Objetivo de la lección: Que los alumnos sepan que los padres se alegran cuando nacen los bebés.

UNIDAD 10
SER COMO JESÚS ES SENTIR GOZO AL ESCUCHAR QUE JESÚS NACIÓ
Objetivo de la unidad: Que los alumnos sientan gozo al escuchar acerca del nacimiento de Jesús.

Pensamiento bíblico de la unidad:
"Me gusta escuchar que Jesús nació".
Lucas 2:7

Base bíblica: Lucas 2:18, 19

Preparación de materiales
- Prepare una lámina con la figura de María con José y el bebé.
- Recorte de revistas fotos o cuadros donde se ven padres felices con sus hijos.
- Prepare caritas felices para pegar en varias partes del aula. Procure que estas caritas sean de una dama, un caballero y un bebé.
- Elabore una carta para los padres de los niños para indicarles que con esta reunión están completando una serie de 52 estudios. Que sirva esta carta para agradecer el hecho de haber llevado a sus niños a la clase. Indique en la misma algunos de los temas del siguiente año.

1 Bienvenida

Cuando lleguen los padres a dejar a sus niños, entrégueles la carta que ha preparado.

Dé una cordial bienvenida a los niños exagerando un tanto la sonrisa y mostrándoles las caritas felices que están en varias partes.

Pida a los padres que despidan a sus hijos con una amplia sonrisa y que les digan cuán felices están por tener a su hijito.

2 Conversación y oración

(Use estas frases para conversar en los tiempos apropiados durante las actividades).
- María estaba feliz con el bebé Jesús.
- Jesús estaba feliz por sus padres.
- José estaba muy contento por su hijo Jesús.
- Toda la familia estaba feliz por el nacimiento del bebé Jesús.
- Gracias Jesús, porque las familias son felices donde tú estás.

3 Cantos

Use la primera estrofa del canto: *En mi familia* (núm. 29 del *Cancionero para preescolares 2*) mientras los niños participan en las actividades.

4 Actividades

- Describir la lámina: Ubique a los niños frente a la lámina donde está la figura de María, José y el niño Jesús y describa la escena enfatizando la felicidad de los padres de Jesús por el nacimiento del bebé.
- Aplaudir contentos: Dirija a los niños a expresar alegría por medio de aplausos. El motivo: la alegría por el nacimiento de Jesús.
- Cuadros de familias felices: Use las fotos o cuadros que recortó de las revistas para tener un tiempo de plática con los niños. Muestre las fotos y diga por qué los padres se ven felices. Obviamente se trata de enfatizar la alegría que causan los niños en la familia.
- Concurso de risas: Con los niños mayorcitos organice un concurso de risas. Haga cosquillas a diferentes niños y aplaudan al que ríe con más ganas.

Niños de 2 y 3 años

52 estudios

Un hombre especial

Objetivo de la lección: Que los niños se sientan felices cuando salen a pasear.

UNIDAD 8
SER COMO JESÚS ES APRENDER DE ÉL

Pensamiento bíblico de la unidad:

Base bíblica:

Preparación de materiales:

1 Bienvenida

4 Actividades

2 Estudio

PLAN DE LECCIONES

Unidad 1: Ser como Jesús es dar gracias por el mundo que hizo

Objetivo de la unidad: Que los alumnos conozcan que Dios hizo el mundo y expresen su agradecimiento a Dios por su creación.

1: Dios hizo el cielo
2: Dios hizo las flores
3: Dios hizo los animales
4: Dios hizo las frutas
5: Dios hizo hizo los pajaritos

Unidad 2: Ser como Jesús es dar gracias a Dios

Objetivo de la unidad: Que los alumnos aprendan cómo expresar su gratitud a Dios por las cosas comunes de la vida.

6: Un cuarto para Eliseo
7: Maná en el deserto
8: Agua en el deserto
9: Ropa para Samuel
10: Una familia adoró a Dios

Unidad 3: Ser como Jesús es conocer a Dios

Objetivo de la unidad: Que los alumnos conozcan que Dios los ayuda y los cuida.

11: Noé y el barco grande
12: Noé y los animales
13: Noé y la lluvia
14: Noé y el arco iris

Unidad 4: Ser como Jesús es ir al templo

Objetivo de la unidad: Que los alumnos comprendan que el templo es un buen lugar para estar.

15: El bebé fue al templo
16: Simeón esperaba a Jesús
17: Simeón amaba a Jesús
18: Ana dio gracias a Dios por Jesús

Unidad 5: Ser como Jesús es aprender las historias de la Biblia

Objetivo de la unidad: Que los alumnos conozcan algunas historias de la Biblia.

19: El arca de Noé
20: Jesús y los niños
21: Pan y peces
22: David y Jonatán

Unidad 6: Ser como Jesús es conocerle mejor

Objetivo de la unidad: Que los alumnos comprendan que Jesús es una persona muy especial.

23: Jesús fue un bebé especial
24: Jesús crecía
25: Jesús ayudó a la gente
26: Jesús ama a todos

Unidad 7: Ser como Jesús es tener amigos

Objetivo de la unidad: Que los alumnos comprendan que Jesús desea que sean amigos.

27: Los amigos de Job
28: Los amigos de Apolos
29: Los amigos de un hombre enfermo
30: Un hermano como amigo
31: Dorcas y sus amigas

Unidad 8: Ser como Jesús es saber lo que puedo hacer

Objetivo de la unidad: Que los alumnos sepan que hay muchas cosas que pueden hacer.

32: Simeón vio al bebé Jesús
33: Las hermosas flores
34: Un sordomudo escuchó
35: Moisés y el pueblo cantaron
36: Rut recogió espigas
37: Zaqueo usó sus pies

Unidad 9: Ser como Jesús es ayudar

Objetivo de la unidad: Que los alumnos sepan que Dios desea que sean ayudadores.

38: David ayudó a papá
39: María ayudó a su mamá
40: José ayudó a sus hermanos
41: Andrés ayudó a Jesús
42: David ayudó al rey

Unidad 10: Ser como Jesús es ser parte de una familia

Objetivo de la unidad: Que los alumnos sepan que Dios nos hizo para ser parte de una familia.

43: Jesús vivía con su familia
44: Jesús obedeció a sus padres
45: Jesús ayudó a su familia
46: Jesús fue al templo con su familia
47: Jesús amó a su familia

Unidad 11: Ser como Jesús es celebrar la Navidad

Objetivo de la unidad: Que los alumnos sepan que Jesús nació.

48: Jesús nació
49: Los ángeles cantaron
50: Los pastores visitaron a Jesús
51: Los reyes llevaron regalos
52: Todos estamos felices porque nació Jesús

Unidad 1

Ser como
Jesús es dar
gracias por el
mundo que
hizo

ESTUDIO 1

2, 3
años

Dios hizo el cielo

Objetivo de la unidad:
Que los alumnos conozcan que Dios hizo el mundo y expresen su agradecimiento a Dios por su creación.

Objetivo de la lección:
Que los alumnos puedan identificar los componentes del cielo que Dios hizo.

Versículo clave de la unidad:
"Dios... todo lo hizo hermoso". Eclesiastés 3:10, 11a (DHH).

Preparación:
• Prepare el aula colgando, al nivel de los niños, cuadros de objetos que se encuentran en el cielo. Incluya uno o dos objetos que no se encuentran en el cielo.
• Cubra toda una mesa con papel blanco (use cinta adhesiva para sujetarlo). Provea suficientes crayones gruesos azules, pedazos de algodón blanco (para representar las nubes), y un poco de pegamento.
• Recorte seis soles amarillos, seis media lunas blancas, seis estrellas azules y seis figuras de nubes de cartoncillo o cartón. Provea cuatro recipientes pequeños para separar las diferentes figuras del cielo.
• Haga copias de la hoja para cada niño y provéales crayones.

Preparación espiritual del maestro

¡Salga y mire hacia arriba! ¿Puede ver, realmente ver, el hermoso cielo que Dios nos ha dado? ¿Cuándo fue la última vez que usted dio gracias a Dios por el hermoso cielo azul, las suaves nubes blancas, el cálido sol, las brillantes estrellas y la luna luminosa? ¿Se siente maravillado y asombrado por la creación de Dios? Tome tiempo para pensar en lo que Dios hizo por nosotros en su creación y luego ¡dele gracias por ella!

Es muy importante que se familiarice con la historia bíblica (basada en Génesis 1:1, 14-16 y Salmos 19:1; 89:11). Memorice el versículo bíblico de la unidad, y aprenda completamente, hasta que se sienta cómoda, los cantos que estarán cantando durante la clase. Antes de que llegue el primer niño, prepare el aula y tenga listas todas las actividades. Ore con los otros maestros para que Dios los guíe y les dé sabiduría durante la clase.

1 Actividades de motivación

Póngase un par de lentes oscuros para recibir a los niños. Conforme vaya llegando cada niño, salúdelos con una sonrisa y dígales que se ha puesto los lentes para recordarles que Dios hizo el sol que está en el cielo. Si es posible, provea uno o dos pares de lentes viejos para que los niños se los pongan cuando lleguen. Hábleles de lo bueno que es tener el sol que nos da luz y calor.

Cante a los niños "Lo que Dios hizo" (primera estrofa solamente, número 45 del *Cancionero para preescolares, 1*).

Después de cantar este canto con los niños, muéstreles las diversas actividades que ha preparado alrededor del salón, guiándolos a escoger una con la que se gozarán. Si es un niño nuevo, querrá ponerle un distintivo en la espalda (un trozo de cinta adhesiva protectora le servirá bien). Regrese a la puerta para recibir a cada niño que llegue.

Cuadros: Hable de los cuadros de cosas que se encuentran en el cielo. Vea si pueden reconocer las cosas que no se encuentran en el cielo. Mientras ven los cuadros, recuérdeles a los niños que Dios hizo todas las cosas que hay en el cielo.

2 Centros de interés

Arte: Distribuya los crayones para que los niños los usen para colorear el cielo en el papel blanco. Ponga una gota de pegamento en los trozos de algodón y permita a los niños que los peguen en el papel para representar las nubes. Anime a los niños a dar gracias a Dios porque hizo el hermoso cielo.

Rompecabezas: Coloque las cuatro figuras enfrente de los recipientes pequeños. Coloque un sol en un recipiente diciendo: "El sol va en este recipiente". Luego ponga la estrella en otro recipiente diciendo: "La estrella va en este recipiente". Continúe así con las otras figuras y recipientes, luego dé a cada niño un sol y pregúnteles: "¿Dónde va al sol?". Entrégueles las figuras una por una. Mientras el niño las está distribuyendo diga: "¿Están contentos porque Dios hizo el cielo?".

Mientras los niños "juegan" en los centros de interés, enseñe los cantos, tarareándolos, tocándolos en la casetera o cantándolos a los niños, para que se acostumbren a escucharlos. Ya que los niños aprenden por medio de la repetición, repita constante-mente el canto durante las diversas actividades. Limite el número de cantos que intro-duzca en cada sesión. Aunque nosotros, como adultos, podamos cansarnos de los "mismos" cantos, los niños disfrutan la repetición y le pedirán que repita un canto o actividad.

Además de cantar, querrá usar algún instrumento que ellos puedan tocar mientras cantan o escuchan. Puede usar un tambor hecho en casa, palos rítmicos o cascabeles; instrumentos que los niños puedan manejar fá-cilmente. Disfrutarán al sentir el ritmo de la música.

Aplicación a la vida

Conforme los niños se vayan dando cuenta de que fue Dios quien hizo el mundo, pueden dar gracias por ello. Significa que pueden ver el cielo y reconocer el sol, las nubes, la luna y las estrellas. Conforme identifica los elementos del cielo, ayude a los niños a decir: "Dios hizo el cielo". Además, su meta es ayudar al niño a que durante toda esta semana se fije en el cielo y exprese, espontáneamente, gratitud a Dios por él.

3 Enseñanza de la Biblia

Cante: "Lo que Dios hizo" (primera estrofa solamente, núm. 45 del *Cancionero para preescolares 1*) para lla-mar la atención de los niños al lugar donde relatará la historia. Si el tiempo lo permite, lleve a los niños afuera para que vean el cielo. Si no, use una ventana para que vean el cielo. Mientras ven el cielo, señálelo para estar seguro de que ellos también lo están vien-do. Relate la historia de la creación de Dios, usando los elementos que pueda ver en el cielo hoy (modificándola de acuerdo al tiempo):

- ¡Vean el cielo! ¡Dios hizo el cielo!
- ¡Fíjense qué azul está! Dios lo hizo azul y hermoso para nosotros.
- ¿Pueden sentir el calor del sol? El sol nos da luz. Dios hizo el sol para nosotros.
- Las nubes son blancas.
- Me gustaría brincar sobre las nubes.
- ¡Qué contento estoy porque Dios hizo el cielo!

Saque su Biblia y ábrala a Eclesiastés 3:10 y diga: "La Biblia dice: 'Dios todo lo hizo hermoso'. ¡Cantemos juntos acerca del hermoso cielo que Dios hizo!". (Canten juntos "Dios hizo los cielos" [número 17 del *Cancionero para preescolares 2*]). Repita el canto. Esta vez dé a los niños pañoletas para que las agiten mientras cantan.

Use un trasfondo azul en un franelógrafo. Coloque el sol amarillo y pregunte a los niños cómo se llama. Agregue las nubes blancas y pregunte cómo se llaman éstas. Haga una oración espontánea dando gracias a Dios por el cielo del día. Coloque una luna blanca y pregúnteles cómo se llama. Agregue algunas estrellas y verifique si los niños conocen su nombre. Ore nuevamente, dando gracias a Dios por el cielo de la noche. Permita a los niños agregar las estrellas, la luna, el sol y las nubes en los tras-fondos correspondientes.

Coloque en el piso una sábana azul o blanca y diga a los niños que van a pre-tender ser parte del cielo. Pregúnteles

4 Actividades de reforzamiento

qué quieren ser: el sol, la luna, las estrellas o las nubes. Luego anímelos a tomar su lugar en la sábana, como parte del cielo. Puede repetir esto varias veces, pidiéndoles que sean un elemento diferente del cielo.

Muestre a los niños la hoja del alumno y pídales que identifiquen las partes del cielo que pueden ver. Léales las palabras debajo de la figura. Dé a los niños crayones grandes y permítales colorear el cuadro como ellos quieran. No insista en que usen los colores que usted prefiere. Deje que usen su propia creatividad. A esta edad no tienen el control para permanecer dentro de las líneas, así es que tampoco se preocupe por eso. Mientras trabajan con sus cuadros, cánteles: "Lo que Dios hizo" (primera estrofa solamente, número 45 del *Cancionero para preescolares 1*).

5 Preparación para ir a casa

Conforme vaya saliendo cada niño con la persona que lo trajo, cante: "Gracias, Señor", recordando a los niños que den gracias a Dios por el cielo durante la semana. Agra-dezca a los padres por haber llevado al niño y dígales: "Hoy vimos el hermoso cielo. La semana próxima cuando regresen veremos las hermosas flores. Por favor, vuelvan la semana próxima para que podamos divertirnos nuevamente". Recuerde a los padres que cuando se acuerden de mirar el sol o la luna o las estrellas, hagan una oración espontánea junto con su hijo, dando gracias a Dios por el hermoso cielo que hizo. Dé a los padres la hoja que su niño trabajó.

Dios hizo el cielo

Dios hizo las flores

Objetivo de la unidad:
Que los alumnos conozcan que Dios hizo el mundo y expresen su agradecimiento a Dios por su creación.

Objetivo de la lección:
Que los alumnos puedan decir: "Dios hizo las flores".

Versículo clave de la unidad:
"Dios... todo lo hizo hermoso". Eclesiastés 3:10, 11a (DHH).

Preparación:
- Recorte cuadros de flores de revistas, libros viejos, etc. Provea suficientes cuadros para que cada niño pueda escoger tres. Necesitará papel blanco y pegamento para cada niño.
- Recorte diez flores amarillas y diez rojas (use una figura sencilla de una flor, todas deben ser iguales).
- Provea una maceta con una planta para que los niños vean que crecen en la tierra. Para la actividad con las semillas necesitará piedras, un recipiente grande, tierra limpia, cucharas, un recipiente pequeño de agua y semillas para plantar.
- Prepare varios recipientes con diferentes aromas, que sean fáciles de identificar para los niños, como cebollas, ajos, etc. Coloque un pequeño trozo de uno de estos alimentos en un recipiente cerrado. Agregue una gota de perfume floral en una bola de algodón y colóquela en un recipiente cerrado.
- Haga una copia de la hoja para cada niño.

Preparación espiritual del maestro

Es tiempo de plantar las flores. Eso hace que las palabras de Cantares 2:11-13a sean reales. Me encanta el aroma de la tierra y me gozo de mis uñas sucias mientras planto las flores. Cada día salgo para ver el progreso de estos brotes verdes que están saliendo de la tierra. En unas pocas semanas mi jardín estará lleno de flores rojas, amarillas y moradas. Todo esto me parece milagroso. Concuerdo totalmente con Dios cuando vio las plantas que creó y dijo "que esto era bueno" (Génesis 1:11, 12). ¿Está usted de acuerdo? ¿Cree usted que podrá crear en los niños a los que enseña una nueva admiración por las flores que Dios creó? Pídale a Dios que lo llene con esa alegría que se siente al ver algo "por primera vez" para poder transmitir a los niños que enseña el gozo de ver su hermoso mundo. ¿Quién sabe si este concepto que está desarrollando en los niños puede ser un sentimiento que cambiará por el resto de la vida de ellos su actitud hacia el planeta de Dios?

1 Actividades de motivación

Póngase una blusa de color brillante o con flores, o un collar o broche de flores. Conforme va llegando cada niño, recíbalo cariñosamente y señálele una de las flores en su ropa. Recuérdele que la semana pasada le dijo que hoy hablarían acerca de las flores. Si no conoce el nombre de todos los niños, escríbalo en un trozo de cinta adhesiva y colóquelo en la espalda de cada uno.

Si tiene flores frescas en el salón, señálele una y pregúntele quién hizo la hermosa flor. Cante: "¡Qué linda flor!" (número 20 del *Cancionero para preescolares 2*). Señale las diversas actividades alrededor del salón y anímelo a escoger una de ellas para comenzar a hacerla.

Pregunte a los padres si el niño tiene alergias a perfumes o aromas. Si descubre tales alergias, querrá eliminar el juego de "olfateo".

2 Centros de interés

Arte: Permita que cada niño escoja tres cuadros de flores que le gusten. Hable de los colores de cada flor y lo hermosos que son. Deje que los niños practiquen colocarlos en el papel de diferentes maneras. Luego muéstreles cómo aplicar una gota de pegamento al DORSO del cuadro y pegarlo. Mientras trabajan, recuérdeles que Dios hizo las flores.

Rompecabezas: Coloque una flor roja y una amarilla en la pared. Coloque una caja debajo de cada flor. Muestre a los niños las flores rojas y amarillas que quedan. Pídales que pongan las flores rojas en la caja debajo de la flor roja y las amarillas en la caja debajo de la amarilla. Cante: "¡Qué linda flor!" (número 20 en el *Cancionero para preescolares 2*) mientras trabajan distribuyendo las flores.

Naturaleza: Observe la planta y muestre a los niños cómo crece la planta en la tierra. Muéstreles la semilla y dígales que las flores comienzan pequeñitas y luego se hacen grandes. Déjelos poner las piedras en el fondo del recipiente y, con las cucharas, que llenen el recipiente con la tierra limpia. Muéstreles cómo hacer un agujero en la tierra. Dé a cada niño una semilla para plantar en el agujero. Déjelos que suavemente acomoden la tierra y le pongan un poquito de agua.

Cada semana debe ofrecer algo nuevo y emocionante, junto con lo viejo y familiar. Sin embargo, no debe temer repetir las mismas frases y cantos durante las actividades del día. Los niños tienden a pensar en una sola cosa a la vez, esto será importante para mantenerlos enfocados en el tema de la lección. Durante todas las actividades repita el versículo bíblico, el canto lema y ofrezca oraciones espontáneas por las flores. Aproveche el placer que los niños sienten al imitar, siendo un ejemplo de algo que valga la pena imitar. Mientras observa las flores, las maneja, juega con ellas, las dibuja, habla acerca de las flores, da gracias y canta acerca de las flores, ¡el concepto de que Dios hizo las flores va a quedar bien cimentado en la mente de ellos!

Aplicación a la vida

¿Es importante que los niños crean que Dios hizo las flores? ¡Por supuesto que sí! En primer lugar enseña a los niños acerca de un Dios que es amoroso, que se preocupa de los detalles y valora las cosas hermosas. Por lo tanto, los niños deben sentir gozo y gratitud al ver las flores a su alrededor. En segundo lugar, los niños deben comenzar a sentir cierta reverencia por el "mundo natural" que los guiará a respetar la creación de Dios. En un nivel práctico, los niños aumentan sus habilidades cognoscitivas al comenzar a aprender los números mientras cuentan las flores y sus pétalos, identifican los colores y hasta aprenden los nombres de las flores.

3 Enseñanza de la Biblia

Use cinta adhesiva ancha para hacer un camino en el piso que guiará a los niños al lugar donde relatará la historia. Muestre a los niños cómo caminar sobre la cinta adhesiva para seguir el camino. Anímelos a poner el pie derecho en medio de la línea y seguirla hasta el final donde encontrarán algunas flores. Pídales que se sienten cerca de las flores. Cante con ellos "Árboles y flores" (número 56 del *Cancionero para preescolares 2*) y "¡Qué linda flor!" (número 20 del *Cancionero para preescolares 2*). Pídales que se fijen en las flores y luego pretendan ser una flor.

Abra su Biblia a Eclesiastés 3:10 y diga: "La Biblia dice: 'Dios todo lo hizo hermoso'".

• Una de las cosas hermosas que Dios hizo fueron las flores.

• No las hizo para que las comiéramos.	• Las hizo para que las viéramos.
• Y las hizo para que las oliéramos.	
• Dios hizo flores grandes.	• Dios hizo flores pequeñas.
• Dios hizo flores amarillas.	• Dios hizo flores rojas.
• Dios hizo flores moradas.	• Dios hizo flores blancas.
• Dios hizo toda clase de flores.	• Gracias, Dios, por hacer las flores.

• Las flores hacen que nuestro mundo sea hermoso.

Muestre a los niños los diferentes recipientes y dígales que uno de ellos huele como una flor y que los otros huelen a otras cosas. Deje que cada niño huela un recipiente a la vez, dejando el aroma de la flor para el final. Vea si pueden identificar el aroma de la flor. No importa que no puedan decir cuáles son los otros aromas. Repita la actividad varias veces, diciendo que las flores no sólo son bonitas, sino que también huelen bonito. Luego pregunte a los niños quién hizo las flores.

El salón debe estar muy colorido hoy, con flores frescas (**no** use flores venenosas como son las azaleas y nochebuenas), si es posible. Si no puede usar flores **frescas**, use los cuadros o fotografías de flores.

4 Actividades de reforzamiento

Camine alrededor del salón y hable acerca de las clases de flores que los niños pueden ver. Mencione el nombre de los colores de cada flor. Ahora vuelva a caminar alrededor del salón y cuente las flores con ellos.

Dé a cada niño una hoja y examinen cada figura en el cuadro. Pregúnteles cuáles son flores. No critique, pero corrija sus respuestas para que puedan aprender la diferencia entre una flor y otros objetos. Después de estar seguros de cuáles objetos son flores y cuáles no, deles un crayón y muéstreles cómo hacer una X grande a través de las cosas que no son flores. Cante con ellos "Árboles y flores" (número 56 del *Cancionero para preescolares 2*).

5 Preparación para ir a casa

Recoja las cosas de los niños, incluyendo sus cuadros y hojas que pintaron hoy, para que estén listas cuando los recojan sus padres. Mientras espera la llegada de los padres, permita a los niños repetir una de las actividades que disfrutaron hoy. Repase el versículo bíblico con ellos. Pregúnteles quién hizo las flores. Pida a uno de los niños que ore, dando gracias a Dios por las flores.

Conforme se va cada niño, agradézcale que haya venido hoy e invítelo a regresar la semana próxima cuando hablarán acerca de los animales que Dios hizo. Salude a sus padres y anímelos a traer a los niños la semana próxima. Pídale al niño que muestre a sus padres su trabajo y les digan lo que hizo hoy.

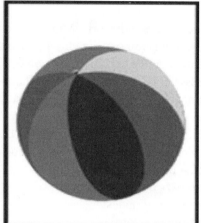

Dios hizo las flores

Dios hizo los animales

Objetivo de la unidad:
Que los alumnos conozcan que Dios hizo el mundo y expresen su agradecimiento a Dios por su creación.

Objetivo de la lección:
Que los alumnos puedan decir: "Gracias, Dios, por crear a los animales".

Versículo clave de la unidad:
"Dios... todo lo hizo hermoso". Eclesiastés 3:10, 11a (DHH).

Preparación:
• Consiga figuras de varias clases de animales. Puede encontrar fotos de animales en Internet o en revistas y libros viejos. Si conoce a un joven talentoso, quizá esté dispuesto a hacerle algunas ilustraciones.

• Si su iglesia no tiene bloques, puede hacer unos usando cajas de zapatos, por ejemplo) llenas de periódicos y firmemente selladas con pegamento o cinta adhesiva. Si no tiene animales de plástico o de peluche, pregunte a padres cuyos hijos ya crecieron si le prestan o regalan algunos.

• Si su salón no cuenta con un espejo grande, traiga uno para usar esta semana.

• Querrá usar una pelota suave y pequeña para rodar en el piso para una de las actividades.

• Haga copia de la hoja para cada niño. Para esta actividad también necesitará bolas de algodón y pegamento blanco en recipientes pequeños.

Preparación espiritual del maestro
¿Leyó alguna vez Proverbios 12:10? "El justo sabe que sus animales sienten, pero el malvado nada entiende de compasión" (DHH). Aunque nunca debemos elevar a los animales a una importancia mayor que el hombre, este versículo nos advierte que debemos tratar a los animales con el cuidado que se merecen. Tendemos a dar por sentado la comida, la ropa, el trabajo y el compañerismo que los animales nos ofrecen. ¿Ha tomado el tiempo para agradecer a Dios la creación de los animales? Recordará que los niños sólo imitan aquello que han aprendido. Por lo tanto, si usted demuestra crueldad o falta de preocupación hacia los animales, eso enseñará mucho más que cualquier canto que cante o palabras que pronuncie. Pida a Dios que le ayude a asumir una actitud y estilo de vida que sean dignos de los pequeños a los que está enseñando.

1 Actividades de motivación

Al recibir a cada niño que llegue, agáchese para quedar al nivel del niño. Háblele usando su nombre. Muéstrele el animal de peluche que tiene en la mano. Explique: "Hoy vamos a decir: 'Gracias, Dios, por los animales'. Creo que nos divertiremos mucho".

Coloque un distintivo con su nombre en la espalda, así como en sus pertenencias. Pregunte al niño: "¿Te gustaría ir brincando o ir a gatas a una de las actividades?". (A propósito, es importante hacer preguntas a los niños de esta edad que ofrezcan una alternativa, pero que no puedan ser contestadas con un NO).

Después de dirigir al niño hacia una de las actividades, regrese a la puerta para hablar con los padres, haciendo cualquier pregunta necesaria aclarando cualquier duda.

2 Centros de interés

Naturaleza: Coloque un cuadro de un perro, un gato, un pato, una vaca, un oveja. Muestre los cuadros a los niños. Cuando señale un animal, imite el sonido característico del mismo. Guíe al niño a repetir el sonido. Canten: "Son los animales" (número 23 del *Cancionero para preescolares 2*).

Bloques: Usando los animales de plástico o de peluche que ha traído, explique que necesitan un lugar seguro para vivir. Anímelos a usar los bloques para construir un establo o un corral para mantener a los animales dentro y seguros. Hábleles acerca de la diferencia entre los animales salvajes del zoológico (leones, tigres, osos) y los animales de una granja (vacas, caballos, perros, gatos). Pregúnteles si están construyendo un zoológico o una granja.

Música: Mientras canta "El dueño de la creación" (número 5 del *Cancionero para preescolares 1*), haga los movimientos sugeridos por los diversos animales mencionados en los primeros tres versículos. Luego permita a los niños que se vean en el espejo a la vez que repiten los movimientos con usted. Anímelos a cantar mientras hacen los movimientos.

Si enseña a niños pequeños, no tema bajarse al piso y arrastrarse como un gato, o ladrar como un perro. Entre al mundo de la dramatización con los niños. Si ellos están jugando a "tomar el té", o pretendiendo que son leones en una jaula, usted forme parte. Use ropa cómoda que no importe si se arruga o ensucia. En esta edad, el juego es el trabajo de un niño. Cuando un niño "pretende", no está mintiendo o pecando. Está aprendiendo del mundo a su alrededor. Anime a los niños en su mundo de drama uniéndose a ellos en su juego y proveyendo los elementos necesarios para que jueguen creativamente.

Aplicación a la vida

Algunos estudios interesantes han mostrado que los niños que son crueles para con los animales crecen para ser adultos que son crueles con otras personas. Al enseñar a los niños que es Dios quien creó a los animales, los estará animando a tratarlos con el cuidado y respeto que Dios tenía la intención que cada persona tuviera para los animales. Además, estará ayudando a los niños a colocar en su lugar las piezas de la creación; es decir, Dios se ocupó en la creación de todo lo que hay a nuestro alrededor. Debido a que todos los niños tienen algún contacto con animales, conforme aprenden a decir "Gracias, Dios, por los animales", aprenderán a ver y estar agradecidos a Dios por su creación diariamente.

3 Enseñanza de la Biblia

Guíe a los niños en una obra dramática, mientras pretende ser un perro o gato o cualquier otro animal. Diga a los niños que todos van a ser ese animal. Luego imite a otro animal. Esto debe ayudar a juntar a los niños. Cuando estén juntos con usted, comience a relatarles cómo Dios hizo los animales.

• Dios hizo los diferentes animales.
• Hizo a los animales para que fueran nuestros amigos.
• Hizo a los animales para que nos ayudaran en nuestro trabajo.
• Hizo a los animales para que los cuidáramos.
• Dios nos permitió decidir qué nombre dar a los animales.
• Llamamos a algunos animales caballos, a otros los llamamos perros.
• Y hay ratones, gatos, vacas, ovejas, cabras y... (continúe mencionando a otros animales con los que los niños puedan estar familiarizados).
• Dios quiere que cuidemos bien a los animales.
• ¡Qué bueno que Dios nos dio a los animales para cuidarlos!
• ¡Qué bueno que me dio a los animales para ser mis amigos!

Guíe a los niños a decir "Gracias, Dios, por (*nombre a un animal*)".

Con su Biblia abierta en Eclesiastés 3:10 diga: "La Biblia dice: 'Dios todo lo hizo hermoso' ".

Canten juntos "Son los animales", luego pregunte a los niños: "¿Quién hizo a los animales?".

Mientras los niños están sentados en el círculo, ruede una pelota a uno de los niños y diga: "Dios hizo a (diga el nombre de un animal e imite el sonido que hace)". El niño rodará la pelota hacia usted y usted la rodará a otro niño usando otro animal. Después de hacer esto unas cuantas veces, los niños deben imitar espontáneamente con usted el sonido que el animal hace.

4 Actividades de reforzamiento

Coloque algunos de los animales de plástico en una caja o bolsa y deje que el niño meta la mano adentro sin poder ver qué está tocando. Pregúntele qué animal está tocando. Cuando el niño conteste, pídale que saque el animal. Pregunte: "¿Quién hizo el (*nombre el animal*)?".

Muestre a los niños el cuadro de la oveja en la hoja. Explique que una oveja es suave y lanudita. Recuérdeles que la oveja dice: "bee, bee". Deje que toquen las bolas de algodón que son suaves como la oveja. Muéstreles cómo meter el algodón en el pegamento y pegarlo en la oveja. No se preocupe si pegan el algodón fuera de la figura de la oveja. La participación en la actividad es más importante que el producto final. Cante uno de los cantos mientras los niños trabajan. Repita el versículo bíblico con ellos. Pregúnteles nuevamente: "¿Quién hizo las ovejas?".

5 Preparación para ir a casa

Al completar las actividades, pida a cada niño que le diga cuál es su animal favorito y pretenda ser ese animal. Recuérdele que Dios hizo ese animal.

Cuando llegue el tiempo de terminar, comience a cantar: "Despedida" (número 48 del *Cancionero para preescolares 1*), repitiendo el canto con el nombre de cada niño. Cuando lleguen los padres, deles la hoja que los niños trabajaron. Pida al niño que les diga a sus padres quién hizo los animales. Pídales que les digan a sus padres los nombres de algunos animales que Dios hizo. Recuerde a los padres que deben reforzar la enseñanza de hoy, tomando un momento para dar gracias a Dios por haber hecho los animales cuando vean o toquen un animal.

DIOS HIZO
LOS ANIMALES

Unidad **1**

Ser como
Jesús es dar
gracias por el
mundo que
hizo

ESTUDIO **4**

2, 3
años

Dios hizo las frutas

Objetivo de la unidad:
Que los alumnos conozcan que Dios hizo el mundo y expresen su agradecimiento a Dios por su creación.

Objetivo de la lección:
Que los alumnos sepan que Dios hizo las frutas para que las comiéramos y disfrutáramos.

Versículo clave de la unidad:
"Dios... todo lo hizo hermoso".
Eclesiastés 3:10, 11a (DHH).

Preparación:
• Después de asegurarse de que ninguno de los niños tenga alergia, provea fruta cruda, bien lavada, para hacer una ensalada de fruta con los niños. Tenga el cuchillo fuera del alcance de los niños. Use cucharas para que los niños mezclen la fruta y coman la ensalada. Provea platos desechables para la ensalada.
• Recorte un árbol de fieltro y colóquelo en el franelógrafo. Recorte de fieltro seis de cada una de tres frutas diferentes que crecen en árboles (use frutas comunes como naranjas y manzanas). Mezcle las frutas.
• Recorte láminas a colores de frutas o use la lámina de las Ayudas Didácticas. Provea las mismas frutas de la figura, ya sea de plástico o cruda.
• Reproduzca la hoja para cada niño. Recorte pedazos de cartoncillo de color para que los niños los peguen y hagan un mosaico de frutas. Coloque los diferentes colores de papel en recipientes pequeños. Provea pegamento en recipientes pequeños para que los niños lo usen.

Preparación espiritual del maestro

¿Ha tenido alguna vez la experiencia de preparar una comida deliciosa para alguien, sólo para escuchar que ellos no comen esa clase de comida (o que están a dieta, o que no se sienten bien)? ¡Qué decepción! Es una verdadera desilusión, cuando usted está anticipando lo mucho que disfrutarán de sus labores. ¡Es probable que muchas veces Dios se sienta así! Nos ha dado tantas cosas buenas para disfrutar y la mayoría del tiempo ni les damos importancia. Fíjese en los cuadros de frutas que está preparando para usar con los niños. ¿Alguna vez ha pensado en los diferentes sabores, colores, texturas y tipos de frutas que Dios nos dio? ¿No es fantástico? Trate de darle gracias a Dios por eso. Esa emoción que acaba de sentir es lo que usted tratará de guiar a los niños a sentir durante la clase.

1 Actividades de motivación

Esté listo para recibir a los niños cantando "Bienvenida" (núm. 2 del *Cancionero para preescolares 1*), usando el nombre del niño cada vez que diga: "Hola...". Muestre a los niños la bolsa (dentro de la bolsa deberá haber puesto una fruta de un aroma fuerte) y permita que huelan lo que hay adentro, sin verlo. Pregúnteles si saben lo que es. Deje que adivinen. Aunque no puedan decir lo que hay adentro, deje que le echen una mirada y luego diga: "Hoy vamos a dar gracias a Dios por todas las maravillosas frutas que él hizo para nosotros".
Después de que los niños hayan llegado, cante "Bienvenida" usando todos los nombres de los niños a la vez. ¡Dígales lo contento que está porque llegaron al templo!

2 Centros de interés

Hogar: Prepare una ensalada de frutas con los niños. Tenga por lo menos tres diferentes clases de fruta cruda que se mezclen bien en un recipiente. Use frutas que son fáciles de pelar y cortar (como las bananas). Pregunte a los niños si alguna vez han preparado una ensalada de frutas. Rápidamente corte la fruta. Dé a cada niño una cuchara para mezclar la ensalada. Sírvales un poquito de ensalada en un plato y deje que se la coman con la cuchara.
Juego: Pida a los niños que encuentren todas las naranjas (o la fruta que preparó) y las coloquen en el árbol. Diga: "Gracias, Dios, por las *naranjas*". Luego pida a los niños que "bajen" la fruta del árbol y coloquen allí otra clase de fruta, dando gracias por ella cuando hayan terminado. Continúe así hasta haber usado todas las frutas.
Figuras: Coloque las figuras de las frutas y las frutas (plásticas o crudas) en el piso. Pida a los niños que pongan la fruta arriba del cuadro correspondiente. Si se les hace difícil, elimine algunos de los cuadros y sólo use dos cuadros a la vez. Hable de cómo se ve y huele la fruta. Pregúnteles cuál es su fruta favorita.

¿Sabía usted que la conversación es una de las actividades más importantes que desarrollará durante el tiempo que esté con los niños? Muchos adultos no conversan con los niños. Les hablan a los niños pero no platican con ellos. Usted debe aprender a hacer preguntas que resulten en respuestas verdaderas y que le ayuden a usted a conocer y comprender mejor al niño. No sólo "parlotee" con los niños o hable demasiado. Permita que los niños hablen con usted y aprenda de sus intereses y su vida. No sólo enseñará habilidades conversacionales importantes, sino que también les estará dando la atención significativa que los niños anhelan.

Aplicación a la vida

La mayoría de los niños comen fruta con regularidad. ¡Qué hermoso será pensar en el cuidado y amor de Dios cada vez que los niños coman fruta! Si los padres continúan reforzando la enseñanza, esto puede llegar a ser un hábito diario en la vida de los niños. Además, los niños deben aprender a decir: "Gracias Dios" en una manera natural cada vez que ven una fruta. Al repetir la frase "Dios hizo las frutas", comenzarán a darse cuenta de que Dios es el Creador, que hizo muchas cosas hermosas.

3 Enseñanza de la Biblia

Súbase a un banquito y diga a los niños que está tratando de recoger la fruta del árbol. Pídales que ellos hagan lo mismo. Luego, pretenda comer la fruta, exagerando los detalles de masticarla y probarla, animando a los niños a hacer lo mismo.

Enséñeles los cuadros de las frutas que usó en las actividades. Al mostrar cada cuadro pregúnteles el nombre de la fruta. Dígales que la Biblia dice: "Dios... todo lo hizo hermoso", y que eso incluye todas las frutas. Repítalo con cada figura.

Relate la historia a los niños de cómo Dios hizo la fruta. Use los nombres de las frutas con las que los niños están familiarizados:
• Dios hizo las naranjas bonitas, anaranjadas y jugosas (muéstreles una naranja o la figura de una).
• Dios hizo las bananas buenas y dulces (muéstreles una banana o la figura de una).
• Dios hizo las manzanas crujientes (muéstreles una manzana o la figura de una).
• Dios hizo las sandías llenas de semillas (muéstreles una sandía o la figura de una).
• Dios hizo los ananás (piñas) espinosos por fuera y blanditos por dentro (muéstreles un ananá o la figura de uno).
• Me gusta comer frutas.
• ¡Qué bueno que Dios hizo toda clase de frutas para que yo comiera!
• Dios me debe amar mucho para darme tantas frutas buenas.
• ¡Gracias, Dios, por las frutas que me gustan!
Cambie las palabras del canto: "Gracias, Señor" (número 1 del *Cancionero para preescolares 1*) para mencionar los nombres de las frutas. Por ejemplo:
"Por las manzanas, ¡gracias, Señor!"
"Por los plátanos, ¡gracias, Señor!"
"Por tus cuidados, por tu amor,
siempre por todo, ¡gracias, Señor!".
Muéstreles las frutas conforme las mencione en el canto. Puede agregar los nombres de otras frutas.

Con las frutas que usó para el juego de figuras, establezca un pequeño "mercado". Dé a los niños canastas y déjelos jugar que van al "mercado" con sus mamás. Usted puede ser el "vendedor" y pregúnteles qué quieren comprar. Hable del color y tamaño de las diferentes frutas.

Distribuya las hojas a los niños y deles pedazos de papel de color para pegar sobre las figuras de las frutas. Hábleles acerca del color que va con la figura de la fruta, pero no interfiera con el trabajo de arte que están haciendo si deciden mezclar los colores.

4 Actividades de reforzamiento

5 Preparación para ir a casa

Pida a los niños que le ayuden a limpiar el salón. Para eso, hay que darles instrucciones específicas, una a la vez, como: "Tráiganme todas las figuras de frutas. Las guardaré en el gabinete. Recojan el papel del piso y pónganlo en la basura". Una vez que todo esté guardado, pregunte a los niños qué aprendieron hoy. Anímelos a dar "gracias" a Dios por todas las frutas que son tan buenas para comer.

Cuando lleguen los padres, pida a los niños que le den a sus padres la figura con fruta que hicieron. Explique a los padres que deben enseñar a sus hijos a dar gracias a Dios por la fruta cada vez que coman una. Los padres también deben recordar a los niños que Dios hizo las frutas. Esta repetición es muy importante para reforzar la lección.

DIOS HIZO LAS FRUTAS

Dios hizo a los pajaritos

Objetivo de la unidad:
Que los alumnos conozcan que Dios hizo el mundo y expresen su agradecimiento a Dios por su creación.

Objetivo de la lección:
Que los alumnos sepan que Dios se preocupa por los pájaros que creó.

Versículo clave de la unidad:
"Dios... todo lo hizo hermoso". Eclesiastés 3:10, 11a (DHH).

Preparación:
• Si no tiene acceso a algunos de estos artículos, puede sustituirlos con figuras o fotografías. Pero si puede conseguir una jaula vacía y un nido de pájaro, añadiría mucho a la clase. Además, trate de conseguir algunas plumas de pájaros para usar en el proyecto de arte.
• Si tiene grabaciones de pájaros cantando, tóquelas durante el tiempo de las actividades. Si no, cualquier música melódica servirá.
• Provea o confeccione libros de figuras de pájaros para que los niños los vean.
• Prepare pinturas no tóxicas que los niños puedan usar para pintar. Proteja el piso con periódicos, y la ropa de los niños con camisas viejas o bolsas de plástico grandes. Haga una copia de la hoja para cada niño. Para completar esta actividad los niños necesitarán pedazos de estambre (lana), cáscaras de huevo, crayones y pegamento.

Preparación espiritual del maestro

En Lucas 12:6, Jesús dijo: "¿No se venden cinco pajarillos por dos moneditas? Sin embargo, Dios no se olvida de ninguno de ellos". Dios creó los pájaros en el cielo con toda su hermosura y él se preocupa de ellos. Para nosotros sólo son pájaros. No valen mucho, pero a los ojos de Dios, cada uno cuenta y tiene su importancia única. ¡Cuán fácilmente olvidamos que cada parte de la creación cabe perfectamente dentro de los planes de Dios. Eso es maravilloso por dos razones: nos enseña a apreciar y cuidar hasta la más pequeña criatura en el mundo de Dios, y nos enseña que si él cuida tanto hasta al pájaro más pequeño, nos cuida aún más a nosotros. Al prepararse para enseñar a los pequeños acerca de la creación de Dios y las criaturas de Dios, ¡dele gracias a él! Dele gracias por haber planeado hasta el detalle más pequeño de la creación del mundo. Agradézcale por la hermosura de los pájaros y por su canto. Dele gracias por la parte que tienen en hacer este mundo habitable. ¡Y dele gracias por amarlo aun más a usted que a los pájaros!

1 Actividades de motivación

Al llegar los niños, tenga la jaula para pájaros en la mano. Pregúnteles para qué es la jaula. Puede ser que sepan o no que es para un pájaro. Explíqueles lo que es. Pregúntele al niño si sabe cómo volar como un pájaro y sugiérale que entre al salón "volando" como un pájaro. Luego guíelo hacia una de las actividades relacionadas con los pájaros. Quizás tenga que enseñarle cómo volar como un pájaro para que él lo imite. Después de que haya entrado "volando" al salón, puede regresar y conversar con la familia cualquier asunto pertinente o darle alguna explicación necesaria. Recuerde, ¡su atención principal siempre debe dársela al niño!

2 Centros de interés

Libros: Si no tiene libros con figuras de pájaros en colores, intente confeccionar sus propios libros. Dibuje, baje de Internet o pegue dibujos de diferentes clases de pájaros, uno en cada página. Converse acerca de lo bueno que Dios fue en darnos tantos pájaros hermosos y diferentes. Dele gracias a Dios por los pájaros.
Música: Pregunte a los niños: "¿Alguna vez han tenido un pájaro?". Silbe como un pájaro para recordarles cómo cantan los pájaros. Ya que los niños a esta edad no pueden silbar todavía, anímelos a imitar el canto de los pájaros con sus voces. Déles unas serpentinas, toque una música y déjelos cantar como pájaros y "volar" alrededor del salón agitando las serpentinas.
Arte: Proteja la ropa de los niños con delantales o camisas viejos. Provea recipientes pequeños de pintura no tóxica, junto con unas plumas. Explique: "Estas son las plumas que los pájaros ya no querían (no lastimamos a los pájaros para quitarles las plumas), así es que gracias a los pájaros vamos a hacer unos dibujos hermosos acerca de ellos".

Los niños desean y disfrutan la belleza. Es importante proveerles con libros bien ilustrados que satisfagan su apreciación por la belleza. Cuando asumimos la actitud que "cualquier cosa está bien porque están pequeños" los estamos privando de las ricas experiencias sensoriales que necesitan. Además, los niños necesitan ser expuestos a libros a una edad temprana si han de aprender a amar las palabras y los libros. Se les debe permitir tocar, asir y voltear las páginas de los libros para que se vayan sintiendo cómodos con la página impresa. Puede hacer sus propios libros, usando dibujos de periódicos, revistas, anuncios, libros viejos, figuras de la computadora, etc. Use su creatividad para encuadernar los libros, ponerlos en álbumes de fotografías viejos, perforarlos o graparlos juntos. Cuanto más gruesos y firmes estén, mejor, ¡ya que los artículos frágiles no duran con los niños de dos años!

Aplicación a la vida

En la lección de hoy el niño debe aprender a asociar a Dios con los pájaros. Es decir, cuando el niño vea un pájaro en el cielo dirá: "Dios hizo los pájaros". Además, el niño debe tener un sentimiento de maravilla por la hermosura del pájaro y gratitud porque Dios hizo al pájaro. Ya que los niños tienden a ser cariñosos, guíelos a reconocer que Dios ama a los pájaros. Eso los guiará a tener una actitud de agradecimiento por los pájaros y su lugar en la creación.

3 Enseñanza de la Biblia

Comience a imitar un pájaro volando y anime a los niños a que hagan lo mismo. Luego comience a hacerles preguntas acerca de otros animales como: "¿Vuelan los gatos?". (Imite a un gato maullando y tratando de volar). "¿Vuelan los perros?". (Ladre como un perro y trate de volar).

Cante la segunda estrofa de "La creación hecha por Dios" (núm. 25 del *Cancionero para preescolares 1*).

Pregunte a los niños dónde viven los pájaros. Si no están seguros, dígales que viven en los árboles, en nidos. Si pudo traer un nido a la clase, enséñeselos. Si no, enséñeles el cuadro del nido que aparece en la hoja del alumno.

Abra su Biblia a Lucas 12:6 y comience a relatar la historia bíblica:

• ¿Recuerdan cómo cantan los pájaros? (Silbe o imite el canto de un pájaro).
• ¿Saben cómo vuelan los pájaros? (Pretenda volar).
• ¿Saben que Dios hizo los pájaros?
• Dios hizo pájaros grandes (extienda sus brazos para indicar algo grande).
• Dios hizo pájaros pequeños (junte los dedos para indicar algo muy pequeño).
• Dios hizo a todos los pájaros (haga el movimiento de un globo).
• Dios cuida a todos los pájaros (coloque su mano sobre el corazón).
• Dios los ayuda a encontrar comida (pretenda comer).
• Dios los ayuda a encontrar agua (pretenda beber).
• A mí me gustan los pájaros.
• ¡Qué bueno que Dios creó a los pájaros!
• Me siento contento porque Dios cuida a los pájaros.
• Gracias, Dios, por cuidar a los pájaros.

Cante "Pajarito" (número 55 del *Cancionero para preescolares 2*).

Anime a los niños a orar diciendo: "Gracias, Dios, por los pajaritos".

Siente a los niños en la mesa o en el piso. Distribuya las hojas a los niños. Muéstreles el cuadro del pájaro en su nido. Dé a los niños pedazos de estambre para pegar en el nido. Cuando haya terminado, guarde el estambre (lana) y deles pedazos de cáscara de huevo para pegar en los huevos. Finalmente, guarde el pegamento y las cáscaras de huevo y deles crayones de color brillante para pintar el pájaro. Debe elogiar el trabajo y la creatividad de los niños mientras trabajan. Además, hable con ellos acerca de lo hermoso que son los pájaros y lo agradecido que estamos de que Dios hizo los pájaros.

4 Actividades de reforzamiento

5 Preparación para ir a casa

Mientras los niños le ayudan a ordenar el salón, preparándose para el final de la clase, canten juntos los dos cantos que aprendieron hoy: "Pajarito" y "La creación hecha por Dios". Pregúnteles qué les dirán a mamá y papá que aprendieron hoy. Recuérdeles que hablaron de los pájaros que Dios hizo y de que Dios los cuida.

Cuando lleguen los padres, pídale al niño que les diga lo que aprendió. Pídale que les muestre la hoja que hicieron. Comparta con los padres una cosa que el niño hizo que mereció elogio. (¡Los niños necesitan oír esto!). Motive a los padres a señalarle al niño los pájaros que vean durante la semana y pregunte al niño: "¿Quién hizo a los pajaritos? ¿Quién cuida a los pajaritos?".

DIOS HIZO LAS AVES

Unidad 2

Ser como
Jesús es dar
gracias a
Dios

ESTUDIO 6

2, 3
años

Un cuarto para Eliseo

Objetivo de la unidad:
Que los alumnos aprendan cómo expresar su gratitud a Dios por las cosas comunes de la vida.

Objetivo de la lección:
Que los alumnos sientan que Dios los cuida, dándoles un hogar donde vivir.

Versículo clave de la unidad:
"Den gracias a Dios por todo".
1 Tesalonicenses 5:18a, (DHH).

Preparación:
• Hoy el salón debe decorarse de tal modo que parezca como si estuvieran en una casa. Provea algunos objetos que se usan en el hogar, como una lámpara bonita, algunas flores, un tapete nuevo, un almohadón para sentarse, etc.
• Arregle bien el centro del hogar. Provea una escoba, ropa y brochas para pintar; los usarán para arreglarlo.
• Para el área de bloques, provea varias clases de bloques, muebles de juguete y muñequitos.
• Provea rompecabezas de diferentes clases de casas.
• Recorte pedazos de franela, felpa u otra clase de material suave para pegar en la cama de Eliseo que se encuentra en la hoja. No olvide tener pegamento para pegar la tela y crayones para completar el dibujo.

Preparación espiritual del maestro

Durante la semana lea la historia del cuarto de Eliseo en 2 Reyes 4:8-11. Al leer la historia, fíjese especialmente en el v. 9, donde la mujer dice: "¡Mira!". Se fijó en el profeta mientras "pasaba" por allí y ¿qué vio? Vio a un profeta santo de Dios. Vio eso al verlo pasar. ¿Qué ven los niños que usted enseña? ¿Pueden ver que usted ha sido apartado por Dios para enseñarles?

Pida a Dios que renueve su llamado a enseñar a los niños. Ore que demuestre el fruto del espíritu que atraerá tanto a los niños como a sus padres a ver a Dios en su vida diaria.

Además, mire a su alrededor, a todo lo que Dios le ha dado. Nunca deje de maravillarse por todas las bendiciones, especialmente por la bendición de enseñar a los niños, la bendición de tener un hogar donde vivir y por la bendición de la bondad de otros.

1 Actividades de motivación

Salude a los niños con gozo, llamándolos por su nombre. (Si tiene muchos niños, o si no está seguro de cuáles son sus nombres, póngales un distintivo en la espalda y rotule todas sus pertenencias). Tenga un espejo a la mano y al ponerlo enfrente de su cara, dígale al niño: "Tengo una cara feliz porque estoy contento de estar en el templo. ¿Y tú?". En ese momento ponga el espejo enfrente del niño. Pregunte: "¿Ves una cara feliz en el espejo? ¿Qué necesitas hacer para ver una cara feliz?". Luego pida al niño que mire alrededor del salón y le diga qué ve diferente. Dígales que hoy parece más como una casa porque van a pensar en sus hogares. Pregunte: "¿Cuál de estas actividades divertidas quieren hacer hoy en nuestra pequeña casa?".

2 Centros de interés

Hogar: Pida a los niños que le ayuden a arreglar el centro, poniendo la mesa para las visitas, barriendo el piso, pretendiendo pintar con la brocha, guardando los platos, etc. Mientras trabajan, hábleles de lo bueno que es tener un hogar.

Bloques: Pida a los niños que construyan una casa con los bloques grandes y luego añadan los muebles, los muñecos y arreglen todo bonito. Mientras trabajan diga: "Construyeron una casa bonita. Ustedes también viven en una casa. Gracias, Dios, por darnos casas".

Rompecabezas: Saque un rompecabezas a la vez y explique: "Este es el cuadro de una casa. ¿Puedes ayudarme a armarlo?". Cuando terminen uno, guárdelo (con la ayuda del niño) y armen otro. Pregunte: "¿Es ésta una casa también? ¿Se parece a tu casa? Doy gracias a Dios por mi casa".

Si no tiene rompecabezas, puede hacer los suyos. Cubra el dorso de una figura con pegamento.

Péguelo a un cartón firme. Alise las arrugas. Después de que esté completamente seco, cúbralo con papel adhesivo transparente o lamínelo. Al dorso dibuje el patrón para el rompecabezas. Para los niños de dos años puede cortar el rompecabezas en dos o tres piezas. Para los niños de tres años puede usar tres o cuatro piezas. No haga los recortes muy complicados. Evite cortar las caras de las personas. Coloque las piezas en un sobre o una bolsa de plástico, y escriba el número de piezas y el nombre del rompecabezas en el sobre o bolsa.

Aplicación a la vida

Ayude a los niños a aplicar esta lección de la Biblia a la vida, relacionando su casa con el cuarto de Eliseo. Así como se nombró todo lo que había en el cuarto de Eliseo, los niños deben comenzar a nombrar todo lo que hay en su casa y dar gracias a Dios por esas cosas. Además, así como Eliseo fue agradecido con la mujer bondadosa, los niños deben asociar su hogar no sólo con Dios, pero también con su familia que les ha dado un hogar. Al repetir la oración de gratitud cada día, están aprendiendo a vivir una vida de agradecimiento.

3 Enseñanza de la Biblia

Use los rompecabezas u otros cuadros de diferentes clases de casas. Muestre los cuadros y pregunte si alguna de esas casas se parece a las de ellos. Asegure a los niños que no importa cómo se ve una casa porque cada casa es diferente. Hable acerca de las diferentes clases de casas en los cuadros (quizás un departamento, una casa sobre soportes, un techo de paja, una casa con paredes, etc.). Explique: "Quiero contarles una historia de un hombre a quien le dieron una casa nuevecita". Abra su Biblia a 2 Reyes y relate la historia.

• Un hombre llamado Eliseo era un predicador.
• Viajaba contando a las personas acerca de Dios.
• Cuando llegaba a la ciudad se quedaba con una buena familia.
• Un día una señora decidió construir un cuarto especial para Eliseo.
• Era un lindo cuarto.
• Lo arregló con una lámpara y una mesa.
• Puso una cama suave.
• Le agregó una silla cómoda para que se sentara.
• El cuarto especial de Eliseo estaba listo.
• Eliseo se puso muy contento porque tenía un cuarto.
• Estoy seguro que dio gracias a la buena señora por el cuarto.

Pregunte a los niños: "¿Están contentos porque tienen una casa? Digamos: 'Gracias, Dios, por mi hogar' ". Anime a cada niño a repetir esta oración de gratitud. Cante: "Te damos gracias hoy" (núm. 29 del *Cancionero para preescolares 1*).

4 Actividades de reforzamiento

Después de repartir la hoja para hoy, recuerde a los niños que es un dibujo del cómodo cuarto de Eliseo. Pregúnteles cuáles son las cosas que tiene el cuarto. Pídales que toquen la cama para ver si está blandita. Luego deles un pedazo de franela y pregúnteles si está suavecita. Sugiérales que la pongan en la cama de Eliseo para que esté cómoda y suave para él. Muéstreles cómo la pueden pegar. Luego pídales que pinten el cuarto de Eliseo para que se vea bonito. Mientras trabajan, pida a cada niño que le "relate" a usted la historia de Eliseo, como un repaso.

5 Preparación para ir a casa

Pídale a los niños que le cuenten cómo son sus casas. Anímelos a dar gracias a Dios por sus casas tan pronto como lleguen a ellas y que lo hagan todos los días. Repita este concepto con ellos para que lo recuerden. Cuando lleguen sus padres, también dígales que han estado dando gracias a Dios por sus casas, y que los niños pueden necesitar que se les recuerde dar gracias a Dios por las de ellos tan pronto como lleguen a casa y todos los días después de eso.

Mientras esperan que lleguen los padres, enseñe a los niños el versículo bíblico en forma de juego ("Den gracias a Dios por todo"). Diga la primera palabra en sonsonete (puede inventar una tonada). Anímelos a repetirla con usted. Motívelos a tratar de decirla igual que usted. Agregue la segunda palabra y repítala un par de veces. Siga añadiendo palabras, una a la vez, hasta que los niños hayan dicho/cantado todo el versículo. Felicítelos con un aplauso.

Maná en el desierto

Objetivo de la unidad:

Que los alumnos aprendan cómo expresar su gratitud a Dios por las cosas comunes de la vida.

Objetivo de la lección:

Que los alumnos sientan gratitud por la comida.

Versículo clave de la unidad:

"Den gracias a Dios por todo".
1 Tesalonicenses 5:18a, (DHH).

Preparación:

• Antes de que lleguen los niños, prepare el salón para que haya olor a comida. Puede llevarse a cabo de diferentes formas: hervir en agua especias como la canela, prender una vela aromática, tostar pan, etc. Asegúrese de que el aroma se detecte fácilmente.

• Provea servilletas, tazas de agua y algunas galletas dulces o saladas para la actividad de la naturaleza.

• Recorte láminas de todos tipos de comida que son típicos de una dieta para niños.

• Provea plastilina comprada o hecha en casa.

• Reproduzca la hoja del alumno, provea sal, pegamento y una cantidad pequeña de arena, todo en recipientes pequeños.

• Sería ideal proveer un tostador para hacer pan tostado con canela (un poco de mantequilla, canela y azúcar). Si no, use pan sencillo. (Verifique si alguno de los niños tiene alergias antes de comenzar esta actividad).

Preparación espiritual del maestro

Antes de leer la historia bíblica para la lección de esta semana, pida a Dios que lo ilumine para que pueda enseñar su Palabra a los niños de una forma genuina. Lea Éxodo 16:4, 5, 12, 14-19. Trate de sentir el asombro que la gente debe haber sentido al ver que descendía el alimento del cielo. Aun con este milagro, parece ser que más tarde la gente se cansó del maná. Trágicamente, lo que una vez consideraron como una bendición, lo llegaron a ver como aburrido. ¿Cuán seguido hacemos nosotros lo mismo? ¿Alguna vez se ha cansado de la bendición de enseñar a "estos pequeñitos"? ¿Ha estado enseñando por mucho tiempo y deseado que alguien más recortara el papel, cambiara los pañales, relatara historias cortitas? ¡Dé gracias a Dios por el privilegio de enseñar a estos niños!

1 Actividades de motivación

Al llegar los niños, diga: "Humm, qué bien huele el salón, ¿verdad? ¡Huele a comida! ¿Les gusta comer? A mí sí. ¿Cuál es tu comida favorita?". Escuche sus respuestas y luego explique que hoy estaremos dando gracias a Dios por la comida. Enséñeles todas las actividades emocionantes que se han preparado, invitándolos a escoger una de ellas para que la disfruten. Después de que estén ocupados, guarde las pertenencias de los niños en un lugar seguro. No olvide rotularlas con sus nombres. Si no está seguro de los nombres de los niños, coloque en sus espaldas un distintivo con su nombre.

2 Centros de interés

Naturaleza: Los niños deben ayudarle a prepararse para ir de *picnic* imaginariamente. Hablen acerca del lugar a donde irán. Extienda una cobija en el piso, sobre la cual poner la comida. Coloque pedazos pequeños de galletas saladas, agua o jugo y servilletas. Canten: "Por el pan y por mi amigo" (núm. 23 del *Cancionero para preescolares 1*).

Rompecabezas: Pida a los niños que clasifiquen la comida de diferentes formas. Pueden separarla en dulce y salada; la que se come en el desayuno, el almuerzo y la cena; la que está blandita y la que es crocante. Use su imaginación.

Área del hogar: Dé plastilina a los niños para que la formen en diferentes clases de comida para colocar en los platos. Mientras preparan la comida, hable acerca de las diferentes clases de comidas que Dios nos dio. Cante: "Por el pan y por mi amigo".

3 Enseñanza de la Biblia

Prepare pan tostado con canela y estimule a los niños a disfrutar del maravilloso aroma. Luego, divídalo en pedazos pequeños para que los niños lo prueben. Hable acerca de lo bueno que es comer los alimentos. Converse acerca del aroma y sabor del pan tostado con canela.

Abra su Biblia para leer Éxodo 16 y relate la historia bíblica.

Una actividad que los niños en todas partes parecen disfrutar es trabajar con plastilina. Puede ser que tenga que mostrar a los niños cómo pellizcar, picar, moldear y separar la plastilina. Esta es una actividad excelente para el desarrollo de los pequeños músculos de la mano. También parece tener un efecto terapéutico para mitigar la agresión. Frecuentemente los niños tratarán de probar o comer la plastilina. Debe decirles que no es comida, y que no debe comerse. Explíqueles que es sólo para jugar, no para ponérsela en la boca. Si los niños siguen tratando de comerla, es posible que tendrá que guardarla y sacarla en otra ocasión, hasta que aprendan a trabajar con la plastilina adecuadamente.

Aplicación a la vida

Mientras los niños juegan, converse con ellos para ayudarles a aplicar las verdades de la Biblia a la vida. Esta semana, mientras observan las diferentes clases de alimentos, dígales: "Dios nos dio muchas clases de alimentos. Demos gracias a Dios por todos estos alimentos". Mientras colorean los dibujos de la gente recogiendo el maná, comente: "Dios amaba a su pueblo. Los cuidó. Les dio comida. A nosotros también nos da comida".

• Hace mucho tiempo había un hombre llamado Moisés.
• Era el líder de un grupo de gente.
• Estaban haciendo un largo viaje.
• Había mucha, mucha gente.
• Después de un tiempo llegaron a un lugar donde no había comida.
• Se llama el desierto.
• Es un lugar donde hay mucha arena y no hay agua.
• Casi no hay plantas ni árboles.
• Todos tenían mucha hambre.
• Moisés preguntó a Dios qué debía hacer.
• Dios le dijo: "Daré a la gente comida cada mañana y cada tarde".
• Cada mañana había pan en el suelo.
• Cada tarde había más pan.
• Todos tuvieron comida para comer.
• Dios fue bueno. Cuidó a su pueblo.

Cante: "Gracias, Señor" (núm. 1 del *Cancionero para preescolares 1*), sustituyendo las líneas "por nuestro cuerpo" y "por nuestra casa" por "por la comida" y "por el panecillo" (o los frijoles o las tortillas).

Recuerde a los niños que la Biblia dice: "Den gracias a Dios por todo" (1 Tesalonicenses 5:18a).

Sugiera que sería bueno dar gracias a Dios por la comida.

4 Actividades de reforzamiento

Al repartir las hojas, pregunte a los niños qué ven en el cuadro y si lo asocian con la historia de hoy. Si no, explíqueles que es un cuadro de la gente recogiendo la comida que Dios les dio. Hábleles acerca del hecho de que era un desierto lleno de arena donde no crecía nada. Muéstreles la arena y cómo poner pegamento en la hoja, y espolvoree arena sobre el pegamento. Muéstreles el pan que Dios envió a su pueblo. Muéstreles cómo poner pegamento en el pan y luego espolvoree sal en el pan para hacerlo resaltar. Mientras los niños terminan sus trabajos, converse con ellos acerca de la comida que Dios les da. Rocíe pequeños pedazos de papel en el piso (o puede usar pedazos de espuma de polietileno) y guíe a los niños a pretender recoger la comida, así como lo hicieron las personas de la historia de hoy. Cante "Me gusta lo que como" (núm. 51 del *Cancionero para preescolares 2*).

5 Preparación para ir a casa

Pregunte a los niños si recordarán dar gracias a Dios antes de comer. Enséñeles cómo hacerlo, pretendiendo sentarse a la mesa para comer y dar gracias a Dios antes de comer. Invente una pequeña tonada y cante las palabras de 1 Tesalonicenses 5:18a a los niños mientras espera que lleguen los padres. Reúna todos los papeles del niño junto con sus cosas personales, para que estén listos cuando se vayan a casa. Al llegar los padres, pida a cada niño que cuente a sus padres lo que van a hacer antes de comer. Anime a los padres a reforzar este hábito de la oración (aun cuando comen entre comidas).

Agua en el desierto

Objetivo de la unidad:
Que los alumnos aprendan cómo expresar su gratitud a Dios por las cosas comunes de la vida.

Objetivo de la lección: Que los alumnos expresen su gratitud a Dios cada vez que toman, ven o tocan el agua.

Versículo clave de la unidad:
"Den gracias a Dios por todo".
1 Tesalonicenses 5:18a, (DHH).

Preparación:

• Prepare un área para que jueguen con el agua, usando una tina con agua. Cubra el piso con plástico. Provea juguetes como tazas, embudos, cucharas, objetos que flotan y se hunden. Póngale a los niños delantales impermeables (bolsas para la basura, abriendo agujeros para la cabeza y los brazos).

• Coloque en el área del hogar platos, ollas, sartenes y verduras que los niños puedan pretender lavar con agua. Si alguien tiene una alberca pequeña inflable, téngala allí (¡sin el agua!) junto con algunos juguetes propios para el agua para que los niños jueguen con ellos.

• Para colorear la hoja de actividad para hoy, que usen pinturas a base de agua (que no sean tóxicas), palitos con algodón (de los que se usan para limpiar los oídos) con los cuales pintar y recipientes pequeños con agua. Necesitarán camisas viejas para proteger su ropa.

Preparación espiritual del maestro

El agua es la esencia de la vida. Es fácil olvidar las maravillas del agua. Nos limpia, refresca y sostiene. Jesús dijo a la mujer samaritana: "...el que beba del agua que yo le daré, nunca volverá a tener sed. Porque el agua que yo le daré brotará en él como un manantial de vida eterna" (Juan 4:14, (DHH).). Lea la historia de esta semana en la Biblia, Éxodo 15:22-27, y piense en las maravillas del milagro que Dios hizo para que su gente pudiera tener agua. Piense en el milagro mayor que él hizo para que tuviéramos vida eterna. Medite en "el agua viva" y dele gracias a Dios por el agua, tanto espiritual como física, que él le da.

1 Actividades de motivación

El salón ya debe estar listo antes de que llegue el primer niño, para que usted pueda recibir a cada uno dándole atención individual. Póngase un impermeable o use una sombrilla para recibir a los niños. Según vaya llegando cada niño, cante: "Qué contento estoy" (núm. 48 del *Cancionero para preescolares 2*), usando la frase correcta para el tiempo. Al llegar cada niño, pregúntele si les gusta el sol o si les gusta la lluvia, y recuérdeles que necesitamos los dos. Pregúnteles si están vestidos para el sol o para la lluvia y por qué piensan que lo están. Explique que hoy tendremos un día "lluvioso" en el salón, porque estaremos pensando en el agua. Guíe al niño a pretender que están caminando en la lluvia al dirigirse a los centros de actividades.

Juego con el agua: Muestre a los niños cómo jugar en el agua con los diferentes juguetes. Enséñelos a no

2 Centros de interés

chapotear para que no se salga el agua de la tina. Rápidamente limpie cualquier agua que se tire. Mientras juegan, habléles de lo divertido que es tener agua y jugar con ella. Dé gracias a Dios por el agua. Provea supervisión CERCANA, nunca dejando a los niños solos ni por un segundo.

Naturaleza: Lleve a los niños afuera o al lugar donde haya macetas dentro del edificio, permitiéndoles regar las plantas. Dé a cada niño una taza con poca agua. Pídales que le ayuden a regar las plantas "que tienen sed". Mientras habla con ellos acerca de lo bueno que es el agua cuando tenemos sed, también ofrézcales agua para tomar.

Área del hogar: En el área de la cocina, anime a los niños a pretender lavar los platos, beber agua, lavar la verdura, etc. Si logró conseguir la alberca inflable, guíe a los niños a pretender chapotear y jugar con los juguetes que puso dentro de la alberca.

3 Enseñanza de la Biblia

Muestre a los niños una roca y luego muéstreles un vaso de agua. Pregúnteles: "Si tienen sed, ¿cuál de los dos usarían para tomar agua? Por supuesto, escogerían el vaso, pero les voy a contar de una ocasión cuando salió agua de una roca. ¡Encontramos el relato en la Biblia!" (Abra su Biblia en Éxodo y relate la historia bíblica).

Los niños aprenden acerca del mundo a su alrededor a través de sus sentidos. Debe proveer muchas oportunidades para que toquen, sientan, prueben, vean y oigan el mundo que los rodea. Ya que no tienen experiencias de la vida, debe conversar con ellos para ayudarles a tener sentido de las cosas que están experimentando. Ya que los niños son curiosos y activos, usted tiene una responsabilidad adicional de proveer experiencias sanas, evitando peligros potenciales fuera de su alcance y supervisándolos de cerca.

Aplicación a la vida

El agua es un elemento común y corriente. Usted tendrá la oportunidad de guiar a los niños a conectar a Dios con el atractivo, utilidad y bondades del agua en la vida de ellos. Además, cada vez que los niños vean y usen el agua, aprenderán a decir: "Gracias, Dios". Por supuesto, deben comenzar a reconocer el hecho de que todas las cosas buenas vienen de Dios.

- Moisés llevaba a mucha gente en un largo viaje.
- Salían de un lugar donde no estaban muy contentos.
- Estaban felices de seguir a Moisés a un lugar nuevo.
- El problema era que tenían que cruzar un lugar que estaba muy seco.
- No había agua.
- Se llama el desierto.
- Caminaron y caminaron.
- Toda el agua que habían traído ya se había acabado.
- Tenían mucha sed.
- Estaban muy cansados.
- Comenzaron a quejarse: "Tenemos sed".
- Pobre Moisés. No sabía dónde encontrar agua.
- Oró a Dios.
- Dios le dijo qué hacer.
- Moisés se dirigió a una roca. Todos lo estaban observando.
- Tenía un palo largo en su mano.
- Le pegó a la roca con el palo.
- ¡Pum! ¡Pum!
- Comenzó a salir mucha agua de la roca.
- Todos se pusieron contentos. Dios ayudó a Moisés a encontrar agua para la gente que tenía sed.

Guíe a los niños a cantar: "Gracias, Señor" (núm. 1 del *Cancionero para preescolares 1*), cambiando las palabras "nuestro cuerpo" a "nuestra agua". Después de cantar, pregunte si a uno de los niños (o más) le gustaría dar gracias a Dios por nuestra agua. Luego dígales que la Biblia dice: "Den gracias a Dios por todo" (1 Tesalonicenses 5:18a) y pregúnteles si lo pueden decir. Que lo repitan con usted y luego pregúnteles si pueden pensar en algunas cosas por las cuales dar gracias (si es necesario les puede mencionar algunas).

Muéstrele a los niños la figura de Moisés golpeando la roca de la cual salió agua. Pregúnteles si recuerdan la historia y deje

4 Actividades de reforzamiento

que los niños se la cuenten a usted. Distribuya las hojas y diga a los niños que la van a pintar con agua. Muéstreles cómo empapar el palito con algodón en el agua y luego en los colores de agua y frotar a través de la hoja para que los colores aparezcan en la hoja. Mientras trabajan, dígales que es otra manera como podemos usar el agua, para hacer colores hermosos. Ponga el nombre a las hojas de los niños y cuélguelas para que se sequen.

5 Preparación para ir a casa

Mientras recoge las cosas de los niños, preparándolos para entregarlos a sus padres, pretenda hacer cosas que requerirían el uso del agua. Use su imaginación, pero piense en cosas como lavarse los dientes, lavar los platos, nadar, lavarse el cabello, bañarse, regar las plantas, etc. Pida a los niños que le ayuden a pensar en otras cosas en las que usamos el agua. Mientras pretende con los niños, hábleles diciendo: "Hacemos tantas cosas con el agua. ¡Qué bueno que Dios nos da el agua!, ¿verdad? Gracias Dios, por el agua".

Unidad 2

Ser como
Jesús es dar
gracias a
Dios

ESTUDIO 9

2, 3
años

Ropa para Samuel

Objetivo de la unidad:
Que los alumnos aprendan cómo expresar su gratitud a Dios por las cosas comunes de la vida.

Objetivo de la lección: Que los alumnos sientan el deseo de dar gracias a Dios por la ropa que usan.

Versículo clave de la unidad:
"Den gracias a Dios por todo".
1 Tesalonicenses 5:18a, (DHH).

Preparación:
- Invite, con tiempo, a alguien que usted conoce que teja o cosa (o realice otro tipo de trabajo relacionado con la hechura de ropa). Debe estar al comienzo de la clase para mostrar a los niños alguna de la ropa que ha hecho y cómo la hizo.
- Provea ropa de muñeca o ropa vieja (aunque sean trapos) para que los niños "laven". Provea una cubeta para que la laven y dígales que la cuelguen en un tendedero que usted ha colocado en el salón, junto con broches para la ropa. Además, provea ropa para que los niños se pongan: camisas viejas, zapatos de tacón, sombreros, joyería vieja, etc.
- Recorte figuras de ropa de catálogos o revistas, o si no es posible, dibuje diferentes tipos de ropa.
- Coloque ropa para diferentes personas (por ejemplo, bebés, niños, mujeres, hombres) en una bolsa grande o maleta, de manera que los niños no lo vean de antemano.
- Reproduzca la hoja del alumno para cada niño y provea lápices de color o crayones grandes.

Preparación espiritual del maestro

La ropa puede ser un área de nuestra vida donde la codicia y avaricia toman el control. Es fácil preguntarse por qué algunos tienen tanto y nosotros tan poco. También es fácil desear tener mucho más de lo que necesitamos. Hacer eso es completamente opuesto a vivir una vida de gratitud. Fíjese en la ropa que tiene en su armario. ¿Está verdaderamente agradecido por la ropa que Dios le ha dado? Lea la historia para esta semana en 1 Samuel 2:18, 19 y piense en el hecho de que Samuel tenía muy poco, pero tenía todo lo que necesitaba. Ore porque usted pueda vivir así, y por lo tanto guiar a sus niños a vivir agradecidos por todo lo que tienen y no envidiar lo que no tienen.

1 Actividades de motivación

Mientras llegan los niños, salúdelos con entusiasmo. Señale a la persona que está trabajando haciendo ropa y pregúnteles si la conocen. Explíqueles lo que está haciendo e invite a los niños a acercarse y observar cómo cose o teje la ropa. Si es posible, permita a cada niño tomar las agujas de tejer (u otro objeto) y deje que la persona que está haciendo la ropa guíe las manos pequeñas a experimentar lo que ella está haciendo. Mientras se realiza esto, también muéstreles la exhibición de ropa que ella ha hecho. Hable acerca de lo importante que son las personas que hacen nuestra ropa. Diga: "Gracias, Dios, porque (nombre de la persona) sabe cómo hacer ropa para la gente". Cante con los niños "Ropa diferente" (núm. 52 del *Cancionero para preescolares 2*). Señale que todos están usando ropa diferente y que eso es fantástico. Cante el canto otra vez y señale sus ropas y zapatos mientras canta las palabras.

2 Centros de interés

Área del hogar: Muestre a los niños cómo lavar la ropa y colgarla para que se seque. Necesitarán ayuda con los broches para la ropa. Esta será una oportunidad para hablarles acerca de su ropa, por qué la usan y cómo nos protege. Anime a los niños a dar gracias a Dios por su ropa.

Drama: Cuelgue la ropa de manera que esté al alcance de los niños. Mientras se visten con ella, pregúnteles qué se están poniendo. Comente lo bien que se están vistiendo. Anímelos a guardar la ropa cuando hayan terminado, enseñándoles la importancia de cuidar la ropa que tenemos.

Rompecabezas: Muestre a los niños las diferentes clases de ropa y ayúdelos a clasificar las figuras en diferentes grupos; por ejemplo, todos los zapatos juntos, los sombreros juntos, las blusas/camisas juntos. Pídales que den gracias a Dios por la ropa que nos da.

Los rompecabezas no sólo son para acomodar las piezas de un cuadro. Sirven para ordenar y clasificar, que es una habilidad crítica para este grupo de edad. Use su imaginación para animar a los niños a ver las similaridades y diferencias en los objetos. Por supuesto, a esta edad piensan en generalidades, así es que no verán la diferencia entre una blusa y una camisa, pero verán la diferencia entre los zapatos y un sombrero. Mientras trabajan en ordenar y clasificar las cosas, converse con ellos acerca de lo que están haciendo. Recuerde, tendrán poca experiencia en cosas de la vida y no están familiarizados con muchas cosas.

Aplicación a la vida

A esta temprana edad, es importante que comencemos a formar conceptos cristianos básicos de la vida. Estos serán contrarios a nuestra sociedad. La lección de esta semana es una oportunidad de enseñar a los niños a ser agradecidos por cosas comunes y corrientes como la ropa. Además, podrán ver a su alrededor y ver que todos nos vestimos de forma diferente, y eso está bien, aprenden a aceptar la diversidad. Finalmente, se les animará a dar gracias y no quejarse por lo que tienen.

3 Enseñanza de la Biblia

Muéstreles la bolsa y pregúnteles qué hay adentro. Por supuesto, no lo sabrán, así es que permita que un niño saque un artículo de ropa y pregúnteles quién lo usaría. Repita la actividad con toda la ropa, dejando que diferentes niños la saquen. Deje que los niños identifiquen quién usaría esa ropa. Pregunte si todos pueden usar la ropa del mismo tamaño, mostrándoles la ropa del bebé y preguntándoles si ellos la pueden usar. Ayúdeles a comprender que crecemos y necesitamos ropa nueva. Hable acerca de la importancia de la ropa para protegernos y mantenernos calentitos. Explique que Dios nos da la ropa. Dé gracias a Dios por darnos la ropa. Cante: "Te damos gracias hoy" (núm. 29 del *Cancionero para preescolares 1*), señalando que una de las maneras como Dios nos cuida es dándonos ropa.

• Samuel era un niño pequeño, le gustaba ayudar en el templo.
• Usaba ropa especial cuando trabajaba en el templo.
• Samuel era un niño que crecía y conforme crecía, ya no le quedaba la ropa.
• No había tiendas para comprar su ropa especial.
• La ropa que usaba era importante para él.
• ¿Cómo conseguiría la ropa nueva que le quedara?
• Dios sabía lo que Samuel necesitaba; Dios cuidó a Samuel.
• La mamá de Samuel le hizo ropa nueva, lo midió cuidadosamente.
• Ella sabía qué tan alto y grande era.
• Ella hizo un patrón.
• Cortó la tela.
• Cosió la tela.
• Le puso a Samuel la túnica especial. ¡Le quedaba bien!
• Cuando Samuel necesitaba ropa nueva, su mamá se la hacía.
• Dios cuidó a Samuel.

Anime a los niños a señalar una pieza de ropa que llevan y a dar gracias a Dios por ella. Haga esto con cada niño, permitiéndoles repetir si desean.

Al mostrarles la hoja, pregunte a los niños si recuerdan la historia que escucharon acerca del niño Samuel. Recuérdeles que se trató de un niño que recibió ropa nueva. Pídales que vuelvan a contar la historia de Samuel y su ropa nueva. Distribuya los colores y crayones para que pinten la figura. Mientras colorean, hábleles de las diferentes clases de ropa que usamos y por qué necesitamos ropa para protegernos. Recuérdeles que a veces la ropa es bonita, pero que no es necesario que tengamos mucha ropa bonita para dar gracias a Dios.

Guíe a los niños a cantar: "Gracias, Señor" (número 1 del *Cancionero para preescolares 1*), cambiando la frase "nuestro cuerpo" y "nuestra casa" por "nuestra ropa". Repita el versículo bíblico: "Den gracias a Dios por todo" (1 Tesalonicenses 5:18a) y pida a los niños que lo repitan con usted.

4 Actividades de reforzamiento

5 Preparación para ir a casa

Mientras los niños están sentados en un círculo, saque una de las hojas que han coloreado. Si uno de los niños lleva puesta ropa de ese color, puede ponerse de pie, dar una vuelta y sentarse. Es posible que necesite ayudar a los niños a identificar si están usando ese color o no. Pídales que digan qué artículo de ropa es del mismo color. Repita la actividad usando otra hoja de diferente color. Al final del juego cante "Ropa diferente". Deje que cada niño muestre qué clase de ropa lleva puesta que es diferente a la de los otros niños de la clase. Recuerde a cada niño, al salir, que debe guardar su ropa cuando llegue a casa y dar gracias a Dios por ella.

"DIOS NOS DA LA ROPA"

Unidad 2

Ser como
Jesús es dar
gracias a
Dios

ESTUDIO 10

2, 3
años

Una familia adoró a Dios

Objetivo de la unidad:
Que los alumnos aprendan cómo expresar su gratitud a Dios por las cosas comunes de la vida.

Objetivo de la lección:
Que los alumnos den gracias a Dios por su familia.

Versículo clave de la unidad:
"Den gracias a Dios por todo".
1 Tesalonicenses 5:18a, (DHH).

Preparación:
- Dibuje y recorte figuras grandes (de papel) de mamás, papás tío(a)s, hermano(a)s, y otros miembros de la familia. (Puede ampliar las figuras que se usan en la hoja del alumno). Ponga cinta adhesiva al dorso de las figuras.
- Tenga listos plastilina y moldes de galletas en forma de "personas".
- Provea ropa para que los niños se vistan, (camisas viejas, corbatas, trajes, vestidos, joyería, etc.), para el área del hogar.
- Para el centro de arte consiga pantimedias para cada niño, toallas de papel o relleno para almohadas. Confeccione una muñeca para mostrar a los niños. Rellene la media vieja (cortada a un tamaño pequeño), haciendo un nudo en la parte de abajo (el pie será la cabeza del "bebé"). Pinte una cara en el bebé con un marcador.
- Acumule figuras de mujeres, hombres, niño(a)s de varias edades. Envuelva flojamente cada cuadro con papel de seda.
- Reproduzca la hoja del alumno para cada niño, y provea crayones o lápices de color.

Preparación espiritual del maestro
Mientras lee la historia en 1 Samuel 1:3, 4, 9-11, 19, 20, 27, 28 y 2:19, 20, recuerde sus propias experiencias de adoración en familia. Aunque su propia familia no adore con usted, recuerde a su familia "adoptada" de la fe. Ore para que los niños que enseña tengan la experiencia de adorar a Dios junto con una familia unida. Haga de ese motivo su ferviente oración diaria. Que esa oración sea por su propia familia también.

1 Actividades de motivación
Reciba a cada niño por nombre, según vayan llegando, agachándose a su nivel para que lo puedan ver a su altura.

Coloque un distintivo en su ropa (preferiblemente en la espalda).

Al hablar con cada niño, muéstrele una de las figuras grandes que preparó y pregúntele si cree que es mamá o papá, el abuelo o el hermano, hermana, tía o tío. Pídales que le ayuden a pegarlas en la pared. Explique que conforme vayan llegando otros niños, la familia crecerá. Dígales lo bueno que es tener una familia. Canten: "Gente muy especial (núm. 43 del *Cancionero para preescolares 2*). Diga: "Gracias, Dios, por mi familia". Muéstreles la plastilina y los moldes de galletas y pregúnteles si pueden "hacer moldes" de todos los miembros de su familia.

2 Centros de interés

Área del hogar: Mientras los niños juegan a "vestirse", pregúnteles quién en la familia usaría esa clase de ropa. Diga: "*María* (nombre del niño/a) pretende ser la *mamá* (o quien sea que está pretendiendo ser). Gracias, Dios, por nuestras mamás". Repita con cada niño.

Arte: Muestre su muñeca "bebé" y explique que hoy aprenderán acerca de un bebé especial y cómo alegró a su familia. Permita que los niños rellenen la media con el material que les proveyó. Puede ayudarles a pintar una cara. Luego anímelos a arrullar al bebé.

Rompecabezas: Dé a cada niño una figura enrollada y pregúnteles qué tienen. Mientras desenrollan la figura, pregúnteles si es una mamá, un papá, una hermana, un hermano, una abuela o un abuelo. Pregúnteles quién hizo a las familias. Diga: "Gracias, Dios, por nuestras familias". Luego puede enrollar de nuevo las figuras y dejar que los niños desenrollen otra.

3 Enseñanza de la Biblia
Siéntese en la silla mecedora y pregunte si alguno desea que lo tome en los brazos. Si dicen que sí, asegúrese de dar a cada niño exactamente el mismo tiempo. Luego pregunte a los niños si pueden mecer a los bebés que hicieron. Usted debe comenzar a mecer a su bebé para mostrarles cómo hacerlo. Dígales que todos, en un tiempo, fuimos bebés en nuestra familia. Dígales lo felices que las familias se sienten cuando reciben a un bebé. Cante un canto de cuna a los bebés y ayúdeles a dormirse. Introduzca la historia de la Biblia contando a los niños que había una mujer llamada Ana

Los niños de esta edad necesitan experiencias en las cuales puedan aprender a controlar el uso de sus manos y dedos. Les gusta manejar los juguetes por sí solos y maniobrar los rompecabezas, rayar con los crayones, desarmar juguetes, cortar papel con tijeras hechas especialmente para ellos. Es importante permitirles trabajar independientemente en estas actividades, después de que les haya enseñado cómo usar el material y siempre proveyendo la debida supervisión. Siempre debe asegurarse que no se pongan objetos en la boca, oídos o nariz.

Aplicación a la vida

Aunque nuestra cultura fomenta la conformidad, queremos ayudar a los niños a celebrar nuestra diversidad. En la lección de esta semana aprenderán que cada familia es diferente y a dar gracias a Dios por su familia, ya sea grande o pequeña. Además, deben comenzar a comprender que Dios les da una familia.

que por mucho tiempo no tuvo un bebé a quien mecer.

(Al contar la historia, cada vez que un niño "nace", pida prestado uno de los bebés que los niños hicieron y colóquelo en sus brazos. Comience con un bebé, luego añada los tres bebés niños, luego los dos bebés niñas. Coloque los seis bebés en una línea para mostrar una familia grande).

• Ana fue a la iglesia a orar.
• Elcana, su esposo, también adoraba a Dios. Iban al templo juntos.
• Ana y Elcana eran una familia especial.
• No tenían hijos, pero eran una familia. Eran una familia pequeña.
• Ana deseaba mucho tener un bebé.
• Ana pidió a Dios un bebé. Dios dio a Ana un bebé.
• Ana dio gracias a Dios por su bebé. Ella y Elcana estaban muy felices.
• Eran una familia feliz y querían dar gracias a Dios.
• Luego Ana y Elcana tuvieron tres hijos más. Ahora eran una familia más grande.
• Tuvieron dos hijas más. Ahora era una familia aún más grande.
• Cuando eran una familia pequeña, amaban a Dios.
• Cuando fueron una familia grande, amaban a Dios.
• Dieron gracias a Dios por su familia grande.
• Dieron gracias a Dios por su familia pequeña.
• Es bueno que Dios nos da familias.
• Gracias, Dios, por nuestra familia.

Deje que los niños le cuenten de sus familias, y anímelos a decir: "Gracias, Dios, por mi familia".

Cante: "Gente muy especial" (núm. 43 del *Cancionero para preescolares 2*), añadiendo a otros miembros de la familia ("mi hermano es muy especial; gracias doy a Dios; juega en mi compañía").

Reparta las hojas y señale a cada persona en el cuadro y pregúnteles quiénes creen que son en la familia. Pregúnteles si esa

4 Actividades de reforzamiento

persona es parte de su familia. Dígales que todas las familias son diferentes y que eso está bien. Recuérdeles que está bien ser diferentes y dele gracias a Dios por su propia familia, así como lo hicieron Ana y Elcana. Pídales que coloreen las figuras en la hoja que representan a los miembros de su familia. Al terminar, pídale a cada niño que señale a una persona en el cuadro (un miembro de su familia) y dé gracias a Dios por ella. Canten juntos: "Gracias, Señor" (núm. 1 del *Cancionero para preescolares 1*), cambiando las palabras "nuestro cuerpo" a "mi familia".

Recuérdeles que la Biblia dice: "Den gracias a Dios por todo" y pregúnteles si quieren dar gracias a Dios por algún otro motivo.

5 Preparación para ir a casa

Si hay suficiente tiempo, puede repetir la actividad con la plastilina y los moldes de galletas que hicieron al principio de la clase, guiando a los niños a decir: "Gracias, Dios, por mi familia", mientras hacen un molde de cada persona en su familia. Algunos niños preferirán crear sus propias figuras.

Diga a los niños que algo divertido que pueden hacer cuando vean a un miembro de su familia es decir: "Gracias, Dios, por mi familia" y darle un fuerte abrazo. Puede ensayar esto con los niños, pidiendo que repitan la frase y se den un abrazo unos a otros. Al llegar su familia a buscarlos, anímelos a decir la frase y darles un abrazo. Luego, recuérdeles que lo deben hacer con cada miembro de su familia.

Noé y el barco grande

Objetivo de la unidad:
Que los alumnos conozcan que Dios es amor, los ayuda y los cuida.

Objetivo de la lección:
Que los alumnos sepan que Dios los ayuda.

Versículo clave de la unidad:
"Dios es amor". 1 Juan 4:8b

Preparación:
- Decore el salón con figuras de botes y barcos. Provea una caja grande de cartón para que los niños la usen como un barco. Ate un cordón a esta caja.
- Provea bloques de diferentes tamaños y formas, y martillos y clavos de plástico.
- Reúna tantos barcos de juguete como pueda para que los niños jueguen con ellos. Provea un recipiente pequeño con agua para poner los barcos. Si no tienen barcos de juguete, use recipientes de plástico de mantequilla o yogur para que floten en el agua.
- Recorte muchos barcos de papel del mismo diseño, pero coloree algunos rojos, otros azules y otros amarillos. Escóndalos alrededor del salón.
- Use una pelota que los niños puedan agarrar fácilmente, pero lo suficientemente pequeña para tirar dentro de la caja (que representa el barco).
- Provea suficientes palos de paleta para que cada niño pegue por lo menos dos o tres palitos a la hoja del alumno. Provea recipientes pequeños de pegamento (no tóxico) diluido con agua. Tenga suficientes copias de la hoja del alumno para cada niño.
- Provea plastilina para la actividad de clausura.

Preparación espiritual del maestro

Comience leyendo cuidadosamente Génesis 6:9, 12-22. ¿Puso atención a lo que dice Génesis 6:9? ¿Caminó Noé con Dios? ¿Qué cree usted que esto significa? ¿Cree que usted camina con Dios? Caminar con Dios no es sólo para gigantes espirituales como Noé. Es algo que todos podemos hacer. Hasta los pequeñitos que usted enseña deben comenzar a caminar con Dios desde ahora. ¿Cómo pueden aprender a hacer eso si usted no está modelándolo en su propia vida? La clave que nos dice cómo hacerlo se encuentra en Génesis 6:22: Haciendo todo lo que Dios le manda hacer. Ore porque Dios le ayude a ser más obediente para que sea apto para enseñar a los pequeños.

1 Actividades de motivación

Dé la bienvenida a cada niño con un canto. Puede usar su canto favorito, o "Bienvenida" (núm. 2 del *Cancionero para preescolares 1*). Al hacerlo, los niños se sentirán especiales cuando lleguen. Muéstreles los cuadros de los barcos que colocó en las paredes y pregúnteles si quieren pasearse en un barco. Ponga al niño dentro de la caja y llévelo alrededor del salón. Dígale, mientras van en este paseo en el barco, que Dios lo ayuda a ser fuerte para que disfrute del paseo, y que Dios nos ayuda a hacer muchas cosas. Diga: "Hoy vamos a escuchar acerca de un hombre a quien Dios ayudó a construir un barco".

Bloques: Usando los bloques y otros materiales que usted ha provisto, anime a los niños a construir un barco o barcos. Muéstreles las figuras de los barcos que tiene alrededor del salón. Mientras construyen los barcos, pregúnteles si alguna vez han visto un barco o paseado en uno.

2 Centros de interés

Juguetes: Anime a los niños a usar su imaginación mientras hacen flotar los barcos en el agua y juegan con ellos. Dígales, mientras juegan, que la historia bíblica de hoy trata de un hombre que construyó un barco realmente grande.

Juego: Diga a los niños que tiene muchos barcos escondidos alrededor del salón, pero que tienen que encontrar el barco "azul". Muéstreles algo azul y dígales que busquen el barco azul. Haga que la búsqueda sea muy divertida. Después de encontrar todos los barcos azules, continúe el juego, buscando los barcos de otros colores. Dígales que Dios les dio ojos para que pudieran encontrar los barcos, siguiendo las instrucciones del maestro.

3 Enseñanza de la Biblia

Para juntar a los niños para la historia, pregúnteles quién puede tirar la pelota en la caja (usando la misma caja que usó como el barco). Permita a cada niño tomar su turno. Mientras juegan, recuérdeles que Dios les dio manos con qué tirar y ojos con qué ver, así es que Dios les está ayudando a jugar este juego. Use esta actividad como una introducción a la historia, explicando que quiere contarles acerca de un hombre

Actividades de aprendizaje

Los niños de dos años comienzan a igualar las diferentes formas, colores y tamaños, pero esta clase de actividad es un reto para los que tienen dos años. Si provee regularmente actividades que permitan al niño identificar estos elementos, aprenderán mientras juegan. Además, comenzarán a aprender a seguir instrucciones sencillas. Es muy importante darles instrucciones específicas durante los juegos, y debe darle una instrucción a la vez.

Aplicación a la vida

Las implicaciones de la historia de Noé son difíciles de comprender para el niño, pero sí pueden aplicar estas verdades a la vida: Dios sabe lo que necesitamos, Dios nos ayuda todos los días, Dios es bueno.

que tuvo mucha ayuda de Dios para construir su barco.

(Antes de relatar la historia, pida a los niños que hagan los movimientos en la historia con usted. Explíqueles que si usted aplaude, también ellos deben hacerlo. Quizá quiera practicarlo con ellos).

• Dios dijo a Noé que iba a llover. (*Use los dedos para indicar que estaba cayendo la lluvia*).

• Dios dijo: "Habrá mucha agua". (*Muestre el nivel del agua colocando su mano en el piso y levantándola hasta que quede arriba de su cabeza*).

• Dios dijo: "Te ayudaré a construir un barco que flote sobre el agua".
(*Mueva la mano para arriba y para abajo, simulando un barco que flota sobre las olas*).

• Dios dijo a Noé cómo construir el barco. (*Cierre la mano, haciendo un puño, y pretenda martillar*).

• Dios dijo: "Construye el barco graaande donde quepa mucha gente". (*Estírese hasta que quede de puntillas*).

• Dios dijo: "Construye el barco aaaancho para que quepan muchos animales". (*Estire los brazos todo lo que pueda*).

• Dios dijo: "Construye escalones porque será muy grande". (*Pretenda subir escalones*).

• Dios dijo: "Construye el barco lo suficientemente grande para que quepa toda tu familia". (*Pretenda contar toda la gente que subirá al barco*).

• Dios le dijo a Noé que los hiciera muuuuy grandes, así que Noé trabajo muy duro. (*Muestre los músculos*).

• Dios le dijo a Noé que metiera mucha comida en el barco. (*Pretenda guardar frascos en un estante*).

• Dios le dijo a Noé que le pusiera un techo al barco para que la lluvia no pudiera entrar. (*Pretenda martillar un techo en el barco*).

• Dios le dijo a Noé cómo construir el barco. (*Pretenda martillar*).

• Dios ayudó a Noé a construir el barco. (*Pretenda usar una sierra y un martillo*).

Después de la historia pregunte a los niños: "¿Quién ayudó a Noé a construir el barco? ¿Quién les ayuda a ustedes a hacer muchas cosas?". Diga: "Sabemos que Dios nos ama porque nos ayuda. La Biblia dice: 'Dios es amor'. ¿Pueden decirlo conmigo?". (*Guíe a los niños a repetirlo varias veces*). Invente una tonada sencilla y cante el versículo bíblico, y anime a los niños a cantarlo con usted.

4 Actividades de reforzamiento

Distribuya la hoja del alumno y pregunte a los niños qué ven en el cuadro. Si no lo reconocen, explíqueles que es el barco que Noé construyó. Pregúnteles quién ayudó a Noé construir el barco. Dígales que Dios también les ayudará a pintar el cuadro para que quede más bonito. Explique cómo pueden poner pegamento en un lado de los palitos y pegarlos en la hoja. Deben hacerlo nuevamente. Déjelos repetirlo hasta que se terminen los palitos. Recuérdeles que así como a Noé, Dios les estuvo ayudando para terminar el cuadro de Noé. Diga: "Gracias, Dios, por ayudarnos".

Si el tiempo lo permite, dé a cada niño un poco de plastilina, animándolos a hacer un barco. Recuérdeles que están haciendo lo

5 Preparación para ir a casa

que hizo Noé, construyendo un barco. Así como Dios ayudó a Noé a construirlo, Dios les ayuda a ellos a trabajar con sus manos para hacer cosas. Pida a los niños que piensen y mencionen las diferentes cosas que Dios les ayuda a hacer. Permita a algunos voluntarios que den gracias a Dios por ayudarles a hacer tantas cosas diferentes.

Mientras los niños trabajan y esperan la llegada de los padres, canten: "Despedida" (núm. 48 del *Cancionero para preescolares 1*) incluyendo el nombre de cada niño que está presente, animándolos a cantar con usted y señalando al niño antes de cantar su nombre.

Noé y los animales

Objetivo de la unidad:
Que los alumnos conozcan que Dios es amor, los ayuda y los cuida.

Objetivo de la lección:
Que los alumnos sepan que Dios cuida a los animales.

Versículo clave de la unidad:
"Dios es amor". 1 Juan 4:8b

Preparación:
- Hay muchos libros con figuras de animales, incluyendo la historia del arca de Noé. Provea tantos libros de estos como pueda. Confeccione el libro que se encuentra en las Ayudas Didácticas.
- Use los mismos bloques que usó la semana pasada, pero añada animales pequeños (de plástico, peluche o madera).
- Coleccione los cuadros que van con los sonidos que los animales hacen de acuerdo con el canto: "Son los animales" (núm. 23 del *Cancionero para preescolares 2*): perro, gato, vaca y pato. Lamínelos (o péguelos sobre cartón y cúbralos con papel adhesivo transparente).
- Use la misma caja grande que usó como el barco de Noé, pero corte una puerta en un lado de la caja.
- Haga copias de la hoja. Provea pegamento diluido y pedazos pequeños de varias texturas que puedan usarse para pegar al cuadro de los animales que están subiendo al arca. Use texturas como papel de lija, imitación de piel, plumas, terciopelo, toallas de papel, bolas de algodón, tela de algodón.

Preparación espiritual del maestro
Lea cómo Noé obedeció el mandato de Dios de meter a los animales al arca, en Génesis 7:1-9, 14-16. ¿Alguna vez ha pensado acerca de cómo olía el arca, después de algunos días? Estaba llena de animales. ¿Alguna vez han olido un granero o un zoológico? Entonces ya tiene una idea. Sin embargo, era mejor para ellos y para Noé estar en esa arca maloliente, que estarse ahogando en el diluvio. Su trabajo con los niños no siempre es un lecho de rosas. Muchas veces tendrá que cambiar un pañal maloliente. Sin embargo, ¿no es mucho mejor estar haciendo la obra de Dios, que estar en el mundo? Dé gracias a Dios por su protección y pídale que le ayude a eliminar de su vida cualquier palabra o actitud de queja.

1 Actividades de motivación
Asegúrese de que todo esté listo antes de que llegue el primer niño. Dé la bienvenida a cada niño con un abrazo y llamándolo por su nombre. Dígale lo contento que está de que haya llegado. Después de dar la bienvenida a todos, escoja un animal y comience a actuar como él. Anime a los niños a imitarlo. Pregúnteles si saben qué clase de animal están imitando. Si no, dígales el nombre del animal. Pase a imitar a otro (siempre teniendo cuidado de no hacer algo que los asuste). Diga: "Hoy vamos a jugar con los animales y aprender acerca de ellos. Dios cuida a los animales. Veamos todas las cosas interesantes que haremos hoy". Permita que los niños escojan una actividad interesante.

Libros (o figuras): Abra los libros y muéstreles las figuras, y al señalar o mostrar uno de los animales, imite

2 Centros de interés
el sonido que hacen. Luego muéstreles un par de figuras diciendo: "¿Pueden señalar el gato?", ayudando a los niños a identificar los nombres de los animales. Luego pídales que le digan el sonido que los animales hacen.
Bloques: Permita que los niños usen los bloques para construir un barco y luego guíelos a colocar los animales adentro. Mientras trabajan, recuérdeles la historia de la semana pasada acerca de Noé, quien construyó un barco. Dígales que después Noé metió a muchos animales en aquel barco.
Música: Muestre las figuras en el orden correcto conforme vayan cantando "Son los animales".
Permita a los niños sostener las figuras en sus manos y señalarlas mientras cantan. Ponga las figuras en el piso y deje que se paren sobre la figura correcta al cantar las palabras.

3 Enseñanza de la Biblia
Comience a cantar: "Qué linda flor" (núm. 20 del *Cancionero para preescolares 2*), sustituyendo otras palabras en lugar de "flor" (por ejemplo: "qué lindo gato" o "qué lindo perro"), mientras muestra la figura o un animal de peluche que representa el animal que está mencionando. Cuando haya reunido a los niños, haga una oración de gra-

No tenga miedo de usar el canto, aunque le parezca que no tiene buena voz. A los niños no les importa. A ellos les gusta cantar. No tenga miedo de inventar tonadas nuevas y cantar con los niños. Anime a los niños a cantar, pero no los fuerce. Más tarde querrán unirse a los otros. Si tiene dificultad en recordar las palabras de los cantos que usará, escríbalas en carteles y colóquelos en la pared del salón, para que usted las pueda ver. Será importante repetir el canto una y otra vez. Cante durante las actividades, haciendo que sea una parte espontánea de todo lo que hagan.

Aplicación a la vida

Nuestra enseñanza siempre debe estar dirigida con el fin de impactar la vida de los niños desde ahora. La lección de esta semana ayuda a los niños a recordar del cuidado de Dios para los animales cada vez que vean uno. Además deben, por extensión, sentirse amados por Dios y saber que también Dios los cuida a ellos.

titud por los animales que Dios cuida. Abra su Biblia en Génesis 7 y relate la historia. (Quizá quiera hacer los movimientos que tengan que ver con construir y cargar, al igual que imitar los movimientos de los animales para que los niños también participen en el relato de la historia).

• Dios ayudó a Noé a construir un barco grande.
• Dios le dijo a Noé que habría muchos animales en el barco.
• Noé llenó el barco de comida para los animales. Metió semillas para los pajaritos.
• Metió paja para los caballos.
• Noé estaba listo para quedarse dentro del barco por mucho tiempo.
• Ahora era el tiempo para meter a los animales al barco.
• Metió a toda clase de animales al barco.
• Los conejos llegaron brincando.
• Los gatos llegaron corriendo.
• Los caballos llegaron trotando.
• Los elefantes caminaban despacito.
• Los pajaritos llegaron volando.
• Noé hizo lo que Dios le dijo que hiciera.
• Construyó un barco.
• Metió mucha comida.
• Metió a los animales en el barco.
• Cuando comenzó a llover todos estaban seguros en el barco.

Diga: "¡Qué bueno que Dios cuidó a los animales! ¡Él cuida a los animales! ¡Dios me ama a mí también! ¡Te ama a ti! Cantemos un canto que nos habla acerca del cuidado de Dios". Canten "¡Cuán bueno es Dios!" (núm. 33 del *Cancionero para preescolares 2*), la segunda estrofa.

4 Actividades de reforzamiento

Recuérdeles la historia de cuando Noé metió a los animales al barco. Distribuya los animales de juguete que usó con los bloques anteriormente y guíe a los niños a pasar uno por uno y colocarlos en la caja, usando la puerta que usted le hizo a la caja. Luego dé oportunidad para que cada uno tire la caja (con el cordón que le puso la semana pasada) alrededor del salón. Después de haber cargado a todos los animales en el barco, pídales que se sienten y deles la hoja del alumno y pregúnteles por qué están los animales en el barco. Identifique las diferentes clases de animales y luego distribuya las telas y otros materiales que trajo. Hable acerca de las diferentes texturas y cuáles son las mejores para pegar sobre cada animal. Mientras trabajan colocando los materiales sobre los animales, recuérdeles del cuidado que Dios tuvo al poner a los animales en el barco. Diga: "Dios cuida a los animales. ¡Él te cuida a ti también!".

Guíe a los niños a ayudarle a guardar todo y recoger el salón. Junte sus cosas y téngalas listas para cuando lleguen los padres. Mientras los espera, guíe a los niños a pretender ser diferentes clases de animales. Use su imaginación para esto, pero usted necesitará comenzar el juego y dejar que ellos lo imiten. Por ejemplo, estire el cuello como una jirafa, salte como un conejito, brinque como un mono, diga como las avejas: bzz, bzz, galope como un caballo, etc. Mientras juega, recuerde a los niños que estos animales subieron a un barco grande para que estuvieran seguros durante una tormenta de lluvia muy fuerte. Enfatice que Dios cuidó a los animales y que él los cuidará a ellos también.

5 Preparación para ir a casa

Unidad 3

Ser como
Jesús es
conocer a
Dios

ESTUDIO 13

2 a 3
años

Noé y la lluvia

Objetivo de la unidad:
Que los alumnos conozcan que Dios es amor, los ayuda y los cuida.

Objetivo de la lección:
Que los alumnos sepan que Dios cuida a la gente.

Versículo clave de la unidad:
"Dios es amor". 1 Juan 4:8b

Preparación:
- Prepárese para un juego con agua. Provea un recipiente con agua para cada niño. Colóquelo de forma que no se vaya a volcar. Añada tazas, embudos, cucharas, barcos de juguete, etc. Cubra el piso con plástico (una cortina vieja de la ducha es ideal) y delantales impermeables para los niños.
- Usando una mesa bajita, cúbrala con una cobija. Pretenderán que es un barco. Coloque algunos animales pequeños dentro del barco (los que usó la semana pasada).
- Coloque en el área del hogar una escoba, un trapeador, una esponja, un trapo para limpiar, una botella vacía de detergente y otros artículos que se usan en la casa.
- Prepare un océano en una botella: Llene 3/4 de una botella de plástico transparente con agua. Añada colorante azul de comida. Llénela hasta arriba con aceite (incoloro). Selle la botella con pegamento. Voltéela de lado para que se produzcan olas como en el océano.
- Haga copias de la hoja del alumno y provea tiza de color azul para pintarlas.

Preparación espiritual del maestro

Abra su Biblia y lea Génesis 7:10-12, 17; 8:1-3, 15-19 aunque ya "conoce" la historia. ¿Hubiera tenido miedo si hubiera estado en el arca con Noé? ¿Le hubiera asustado la lluvia, aunque hubiera sabido que Dios le dijo a Noé exactamente cómo construir el arca? ¿Hay otras cosas en la vida que le causan temor? ¿Puede confiar en que Dios lo cuidará en esas situaciones? Ore pidiendo que Dios le enseñe a confiar más en él. ¿Cómo puede enseñar a los niños que Dios los ama y los cuida si usted mismo está viviendo con temores? Entregue sus temores a Dios y pídale que le ayude a enseñar a los niños a hacer lo mismo.

1 Actividades de motivación

Al llegar los niños, tenga puesto un impermeable o una gorra para la lluvia. Pregúnteles si está lloviendo afuera. Acérquelos a la ventana para que vean cómo está el tiempo. Pregúnteles si está lloviendo adentro. Dígales que se puso el impermeable porque van a escuchar la historia de Noé y su barco y la gran lluvia. Muéstreles el siguiente juego digital para recordar la historia de Noé:

Noé trabaja con (*un puño moviéndose para arriba y para abajo*) un martillo, un martillo, un martillo,
Noé trabaja con un martillo, ahora trabaja con dos (*dos puños*).
<u>Segunda estrofa</u>
Noé trabaja con dos martillos, etc. (*dos puños*)
<u>Tercera estrofa</u>
Noé trabaja con tres martillos, etc. (*dos puños y un pie*)
<u>Cuarta estrofa</u>
Noé trabaja con cuatro martillos, etc. (*dos puños y dos pies*)
<u>Última estrofa</u>
Noé trabaja con (*dos puños, dos pies e inclinar la cabeza*) cinco martillos, cinco martillos, cinco martillos.
Noé trabaja con cinco martillos, ahora su trabajo terminó.

Juego con agua: Supervise muy de cerca a los niños mientras juegan con agua. Mientras juegan, dígales

2 Centros de interés

que el arca de Noé estuvo en el agua mucho tiempo. Noé podía oír la lluvia. Sentía el golpe de las olas. Guíe a los niños a hacer el ruido de la lluvia con las tazas y las olas con las manos.

Drama: Levante un lado de la cobija y muéstreles los animales que hay adentro diciendo: "Miren, se parece al barco de Noé con los animales que había adentro. ¿Les gustaría pasearse en el barco junto con los animales?". Permita a los niños entrar al y salir del barco cuantas veces quieran.

El hogar: Muéstreles los artículos que se usan en la casa y pregúnteles quién los usa. Pregúnteles cómo se usan los artículos para ayudar a limpiar la casa a fin de que se vea bonita. Hábleles de la importancia de que la familia se lleve bien y se ayuden unos otros. Recúerdeles a los niños que Noé y su familia vivieron juntos en un barco cerrado y todos se llevaban bien.

La actividad con agua es particularmente confortante y atractiva para los niños. Aunque significa mucho trabajo y limpieza después, vale la pena incluirla frecuentemente en su planificación. El agua relaja a los niños en una forma especial, a la vez que estimula sus cinco sentidos. Puede variar la experiencia teniéndola afuera, con agua tibia y fría, y proveyendo juguetes nuevos cada vez que juegan con el agua.

Aplicación a la vida

Como adultos sabemos que Dios envió la lluvia como castigo a la gente pecadora. Ese es un concepto demasiado difícil para los niños de dos años. Sin embargo, podemos enseñarles que Dios cuidó a Noé y a su familia. Pueden aplicar eso a su propia vida, sabiendo que no tienen que temer las tormentas y la lluvia porque Dios los cuida. También pueden aprender cómo Dios los ayuda día a día y sentirse reconfortados sabiendo que Dios los ama.

3 Enseñanza de la Biblia

Muéstreles a los niños el "océano en una botella" diciendo: "Miren las olas que puedo hacer. Estoy seguro de que Noé y su familia sintieron las olas dentro del barco. ¿Pueden pretender que están en un barco y sienten las olas? (Permita que los niños se muevan de un lado para otro junto con usted). Escuchemos acerca de Noé y su barco grande". Abra su Biblia en Génesis 7 y comience a relatar la historia, usando los ademanes apropiados mientras "da de comer" a los animales.

• Tip, tip; chiss, chiss.
• A Noé le gustaba escuchar la lluvia.
• Él estaba seguro dentro de su barco grande.
• Adentro estaba calentito y seco.
• Afuera estaba lloviendo y lloviendo.
• Noé trabajaba muy duro cuidando a los animales.
• Noé y su familia ordeñaban las cabras.
• Daban de comer a las ovejas.
• Recogían los huevos de las gallinas.
• Estaban muy ocupados.
• Estaban seguros.
• Tenían bastante comida.
• Un día dejó de llover.
• El agua desapareció.
• Noé y su familia salieron del barco.
• Los animales salieron del barco.
• Todos estaban a salvo. Dios cuidó de ellos.
Gracias, Dios, por cuidar a la gente.

"¿Creen que Noé y su familia sintieron las olas dentro del barco grande?". Permita que los niños tomen el océano en la botella para que cada uno la mueva y produzca olas, mientras habla de cómo se sentiría estar en el barco. Canten: "¡Cuán bueno es Dios!" (núm. 33 del *Cancionero para preescolares 2*), la segunda estrofa, recordando a los niños que no tenemos por qué tener miedo, pues Dios nos ama.

Recuerde a los niños que Noé y su familia estuvieron dentro del barco grande mientras llovía mucho. Dios los cuidó y no permitió que les sucediera nada. Muéstreles la hoja del alumno y pregúnteles si Noé tuvo miedo durante la lluvia. Pregúnteles si le tienen miedo a la lluvia. Si dicen que sí, no los critique, pero recuérdeles que Dios los cuidará porque los ama. Dé a los niños la tiza y moje sus hojas, dejándolos pintar el agua y la lluvia de azul. Pintar sobre un papel mojado creará un nuevo placer para ellos.

4 Actividades de reforzamiento

5 Preparación para ir a casa

Se han desarrollado tantas actividades placenteras en las últimas semanas, todas acerca de Noé, así que puede aprovechar este tiempo antes de que se vayan a la casa para escoger una o dos de las actividades que los niños disfrutaron más (el juego con agua, los juegos digitales, el paseo en el barco, el océano en la botella, mecerse de un lado a otro, etc.) y repetirlos. Al llegar los padres, muéstreles lo que está haciendo con los niños y anímelos a usar estas actividades para reforzar la enseñanza acerca de Noé y el cuidado que Dios tuvo de él.

Noé y el arco iris

Objetivo de la unidad:
Que los alumnos conozcan que Dios es amor, los ayuda y los cuida.

Objetivo de la lección:
Que los alumnos sepan que Dios nos ama y muestra su amor en las cosas buenas que hace por nosotros.

Versículo clave de la unidad:
"Dios es amor". 1 Juan 4:8b

Preparación:
- Prepare suficientes arcos iris para cada niño y escóndalos en lugares obvios alrededor del salón.
- Provea varios recipientes pequeños de plástico con líquido para hacer burbujas y un popote (pajilla) limpio para cada niño. Ponga periódicos en la mesa y tenga esponjas listas para limpiar.
- Provea cuentas de plástico o madera de por lo menos tres diferentes colores y varios recipientes de plástico, uno para cada color.
- Tenga listas pinturas con brochas. Coloque hojas grandes en una mesa cubierta con periódicos. Provea por lo menos dos diferentes colores de pintura, con una brocha en cada lata. Tenga listas camisas o delantales para proteger la ropa de los niños. Que sólo dos o tres niños pinten a la vez.
- Tenga listas suficientes copias de la hoja del alumno para que cada uno tenga una.
- Prepare pedazos de papel de seda de varios colores, cortados con tijera o con la mano (no muy pequeños), y pegamento diluido.

Preparación espiritual del maestro
Al abrir la Biblia en Génesis 9:12-17 para leer la hermosa conclusión a la historia de Noé y su arca, recuerde el maravilloso pacto que Dios hizo con Noé. Aunque esa promesa fue maravillosa, tenemos aún una mejor promesa de Dios. Es la promesa de vida eterna. ¡Qué maravillosa! Así es que cuando llueve, usted puede recordar la promesa de Dios a Noé y la promesa para usted también, pues él cumple sus promesas. Cuando ve la hermosura de un arco iris, puede sentir la riqueza de las promesas de Dios. Su tarea como maestra de niños pequeños es colocar el fundamento para que estos niños comprendan que Dios es bueno, Dios es amor y así los preparará para que confíen en las promesas de Dios. ¿Ha confiado en sus promesas totalmente?

1 Actividades de motivación
Al llegar los niños, recíbalos llevando puesto un impermeable (o gorra para la lluvia) ¡y lentes oscuros! Ríase con ellos acerca de lo chistoso que se ve. Dígales que no podemos tener lluvia y sol a la misma vez. Pregúnteles: "¿Recuerdan el barco grande de Noé? Lo construyó para que la lluvia no le hiciera daño. ¡Pero no llovió para siempre!". Al quitarse el impermeable o gorra, señale los lentes y diga: "¡Por fin salió el sol y Noé vio algo hermoso! Era así". (Muestre al niño un arco iris pequeño). Guíe a los niños a buscar un arco iris escondido en el salón. Cuando lo encuentren, colóqueselo en la ropa con un alfiler imperdible y hábleles de los colores del arco iris. Ayude a los niños a escoger una actividad para que se ocupen en ella.

2 Centros de interés
Naturaleza: Muestre a los niños cómo colocar el popote (pajilla) en el líquido y soplar suavemente hasta que aparezca una burbuja. Supervíselos muy bien para evitar que traguen la solución. Si tiene el grupo de niños más pequeños, quizá quiera usted soplar las burbujas y dejar que ellos las alcancen. Hable de los arcos iris que aparecen en la burbuja y lo hermosos que son.

Rompecabezas: Muéstreles las cuentas de color y hable de los hermosos colores. Muéstreles cómo separar las cuentas del mismo color para colocarlas en su propio recipiente. Mientras trabajan separándolas, hable de los hermosos colores del arco iris que Dios mostró a Noé.

Arte: Muéstreles cómo meter la brocha en la pintura y untarla en el papel. Permítales pintar libremente, disfrutando la sensación de hacerlo. Mientras pintan diga: "Gracias, Dios, por los hermosos colores que nos diste".

3 Enseñanza de la Biblia
Guíelos en el juego digital: "Noé trabaja con un martillo". Pregúnteles si se acuerdan cómo Noé construyó un barco grande porque iba a llover por mucho tiempo. Recuérdeles cómo vivieron los animales en el barco con Noé. Abra su Biblia en Génesis 9 y comience a relatar la historia.

Actividades de aprendizaje

Integre actividades relacionadas con tamaños, formas y colores en las actividades rutinarias. Los niños de dos años pueden comenzar a distinguir los colores e igualar formas sencillas. Los de tres años pueden identificar varios colores, formas y tamaños. Use recipientes de mantequilla, latas de café, cajas de zapatos para guardar las cuentas, pedazos de papel, bloques, telas, artículos grandes/pequeños para que los niños los organicen. Estas actividades requieren supervisión y conversación de parte de la maestra.

Aplicación a la vida

Durante todas las actividades los niños deben ser guiados a aplicar a la vida el hecho de que Dios los ama. Cada vez que ven un color hermoso deben decir: "Dios me ama". Cada vez que se sienten contentos deben decir: "Dios me ama". Cada vez que suceden cosas buenas deben decir: "Dios me ama".

• Llovió durante mucho tiempo.
• Chiss, chiss, cayó la lluvia.
• Noé podía oír la lluvia (*haga el ruido de la lluvia golpeando ligeramente la mesa con los dedos*).
• Un día Noé escuchó (*con la mano en la oreja pretenda escuchar*).
• No llovía más.
• Por fin podía salir del barco.
• Abrió la puerta.
• Dejó que los animales salieran (*imite los sonidos de los animales*).
• Los caballos trotaron.
• Los pájaros volaron.
• Los conejos saltaron.
• Noé y su familia salieron caminando.
• Se estiraron (*estírese*).
• Noé dijo: "Gracias, Dios".
• Levantó la vista hacia el cielo (*mire hacia arriba*).
• Vio un arco iris grande.
• El arco iris era hermoso.
• Dios dijo: "Te amo, Noé".
• Cada vez que Noé veía un arco iris, recordaba: "Dios me ama".
• Dios es amor.
Cante "Dios me ama" (número 36 del *Cancionero para preescolares 1*), la segunda estrofa. Pregunte: "¿Quién me ama?" y luego guíe a los niños a cantar: "Dios me ama". Repítalo aumentando la intensidad.

4 Actividades de reforzamiento

Después de mostrar a los niños el cuadro de Noé y el arco iris, recuérdeles que el arco iris era para mostrar cómo Dios amaba a Noé. Muéstreles cómo pueden cubrir el arco iris con pegamento, usando los dedos. Luego muéstreles cómo escoger los pedazos de papel de color para pegar al arco iris, mostrando todos los hermosos colores.

5 Preparación para ir a casa

Después de que los niños hayan recogido sus cosas y estén listos para que sus padres los recojan, guíelos en un juego de buscar los colores. Usted puede mencionar un color y mostrarles algo en el salón que sea de ese color. Luego camine alrededor del salón y pida a los niños que encuentren algo "rojo" o "azul" o "amarillo". Luego recuérdeles a los niños todos los colores hermosos que Noé vio cuando Dios le dijo que lo amaba. Pregunte a los niños quién amaba a Noé, luego pregúnteles quién los ama a ellos. La respuesta debe ser rápida.
Al retirarse los niños, recuerde a los padres que hoy concluyeron los estudios acerca de la vida de Noé y luego infórmeles del tema para la siguiente unidad de estudios.

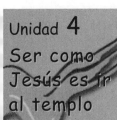

Unidad 4
Ser como
Jesús es ir
al templo

ESTUDIO 15

2, 3
años

El bebé fue al templo

Objetivo de la unidad:

Que los alumnos comprendan que el templo es un buen lugar para estar.

Objetivo de la lección:

Que los alumnos se sientan felices cuando van al templo.

Versículo clave de la unidad:

"Vamos al templo del Señor". Salmo 122:1, (DHH).

Preparación:

- Recorte huellas de pie de plástico fuerte y colóquelas en el piso para crear un camino alrededor del salón, cada camino guiando a una de las actividades.
- Coloque un mantel en el piso. Vierta unos 7,5 cm de arena en un recipiente y colóquelo sobre un mantel de vinilo. Coloque otro mantel debajo de la mesa.
- Provea unos zapatos viejos (sin los cordones) para que los niños metan en la pintura. Prepare un área para pintar. Si usa una mesa, cúbrala con periódico. Provea un delantal para cada niño que quiera pintar. Coloque pintura muy espesa en un recipiente de metal o de papel.
- Provea varias muñecas y cobijas para el área del hogar, también Biblias, bolsas/carteras y otros materiales que los niños puedan necesitar para jugar a que van al templo.
- Prepare un rompecabezas pegando en cartón el que viene en las Ayudas Didácticas, cubriéndolo con plástico y cortándolo.
- Haga copias de la hoja del alumno para cada alumno y provea crayones de colores brillantes.

Preparación espiritual del maestro

Después de leer Lucas 2:22-24, ¿comprenden mejor el concepto de que Dios nunca "da" hijos a sus padres? Los niños son "prestados" a los padres como un regalo muy precioso. Todos los que tienen hijos o enseñan a niños tienen una responsabilidad muy seria ante Dios. Definitivamente tenemos que responder ante Dios por lo que hemos hecho con y para esos niños. Nuestra prioridad debe ser llevar a los niños a una relación personal con Dios. Ore, por nombre, por cada uno de sus alumnos. Pídale a Dios que le ayude a proveer una experiencia agradable para cada uno al ir aprendiendo ellos a amar ser parte de la familia de Dios.

1 Actividades de motivación

Reciba a cada niño individualmente y con alegría. Dígales lo contento que está de que han venido al templo, así como dice la Biblia. Señale las huellas que están colocadas alrededor del salón y pregúnteles si quieren seguir el camino de las huellas. Si es necesario, muéstreles cómo pisar las huellas y seguir el camino. Felicítelos por cualquier esfuerzo que hagan en seguir el camino. Anímelos a repetir el juego diciendo: "Cuando Jesús era un bebito sus padres lo llevaron en los brazos y caminaron al templo. ¡Caminaron así como ustedes!". Muestre a los niños las diferentes actividades en el salón y pídales que sigan uno de los caminos que los llevará a una actividad con la cual se divertirán mucho. Comente a los padres que durante el mes estarán estudiando acerca de lo divertido que es ir al templo y que necesita la ayuda de ellos para animar a los niños a sentir gozo cuando vienen al templo, haciendo que el domingo sea el día favorito de la semana.

Naturaleza (mesa con arena): Anime a los niños a meter las manos en la arena y jugar con ella. Luego

2 Centros de interés

pídales que hagan un templo con la arena. Dígales: "Jesús fue al templo cuando era un bebé. ¡Qué bueno es ir al templo! La pasamos bien en el templo". No permita que los niños tiren la arena.

Arte: Ponga a cada niño un delantal antes de que empiecen a pintar. Ayude a los niños a sostener la parte superior del zapato y meterlo al recipiente con pintura. Guíelos a quitar la pintura que sobra raspándolo en el lado del recipiente, luego que coloquen el lado pintado en el papel para que quede la huella del zapato. Mientras los niños pintan con los zapatos, recuérdeles que los padres de Jesús caminaron al templo y llevaron a Jesús con ellos.

Área del hogar: Mientras los niños juegan en esta área, envuelva a una de las muñecas en una cobijita, tome la Biblia y pretenda que van al templo. Anímelos a pretender que ellos también llevan al bebé al templo. Cuando lo hagan, dígales que el bebé Jesús también fue al templo con sus padres.

Algunos líderes tienen miedo de usar actividades de arte debido al desorden que se puede crear. Las actividades creativas son más valiosas que el desorden, y ese puede ser mínimo si se planea con anticipación. Coloque trapos debajo de la mesa donde están trabajando y cubra la mesa con periódicos. Proteja la ropa de los niños con camisas viejas o hasta con bolsas de plástico. Use materiales fuertes, como crayones gruesos, marcadores con pintura de agua que tengan puntas gruesas, brochas con cerdas gruesas que puedan resistir mucho uso, papel grueso, todo para evitar accidentes. Sólo use materiales no tóxicos. Permita a los niños ser creativos, nunca pidiéndoles que pinten dentro de las líneas.

Aplicación a la vida

El estudio de hoy es fundamental a la vida de los niños, al ir aprendiendo que ir al templo es una parte importante de su vida, que les gusta ir al templo y que el templo es un lugar feliz.

3 Enseñanza de la Biblia

Aplauda y cante: "Vengo al templo" (núm. 13 del *Cancionero para preescolares 2*). Coloque en una bolsa de papel las piezas de uno de los rompecabezas con el dibujo del templo. Pida a un niño que meta la mano a la bolsa y saque una de las piezas. Guíe a los niños a armarlo en el piso. Abra su Biblia a Lucas 2:22-24 y relate la historia de la Biblia.

• Jesús era un bebé muy pequeño.
• No podía caminar.
• No podía hablar.
• No era grande como ustedes.
• Su mamá y papá lo cuidaban muy bien.
• Amaban al bebé Jesús.
• Querían llevarlo al templo.
• Lo envolvieron muy cuidadosamente.
• La mamá de Jesús lo cargó firmemente en los brazos.
• Fue un día especial para Jesús.
• Fue un día especial para la mamá y el papá de Jesús.
• Jesús fue al templo por primera vez.
• Caminaron mucho.
• A veces el papá de Jesús lo tuvo que cargar.
• Caminaron y caminaron.
• Luego vieron el templo.
• "¡Estoy muy contento porque ya podemos ver el templo!", dijo el papá de Jesús.
• "Yo también", dijo la mamá de Jesús.
• ¡Qué bueno que podemos llevar a nuestro hijo Jesús al templo!
• Estamos haciendo lo que dice la Biblia.
• "Vamos al templo del Señor".
• Gracias, Dios, porque puedo venir al templo.

Pregunte: "¿Pueden decirlo junto conmigo? 'Vamos al templo del Señor'". (Puede repetirlo con los niños un par de veces). Diga: "Pretendamos que somos la mamá y el papá de Jesús y que llevamos a Jesús al templo". (Use una de las muñecas y permita que cada niño la envuelva y la lleve al templo).

4 Actividades de reforzamiento

Reparta la hoja del alumno y muestre a los niños el camino al templo. Mencione otros lugares a donde los padres pueden llevar a sus hijos (oficina del doctor, tienda, guardería), pero dígales que el lugar más feliz es el templo. Recuérdeles que Jesús también fue al templo y que sus padres lo llevaron. Pregunte a los niños quién los trajo al templo. Canten: "Vengo al templo", sustituyendo con el nombre de la persona que los trajo al templo. Conforme los niños le enseñen cómo llegan al templo (imitando ir en autobús, caminando, o ir en auto, etc.) guíe a los niños a usar los colores más brillantes que puedan encontrar para colorear las huellas que guían al templo.

5 Preparación para ir a casa

Coloque las huellas, marcando el camino hacia las ventanas o las puertas, o hacia varios lugares dentro del salón y guíe a los niños a caminar sobre las huellas. Pregúnteles: "¿A dónde llevaron a Jesús sus padres? ¿Dónde están ustedes ahora? Conozco un canto que habla de venir al templo. ¡Canten conmigo! 'Vengo al templo' ". Pregúnteles quién llevó a Jesús al templo. Muéstreles una cara feliz y una cara triste, y pídales que lo imiten. Luego pregúnteles cuál es la cara de ellos cuando vienen al templo (anímelos a señalar la cara feliz). Cuando lleguen los padres, pida a los niños que les muestren la cara que indica cómo se sienten cuando vienen al templo.

Unidad 4
Ser como
Jesús es ir
al templo
ESTUDIO 16
2, 3
años

Simeón esperaba a Jesús

Objetivo de la unidad:
Que los alumnos comprendan que el templo es un buen lugar para estar.

Objetivo de la lección:
Que los alumnos sepan que van a tener experiencias felices en el templo.

Versículo clave de la unidad:
"Vamos al templo del Señor". Salmo 122:1, (DHH).

Preparación:
- Haga suficientes copias de una cara feliz y una cara triste y tenga listas dos cajas para guardarlas. Que cada niño pueda jugar con cuatro o cinco de estas caritas.
- Prepare varios rompecabezas de templos, pegando el cuadro de un templo en cartón y cortándolo en dos o tres piezas.
- Extienda una cobija sobre una mesa para hacer una carpa. Coloque una Biblia a un lado para mostrar que es un templo. Tenga lista una linterna. Coloque una sorpresa especial dentro de la "carpa" (juguetes, galletitas, etc.).
- Provea libros o cuadros con ilustraciones de animales, y personas grandes y pequeñas (o chicas y ancianas).
- Haga copias de la hoja del alumno para cada niño y provea pedazos pequeños de papel de color (cortados con tijera o con la mano), junto con recipientes pequeños con pegamento diluido.

Preparación espiritual del maestro

Aunque conozca la historia de Simeón y su larga espera para ver al Mesías, léala nuevamente en Lucas 2:25-35. A pesar del hecho de que los judíos esperaban la llegada del Mesías, Simeón era un personaje especial porque él reconoció al Mesías cuando llegó. Pudo hacerlo porque vivió una vida de oración, de adoración y de expectativa. ¿Describe esto su vida? ¿Qué espera usted que suceda en su clase hoy día? ¿Espera que sucedan cosas emocionantes? Pueden suceder cosas maravillosas, así es que pida a Dios que le dé un espíritu de expectativa y la habilidad de reconocer cuando suceda.

1 Actividades de motivación

Cante: "Vengo al templo" (número 13 del *Cancionero para preescolares 2*) conforme vaya llegando cada niño, y pídale que le muestre cómo llegó al templo. Debe corresponder imitando cómo usted llegó al templo. Felicite a los niños al llegar al templo. Muéstreles algunas figuras que ilustren caras felices y tristes. Pídales que señalen la que indique cómo se sienten hoy. No los critique si están tristes, pero sí señale la cara feliz y dígales que está contento por haber venido al templo. Muéstreles las caras felices y las tristes, y pídales que pongan todas las caras tristes en una caja y todas las caras felices en otra caja. Exprese la idea de que espera que se sientan felices, como las caras felices, de estar en el templo hoy.

Rompecabezas: Muestre los rompecabezas antes de desarmarlos y díga-les que son figuras de templos.

2 Centros de interés

Luego tome uno de ellos y separe las piezas, pidiendo a los niños que lo armen. Muéstreles los otros rompecabezas de templos y diga: "El templo es un lugar feliz. Jesús fue al templo".

Drama: Limite a dos el número de niños que pueden estar dentro de la carpa a la vez. Siéntese cerca de la entrada y diga: "Vean si pueden encontrar la sorpresa especial dentro del templo que hicimos. El templo es un lugar especial, ¿verdad? ¡Cómo nos divertimos!".

Libro o figuras: Mientras ven los libros o las figuras, permita que los niños le ayuden a decir cuáles personas (o animales) son mayores o ancianos y cuáles son pequeños (o chicos). Repítalo varias veces. Pregúnteles si usted es mayor o anciano y si los niños son pequeños o chicos. Pregúnteles si las personas mayores/ancianas van al templo, luego pregunte si las personas pequeñas/chicas van al templo.

3 Enseñanza de la Biblia

Coloque figuras de diferentes lugares (lugares que los niños de dos años puedan reconocer) en el piso alrededor suyo. Incluya una figura del templo. Señale una figura y pregunte: "¿Es éste un templo?". Deje que los niños contesten. Repita hasta que llegue a la figura del templo, y los niños lo reconozcan y digan que es un templo. Repítalo hasta que identifiquen fácilmente el templo. Luego abra su Biblia en Lucas 2 y relate la historia bíblica.

Actividades de aprendizaje

Los niños de dos años tienen un vocabulario de alrededor de 50 palabras, pero a la edad de tres años ya están usando de 300 a 1.000 palabras, proveyendo una gran oportunidad para desarrollar su lenguaje hablado. Por eso el uso de libros, cuadros y conversación es tan importante. Tenga libros y figuras donde los niños los puedan ver y alcanzar fácilmente. Los libros y figuras deben cambiarse frecuentemente para estimular siempre la conversación e ideas nuevas. Los libros pueden ser leídos en grupos o individualmente, pero se debe animar a los niños a verlos por sí solos. Por esa razón, el lugar donde exhiba los libros debe ser atractivo y cómodo.

Aplicación a la vida

Debe trabajar arduamente para que cada niño, al escuchar la palabra "templo", piense en cosas felices, asociando el templo con un sentimiento positivo de anticipación. Cuando los niños vean las caras felices, deben pensar: "El templo es un lugar feliz". Además, cuando se mencione ir al templo, el niño debe reaccionar positivamente.

- Jesús era un bebé.
- Sus padres lo llevaron al templo.
- Les encantaba ir al templo.
- Había un hombre en el templo.
- No era joven. Era muy anciano.
- Iba al templo todos los días.
- Le gustaba ir al templo.
- Hablaba con Dios.
- Cantaba.
- Era feliz en el templo.
- Cuando vio a Jesús, se puso muy contento.
- Estaba esperando ver a Jesús.
- Preguntó: "¿Puedo tomar a Jesús en mis brazos?".
- La madre de Jesús lo dejó tomar a Jesús en sus brazos.
- "¡Qué feliz estoy", dijo.
- "Pude ver a Jesús.
- "¡Qué contento estoy!".
- "¡Qué bueno que vine al templo hoy!".
- ¿Tú también estás contento?

Canten: "Al templo quiero ir" (núm. 7 del *Cancionero para preescolares 2*) y anime a los niños a cantar la línea "al templo quiero ir" con usted. Pídales que señalen la figura del templo y diga: "La Biblia dice 'Vamos al templo del Señor'. Están haciendo lo que la Biblia dice. Están en el templo. Gracias, Dios, porque nos sentimos felices al estar en el templo".

4 Actividades de reforzamiento

Muéstreles la figura del templo en la hoja del alumno. Si es posible, lleve a los niños afuera para hacer una corta caminata, para ver la fachada del templo. Pregúnteles si la figura se parece a su templo. Explíqueles que los templos son diferentes, pero igual, son templos. (Si no pueden ir afuera, use figuras de diferentes templos).

Reparta la hoja del alumno, y mientras los niños trabajan pegando los papeles de color a la puerta y las ventanas, dígales lo bien que trabajan en el templo y lo bueno que es estar en el templo. Recuerde a los niños del hombre de la historia que estaba en el templo esperando ver a Jesús. Pregúnteles si era joven o anciano. Pregunte a los niños si ellos son chicos o ancianos. Este proceso comenzará a reforzar el concepto de joven/anciano que ha estado enfatizando. Pregunte si el anciano estaba feliz o triste de estar en el templo. Pregunte a los niños si están felices o tristes de estar en el templo.

Canten "Vengo al templo" y luego dígales que lo va a cantar muy rápido. Pida a los niños que lo canten muy rápido con usted.

5 Preparación para ir a casa

Diga a los niños que lo quiere cantar muy despacio. Demuéstreles cómo hacerlo, y luego invítelos a cantar con usted muy despacio. Al hacerlo, los niños comenzarán a comprender el concepto de opuestos, pero también esté listo cuando los niños comiencen a reírse pues les parecerá chistoso. Cuando se rían juntos, dígales lo divertido que es estar juntos en el templo. Cuando los padres recojan a sus niños, siga animándolos a hablar con sus niños en casa acerca de lo divertido que es ir al templo. También se les debe animar a hablar acerca de lo mucho que les encanta ir al templo. Cada vez que vean una cara feliz, los padres deben tratar de decir: "Una cara feliz, me recuerda el templo".

Dé a cada niño un abrazo cuando salgan de la clase y dígales que espera verlos la semana próxima.

"VAMOS AL TEMPLO DEL SEÑOR"

Salmo 122:1

Simeón amaba a Jesús

Objetivo de la unidad:
Que los alumnos comprendan que el templo es un buen lugar para estar.

Objetivo de la lección:
Que los alumnos puedan decir: "Amo a Jesús".

Versículo clave de la unidad:
"Vamos al templo del Señor". Salmo 122:1, (DHH).

Preparación:
• Consiga un teléfono de juguete (quizás querrá tener más de uno) para que los niños jueguen con él al llegar.
• Provea bloques, o confeccione los suyos con cajas rellenas de periódicos.
• Confeccione un rompecabezas de un templo con un cuadrado, un triángulo y círculos recortados de una esponja gruesa. Marque el contorno de las formas del templo en un cartón grueso.
• Cubra una caja y luego decórela como si fuera un templo. Recorte un agujero en el techo. Luego recorte 10 círculos de cartulina y pegue cuadros de diferentes tipos de personas en los círculos.
• Reproduzca la hoja del alumno. Recorte triángulos de tela de color para pegar en la hoja, representando la cobija en la que fue envuelto Jesús. Provea pegamento diluido en recipientes pequeños para el uso de los niños.

Preparación espiritual del maestro

La semana pasada leyó Lucas 2:25-34, pero ¿puso atención a la parte cuando Simeón dijo: "Ahora, puedes dejar que tu siervo muera en paz"? Simeón no estaba triste. Estaba rebosando de alegría. Había recibido lo que más deseaba en la vida, había encontrado a Jesús. Su sueño se había realizado. ¿Cuáles son sus sueños? ¿Desea estar en comunión con Jesucristo más que otra cosa? La intimidad de su relación con él se verá reflejada en su habilidad de enseñar a los niños. Ellos sentirán su verdadero amor incondicional para ellos que sólo puede venir de Jesús. Ore ahora que el amor de Jesús fluya a través suyo para que los niños sepan que son amados por él.

1 Actividades de motivación

Cuando salude a los niños al llegar, pretenda que está hablando por un teléfono de juguete. Termine su conversación diciendo: "Me tengo que ir, *María* acaba de llegar. Estoy muy contenta porque ella vino al templo hoy. Amo a *María*". Pase el teléfono a la niña y pregúntele si quiere "llamar" a alguien. Sugiérale que le diga a la persona a quien está llamando que Jesús la ama. Dígale que hoy van a aprender acerca de un hombre que fue al templo porque amaba a Jesús. Canten: "Al templo quiero ir" (núm. 7 del *Cancionero para preescolares 2*) mientras la guía hacia las diferentes actividades en las que participará. (Conforme los niños se ocupen en las actividades, hable con sus padres para averiguar si los niños están respondiendo positivamente y con alegría cuando llega el tiempo de ir al templo los domingos. Pregúnteles qué puede hacer usted para que su experiencia sea más positiva).

2 Centros de interés

Bloques: Al llegar los niños al área donde están los bloques, muéstreles cómo los pueden poner en pilas para edificar un templo. Hable acerca de lo bueno que es cooperar juntos para edificar un templo. Hable de lo divertido que es estar en el templo y lo feliz que se siente porque vinieron al templo hoy.

Rompecabezas: Muestre a los niños las piezas de esponja y cómo encajan sobre el cartón (querrá tener más de un rompecabezas, de diferentes colores). Diga: "Estas piezas forman el cuadro de un templo. A mí me gusta ir al templo. Cuando estoy en el templo le puedo decir a Jesús que lo amo. ¿Les gustaría repetir conmigo: 'Jesús, te amo'?".

Área del hogar: Señale la caja que representa el templo y los diez círculos. Explique que son las personas que van al templo. Pregúnteles si pueden ayudarle a poner a las personas dentro del templo. Después de que lo hayan hecho, sáquelas y repitan la actividad. Mientras juegan juntos, hábleles acerca de las personas que aman a Jesús y van al templo.

3 Enseñanza de la Biblia

Juegue un juego digital para que los niños participen. Esconda las manos detrás de la espalda. Saque la mano derecha con el pulgar hacia arriba y diga: "El señor Pulgar vino al templo porque ama a Jesús". Luego saque la mano derecha con el pulgar hacia arriba y diga: "La señora Pulgar viene al templo porque ama a Jesús". Coloque ambas manos detrás de la espalda y repita, esta vez usando el dedo índice. Anime a los

En el área del hogar los niños pueden participar en un drama desempeñando el papel femenino o masculino, expresar sus sentimientos al igual que tener la oportunidad de tomar parte en una actividad más social, y sentirse seguros porque les recuerda su propio hogar. El área del hogar debe estar bien amueblada con las cosas básicas de una "cocina": platos y tazas, ollas y sartenes, así como artículos especializados que vayan de acuerdo con la unidad. (Por ejemplo, cosas que representen el templo, la escuela o la oficina de un doctor). El maestro puede guiar en experiencias enriquecedoras en esta área y aun participar con los niños en el juego.

Aplicación a la vida

Si los niños se sienten amados, también pueden expresar su amor. Conforme vaya expresando su amor hacia ellos en el templo, ellos se sentirán cómodos en expresar su amor, aprendiendo a decir las palabras: "Amo a Jesús". Cuando su familia hable acerca de llevarlos al templo, deben comenzar a asociar eso con la idea: "Yo amo a Jesús". También deben sentir que otros que van al templo comparten ese mismo amor hacia Jesús.

niños a imitar lo que usted hace. Cuando terminen, mueva todos los dedos y diga: "Todos aman a Jesús, así es que vienen al templo". Relate a los niños la historia bíblica. (Mientras relata la historia, puede dramatizarla, pretendiendo que es muy anciano y dramatizando las diferentes acciones del relato).
• Simeón era muy anciano.
• Se le hacía difícil caminar.
• De todos modos, caminaba al templo.
• Quería ir al templo.
• Amaba a Jesús.
• Quería conocer a Jesús.
• Era importante para él conocer a Jesús.
• Aunque era muy difícil para él, Simeón caminaba al templo.
• "Quiero ir al templo".
• "Amo a Jesús".
• "Quiero ver a Jesús", pensaba Simeón.
• Así es que caminaba.
• Llegó al templo.
• ¿A quién vio?
• Vio a Jesús.
• Tomó a Jesús en sus brazos.
• Estaba contento porque amaba a Jesús.
• "Quería ver a Jesús porque lo amo", pensó.
• "Y vine y vi a Jesús".
• "Qué feliz me siento".
• "Amo a Jesús".
Yo también amo a Jesús. ¿Aman ustedes a Jesús? Todos amamos a Jesús. ¿Qué bueno que vinimos al templo para poderle decir a Jesús que lo amamos". Canten: "Jesús me ama" (núm. 49 del *Cancionero para preescolares 2*), modificando las palabras para que los niños puedan expresar su amor por Jesús. (Las palabras serían: "Jesús, Jesús, Jesús te amo. Jesús, Jesús, Jesús te amo a ti).

¡Dígale a los niños que usted puede decir algunas palabras de la Biblia! Repita el Salmo 1:22: "Vamos al templo del Señor",

4 Actividades de reforzamiento

y anímelos a decirlas. Luego diga: "Vamos al templo porque amamos a Jesús. Amo a Jesús. ¿Amas tú a Jesús?" (espere que le respondan). "El anciano de la historia fue al templo porque también amaba a Jesús".
Reparta las hojas y muestre a los niños lo feliz que Simeón se sintió porque pudo tomar a Jesús en sus brazos. Dé a los niños una muñeca para que la tomen en sus brazos e imiten al anciano que se sintió feliz porque vio a Jesús. Muéstreles los pedazos pequeños de tela que pueden usar para pegar al dibujo que representa la cobija de Jesús. Dígales que la mamá de Jesús lo amaba también y se aseguró de que estuviera calentito en su cobija. Después de pegar la tela en el cuadro, los niños querrán colorear el resto del dibujo con marcadores de acuarela (asegúrese de proteger la ropa de los niños).

5 Preparación para ir a casa

Si el tiempo lo permite, querrá repetir el juego digital que usó antes. Además, puede usar el juego del templo que usó la semana pasada. Coloque figuras de diferentes lugares (cosas que los niños de dos años puedan reconocer) en el piso. Señale una de ellas y pregunte: "¿Es este un templo?". Repítalo hasta que llegue a la figura del templo, y los niños la reconozcan y digan que es el templo. Continúe conversando con ellos acerca del hecho de que venimos al templo porque amamos a Jesús. Vuelvan a cantar "Jesús me ama", mientras espera la llegada de los padres.
Mientras habla con los padres, anímelos a hablar con sus niños durante la semana acerca de cómo aman a Jesús.

Unidad 4
Ser como
Jesús es ir
al templo

ESTUDIO **18**

2, 3
años

Ana dio gracias a Dios por Jesús

Objetivo de la unidad:
Que los alumnos comprendan que el templo es un buen lugar para estar.

Objetivo de la lección:
Que los alumnos puedan decir: "Amo a Jesús".

Versículo clave de la unidad:
"Vamos al templo del Señor". Salmo 122:1, (DHH).

Preparación
• Prepare una muy bonita caja y dentro de la caja coloque algunos objetos envueltos como regalos para los niños. Puede ser algo muy sencillo, como una galleta o fruta. Debe haber uno para cada niño.
• Prepare dos figuras de cada uno (diferentes, pero similares) que muestren templos, gente orando, gente cantando.
• Provea dos o tres pelotas que sean lo suficientemente grandes para que los niños de dos años las puedan agarrar y botar.
• Corte unos popotes (pajillas) en trozos de 3 cm, colocándolos en un recipiente pequeño para cada niño. Meta un cordón por un popote y hágale un nudo en la punta. Coloque un trozo de cinta adhesiva en el otro lado del cordón para que sea más fácil que los niños lo inserten por los popotes.

Preparación espiritual del maestro

Medite en la vida de adoración de Ana en Lucas 2:36-38. Vivía en el templo, adorando y orando día y noche. Estaba lista para adorar con otros porque adoraba a Dios individualmente. Hay un dicho: "Se ora mejor en grupo cuando primero se ha orado a solas". ¡Qué hermoso mensaje para nosotros! Si se siente "privado" porque trabaja con niños, recuerde el ejemplo de Ana. Primero oró y adoró a Dios a solas. Y recuerde que usted puede adorar junto con los niños. Invierta en su vida de oración y su tiempo de adoración será enriquecido también.

1 Actividades de motivación

Todas las actividades deben estar preparadas y el salón en orden para recibir a los niños, para que usted tenga la libertad de estar a la puerta para recibir a cada niño según vaya llegando. Cuando llegue el niño, muéstrele la caja bonita y pídale que adivine lo que hay adentro. Dígale que adentro hay algo para él y luego permita que escoja el "paquete" (¡sólo uno!) que quiera. Permita que desenvuelva el paquete solo. Pregúntele qué debe decir cuando recibe un regalo. Es posible que necesite ayudarlo a recordar decir "gracias", pero cuando lo haga, responda diciendo: "Así es, cuando alguien hace algo lindo por ti, se dice 'gracias'. Hoy vamos a dar gracias a Dios por las muchas cosas que él hace por nosotros. Una cosa linda que hizo fue traerte al templo hoy. Gracias, Dios, por *Angelina*".

Después, ayude al niño a escoger una actividad en la que pueda participar.

2 Centros de interés

Figuras: Mezcle las seis figuras. Luego pida a los niños que encuentren las dos figuras que muestren a alguien orando. Haga lo mismo con las figuras de los templos y luego con las de las personas que están cantando. Querrá repetirlo un par de veces. Luego pida a los niños que junten los pares y sin darles ninguna indicación, pregúnteles qué representan las figuras.

Juego: Mientras los niños están sentados, ruede una pelota a uno de ellos y diga: "Estoy rodando la pelota a *Bruno. Bruno*, cuando te llegue la pelota, ¿puedes decir 'gracias'? Ahora rueda la pelota hacia mí y yo diré 'gracias' ". Puede variar este juego botando o arrojando la pelota, dependiendo de las habilidades de los niños. Explique: "Cuando alguien hace algo lindo por nosotros, decimos 'gracias'. Damos gracias a Dios porque él hace muchas cosas lindas por nosotros".

Arte: Dé a cada niño un pequeño recipiente con los popotes (pajillas) cortados, junto con un cordón, y muéstreles cómo colocar los popotes en el cordón uno por uno. Cuando haya terminado, amarre las dos puntas juntas. Permita que haga otro para regalar a su mamá. Mientras trabajan, pregunte a los niños qué dirá su mamá cuando reciba el regalo.

3 Enseñanza de la Biblia

Comience cantando "Gracias, Señor" (número 1 del *Cancionero para preescolares 1)*, empleando los movimientos que se indican. Es un canto en el que querrán participar todos los niños.

Use figuras grandes y coloridas con este grupo, especialmente figuras con las que un niño de dos años se pueda relacionar. Puede encontrar figuras que se pueden usar o adaptar, recortadas de periódicos, revistas, literatura vieja de la Escuela Dominical, calendarios, libros viejos usados (aun libros de texto de la escuela) y catálogos. Es bueno colgarlas a una altura que esté al nivel de los niños. Si es posible, sería bueno cubrirlos con plástico para que los niños las puedan tocar y hasta poner en el piso. Cambie las figuras frecuentemente, usando sólo las que se apliquen al tema de la lección. Sería de mucha ayuda comenzar una caja de "figuras" donde pueda colocarlas por temas según las vaya encontrando, y usarlas cuando las necesite.

Aplicación a la vida

Conforme el niño vaya aprendiendo a hacer cosas para otras personas y escuche la palabra "gracias" en su vida diaria, aprenderá lo que significa la gratitud. De este modo, mientras recibe y aprende a decir gracias en su vida diaria, desarrolla la expresión de gratitud. Al hacerlo consciente de todo lo que Dios hace, luego comienza a expresar gratitud a Dios también.

Repítalo para que lo puedan acompañar. Recuérdeles que decimos "gracias" cuando alguien hace algo lindo. Introduzca la historia bíblica diciendo: "Hasta podemos dar gracias a Dios porque hace tantas cosas lindas para nosotros. La Biblia nos relata de una señora que dio gracias a Dios".

• Le encantaba ir al templo.
• Estaba en el templo todo el tiempo.
• Le gustaba tanto el templo que vivía allí.
• Oraba en el templo.
• Cantaba en el templo.
• Daba gracias a Dios en el templo.
• Cuando el niño Jesús estuvo en el templo, ella estaba allí.
• Se sentía muy feliz.
• Quería ver a Jesús.
• Cuando lo vio, dijo: "Gracias, Dios".
• Contó a todos: "Vi a Jesús".
• Dijo: "Gracias, Dios" muchas veces.
• No se cansaba de estar en el templo.
• No se cansaba de orar.
• No se cansaba de decir: "Gracias".
• Estaba muy feliz porque Dios envió a Jesús al templo.
• Qué contenta estaba porque pudo decir: "Gracias, Dios".

Diga: "A mí también me gusta decir "gracias" a Dios. ¿Me ayudan a decir: "Gracias, Dios" por algunas cosas?". (Permita a los niños mencionar cosas por las que quieren dar gracias a Dios, luego usted diga "Gracias, Dios" por esas cosas). Termine cantando: "Gracias, Señor" una vez más.

Reparta la hoja y pida a los niños que señalen a la persona que está dando gracias a Dios. Recuérdeles que están haciendo lo que la persona de la historia hizo. Ella estaba contenta porque vio a Jesús, así es que dio gracias a Dios. Señale alguna cosa por la cual una persona puede estar agradecida (por ejemplo, los ojos) y anime a los niños a decir juntos: "Gracias, Dios". Luego señale otras cosas y pida a los niños que digan la misma frase. Dé a los niños marcadores o lápices negros y pídales que rayen sobre la persona que está diciendo "gracias".

4 Actividades de reforzamiento

5 Preparación para ir a casa

Asegúrese de que los niños estén usando sus collares y que tengan el otro para regalar a su mamá (o a quien los recoja). Cuando llegue la mamá, anime al niño a darle el collar, y usted explique que hoy aprendieron acerca de la gratitud, así es que hicieron un regalo para que la mamá tenga la oportunidad de decir "gracias" a su niño. Pida al niño que le diga a su mamá (o a otra persona) lo que aprendió a decir hoy, igual que la mujer de la historia que se sintió feliz al ver a Jesús. Debe agradecer a los padres por haber traído a los niños, y también dé gracias a los niños por haber venido. Anímelos a regresar la semana próxima, cuando aprenderán otras historias de la Biblia.

Si hay tiempo, mientras espera la llegada de los padres, puede repetir una de las actividades anteriores, como la de clasificar las caras felices/tristes, el rompecabezas del templo hecho de esponja, rodar la pelota y decir "gracias", etc.

El arca de Noé

Objetivo de la unidad:
Conozcan algunas historias de la Biblia.

Objetivo de la lección:
Que los alumnos sepan que pueden confiar en Dios.

Versículo clave de la unidad:
"Hagamos bien a todos".
Gálatas 6:10a, (DHH).

Preparación:
- Provea un espejo de mano para las actividades de motivación.
- Prepare "varas de lluvia" para que los niños las usen para hacer el sonido de la lluvia. Use latas redondas y largas, o tubos de cartón de las toallas de papel. Adentro coloque piedritas, arroz, frijoles u/o arena para llenar un tercio del recipiente. Selle las aberturas con cinta adhesiva.
- Prepare dos láminas de varios animales (suficientes para que cada niño tenga una). Esconda una de las láminas en el salón. (Recuerde que para este grupo, no debe esconderlos muy bien).
- Prepare pintura azul clara no tóxica diluida. Coloque hojas grandes de papel en el piso (proteja el piso con plástico o periódicos). Provea delantales de plástico o camisas viejas para proteger la ropa de los niños. Provea brochas grandes.
- Tenga a la mano una botella con atomizador. Asegúrese de que esté bien limpio y llena de agua.
- Tenga bastantes copias de la hoja del alumno. Para colorear la hoja, provea crayones grandes azules para los niños. También necesitarán bolas de algodón y pegamento para terminar la lámina.

Preparación espiritual del maestro
La historia de hoy se encuentra en Génesis 6:9–8:19; 9:13-17. Después de leer la historia, es inevitable que cada vez que vemos el arco iris recordemos las promesas de Dios y su cuidado de nosotros. El problema está en que no vemos el arco iris muy seguido. ¿Cuál es su color favorito del arco iris? Cada vez que vea ese color, ¿por qué no considera decir: "Puedo confiar en Dios porque cumple sus promesas. Gracias, Dios"? Los niños no tienen problema en adorar espontáneamente a Dios de esa forma. Este es un caso en el que usted puede aprender de ellos. Pídale a Dios que le ayude a guiar a sus alumnos a aprender a confiar en él completamente.

1 Actividades de motivación

Conforme vaya llegando cada niño, dígale: "Me siento contento porque viniste esta mañana. Mira (enséñele el espejo) quién vino al templo. ¿Quién es? Eres tú, *Dany*". Ya que a los niños les encanta escuchar su nombre, especialmente en un canto, cante: "Bienvenido" (núm. 2 del *Cancionero para preescolares 1*), asegurándose de mencionar el nombre del niño las cuatro veces. Luego puede repetir el canto y decir "Hola" a todos los presentes. Mientras canta, ponga el espejo enfrente del niño al que está dando la bienvenida. Repetir este canto varias veces ayudará a los niños a aprender los nombres de los otros niños, y también sentir que ellos son especiales. Ayude al niño a escoger una actividad en la cual participar y disfrutar. Consulte con los padres para ver si hay asuntos e inquietudes especiales de los cuales usted deba saber para poderlos atender.

Música: Canten "La lluvia" (núm. 39 del *Cancionero para preescolares 2*) y permita que los niños canten con usted. Deles los "varas de lluvia" que preparó para ellos y muéstreles cómo voltearlas para hacer que suenen como la lluvia, mientras cantan.

2 Centros de interés

Láminas: Permita que los niños vean los animales y recuérdeles que Noé metió dos de cada uno al arca. Dé un animal a cada niño y pídale que busque el otro cuadro del mismo animal que está escondido en el salón. Diga: "Encontraste el otro 'tigre', ahora los dos tigres pueden subir al barco grande con Noé".
- Arte: Proteja la ropa de los niños. Muéstreles cómo chorrear poco a poco la pintura de las brochas al papel para hacer la lluvia. Dígales mientras "pintan": "¡Miren cómo hacen un cuadro de lluvia! Llovió mucho tiempo, pero Dios cuidó a Noé y a su familia".

3 Enseñanza de la Biblia

Use la botella con el atomizador para rociar ligeramente y alto en el aire, de modo que los niños puedan sentir el rocío. No asuste a los niños ni los rocíe directamente. Diga: "Oh, parece que está lloviendo aquí adentro. ¿Les gusta la lluvia? Es bueno sentirse seguro y protegido cuando llueve". Comience a relatar la historia mientras tiene el interés de los niños.

El tiempo para relatar la historia debe ser muy corto (de dos a cinco minutos). Conforme los niños vayan madurando, podrán pasar más tiempo escuchando. No todos los niños podrán sentarse quietamente para escuchar la historia, pero sí ayuda tener un lugar especial y cómodo para el relato de la historia. Cada niño debe tener su propio lugar especial donde sentarse. Puede escribir sus nombres en el piso, o proveer un trozo de alfombra cuadrado para cada uno. Si tiene un grupo grande, será mejor dividirlo y asignar a cada adulto que relate la historia a su grupo. Sea dramático e invite a los niños a participar en el relato.

Aplicación a la vida

Muchos niños temen a la lluvia, especialmente cuando hay tormentas. A través de las actividades y la historia de hoy deben aprender que Dios los cuida, aun durante la lluvia. También aprenderán a asociar la lluvia con la bondad y el cuidado de Dios. Finalmente, deben sentirse cómodos al declarar y afirmar, en cada cosa buena que les sucede, que Dios es bueno.

- Dios le dijo a Noé: "Va a llover.
- "Lloverá durante mucho tiempo.
- "Habrá mucha lluvia.
- "Habrá mucha agua.
- "Construye un barco grande y allí estarás seguro.
- "Necesitas meter algunos animales al barco.
- "Mete dos de cada animal en el barco".
- Así que Noé construyó el barco.
- Metió a los animales al barco.
- Él entró al barco.
- Comenzó a llover.
- Llovió.
- Llovió y llovió.
- Llovió durante muchos días.
- Llovió mucho.
- Noé estaba seguro.
- Los animales estaban seguros.
- La familia de Noé estaba segura.
- Dios cuidó de ellos.
- Dios es bueno.
- "Me siento feliz porque Dios me cuida a mí".

Cante: "Cuán bueno es Dios" y permita que los niños canten con usted. Cuando terminen de cantar, vuelva a rociar el agua en el aire para que los niños puedan sentir el rocío y diga: "Me siento feliz porque Dios cuidó a Noé durante la lluvia. Qué bueno es Dios".

Quizá quiera "leer" el libro sobre el arca de Noé que preparó para la tercera unidad (Noé y los animales).

4 Actividades de reforzamiento

Reparta la hoja a cada niño y pregúnteles qué es el dibujo. Recuérdeles que Noé estuvo en un barco grande porque estaba lloviendo y lloviendo. Más de lo que llueve donde vivimos. Dios quería que Noé estuviera a salvo. Pida a los niños que coloreen el barco como quieran. Luego coloreen el cielo y el agua alrededor del arca azul. Finalmente pueden pegar las bolas de algodón en el cielo para representar las suaves nubes. Canten "La lluvia", usando las "varas de lluvia" nuevamente. Pregunte a los niños si tienen miedo a la lluvia. Recuérdeles que Dios los cuidará cuando llueva.

5 Preparación para ir a casa

Si ya se secaron las pinturas de los niños, júntelas con las hojas del alumno, asegurándose de que estén listas para cuando lleguen los padres. Los niños se pueden molestar si no tienen sus dibujos para llevar a casa, así es que rotúlelos con sus nombres. Cuando lleguen los padres, explíqueles que la lección se trató de Noé y pida a los niños que digan a sus padres quién los cuidará cuando llueva. Mientras espera la llegada de los padres, juegue "Diversión con los animales". En este juego los niños lo seguirán para imitar a los animales que subieron al barco de Noé. Pueden andar como un pato, arrastrarse como una víbora, brincar como un conejo, trotar como un caballo, volar como un pájaro, etc. También querrá usar el libro sobre la historia de Noé y el arca, que hizo para la Unidad 3.

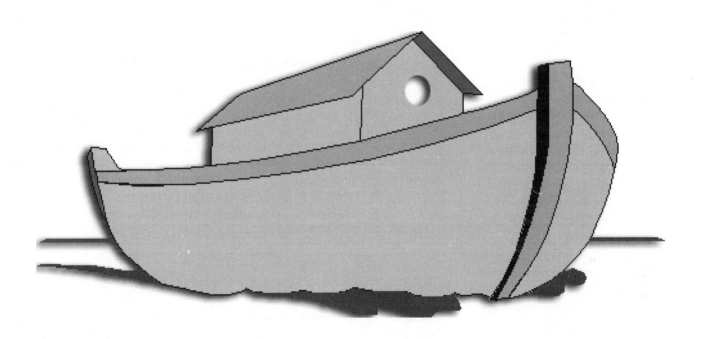

Unidad 5
Ser como
Jesús es
aprender las
historias de
la Biblia

ESTUDIO **20**

2, 3,
años

Jesús y los niños

Objetivo de la unidad:
Que los alumnos conozcan algunas historias de la Biblia.

Objetivo de la lección:
Que los alumnos sepan que Jesús ama a todos los niños.

Versículo clave de la unidad:
"Hagamos bien a todos"
Gálatas 6:10a, (DHH).

Preparación:
- Haga un agujero en el fondo de dos vasos de cartón. Meta un cordón por los agujeros y hágale nudos en las puntas.
- Provea suficientes muñecas para que la mayoría de los niños puedan tener una, ya que los niños de dos años no saben compartir. Si es posible, provea muñecas de diferentes razas y tamaños.
- Provea diferentes tipos de ropa para que todos los niños puedan vestirse y jugar con ella (camisas, vestidos, zapatos, etc.).
- Provea plastilina de dos colores diferentes.
- Recorte una cadena de muñecas de papel (será mejor usar cartulina para que sean más resistentes), todas unidas por las manos.

Preparación espiritual del maestro

Una de mis historias bíblicas favoritas se encuentra en Mateo 19:13-15. Esta es una de la pocas veces cuando Jesús realmente se enojó con sus discípulos. Jesús se interesaba de verdad por estos pequeñitos. Es posible que algunas personas le digan que está desperdiciando su tiempo o talentos enseñando a los pequeños. Creo que Jesús no estaría de acuerdo. Dé gracias a Dios por la hermosa oportunidad que él le ha encomendado, la de enseñar a los pequeñitos. Pídale que lo haga merecedor de tan alto llamamiento. ¡Ore porque pueda tener la actitud de Jesús y no la de los discípulos!

1 Actividades de motivación

Cuando lleguen los niños, salúdelos individualmente con un fuerte abrazo y dándoles la bienvenida al salón. Saque los dos vasos y demúestreles cómo usarlos colocando un vaso en la boca y el otro en el oído del niño. Mantenga el cordón tirante para que el sonido pase por el cordón. Diga algo al niño para que lo pueda escuchar. Luego diga: "¡Alicia, tengo algo importante que decirte! ¿Crees que puedes decirle a Miguel que Jesús lo ama? Creo que le gustaría escucharlo". Anime a Alicia a llevar los vasos a Miguel (con su ayuda) y poner uno en el oído de Miguel mientras habla a través del otro. Querrá tener varios de estos "teléfonos" para que los niños jueguen con ellos. Felicítelos cuando digan "Jesús te ama".

2 Centros de interés

Área del hogar: Mientras los niños juegan con las muñecas, muéstreles cómo abrazar y "dar amor" al bebé. Diga: "Los bebés son diferentes, pero los aman a todos de la misma forma. Yo soy diferente de ustedes, pero Jesús me ama. Canten: "Cristo me ama".

Música: Mientras los niños prueban poniéndose diferente ropa, canten: "Ropa diferente" (núm. 52 del *Cancionero para preescolares 2*) y señale a su ropa y zapatos mientras cantan. Canten el canto nuevamente al final, y que todos se den un abrazo mostrando que todos se aman.

Arte: Dé a cada niño dos porciones de plastilina, pero cada una de color diferente. Asegúrese de decir el nombre del color al dársela. Permita que los niños jueguen libremente. Comente, mientras juegan, cómo los colores son diferentes, pero bonitos. "Dios nos da muchas cosas bonitas. Dios nos ama a todos. Eso hace que me sienta feliz".

3 Enseñanza de la Biblia

Comience una "cadena de amigos" de esta forma: "Soy amigo de (nombre de un niño)". Tome la mano de ese niño y camine alrededor del salón. Tome la mano de otro "amigo" y diga: "Soy amigo de (nombre de ambos niños)". Continúe, escogiendo a más niños y formando una cadena. Cuando todos los amigos se

El tiempo para relatar la historia debe ser muy corto (de dos a cinco minutos). Conforme los niños vayan madurando, podrán pasar más tiempo escuchando. No todos los niños podrán sentarse quietamente para escuchar la historia, pero sí ayuda tener un lugar especial y cómodo para el relato de la historia. Cada niño debe tener su propio lugar especial donde sentarse. Puede escribir sus nombres en el piso, o proveer un trozo de alfombra cuadrado para cada uno. Si tiene un grupo grande, será mejor dividirlo y asignar a cada adulto que relate la historia a su grupo. Sea dramático e invite a los niños a participar en el relato.

Aplicación a la vida

Muchos niños temen a la lluvia, especialmente cuando hay tormentas. A través de las actividades y la historia de hoy deben aprender que Dios los cuida, aun durante la lluvia. También aprenderán a asociar la lluvia con la bondad y el cuidado de Dios. Finalmente, deben sentirse cómodos al declarar y afirmar, en cada cosa buena que les sucede, que Dios es bueno.

hayan sentado juntos, comience a relatar la historia, con la Biblia abierta.
• Un día, muchas mamitas y papitos iban a ver a Jesús.
• Iban caminando para ver a Jesús (pretenda caminar).
• Era un día muy feliz (sonría).
• Iban a ver a Jesús.
• Cuando estaban cerca de Jesús, se pusieron tristes (ponga una cara triste).
• Había tanta gente que no podían ver a Jesús.
• Comenzaron a abrirse paso para ver a Jesús (mueva su cuerpo como si estuviera entre mucha gente)
• Cuando se acercaron, oyeron voces.
• "No se acerquen", dijeron los ayudantes de Jesús (mueva sus manos hacia afuera).
• "Están estorbando. No hay lugar.
• "Jesús está MUY OCUPADO para ver a los niños".
• Las mamitas y los papitos se pusieron muy tristes.
• Los niños estaban tristes.
• Luego Jesús habló. "Quiero ver a los niños, yo amo a los niños'.
• "¡Dejen que se acerquen!".
• Los niños corrieron para sentarse con Jesús.
• Todos los niños. Estaban muy felices.
• Sabían que Jesús los amaba a ELLOS.
• Jesús nos ama a todos.
• Y nos amamos unos a otros.
Muestre a los niños la "cadena de amigos" que recortó para ellos y permítales jugar con los "amigos". Haga una corta oración dando gracias a Jesús por amarnos a todos y ayudarnos a amarnos unos a otros.

Canten "Hagamos una ronda" (núm. 28 del *Cancionero para preescolares 1*) moviéndose en un círculo mientras cantan. Al final del canto siéntese con todos los niños. Repítalo varias veces y comente: "Todos somos amigos y jugamos juntos".

4 Actividades de reforzamiento

Pida a los niños que se sienten y deles la hoja del alumno. Asegúrese de que los niños sepan que son niños. Pídales que busquen el niño que se parezca a ellos. Anímelos a expresar la idea de que Jesús ama a los niños. Luego permítales colorear (recuerde: NO les exija que pinten dentro de las líneas, ya que no está dentro de sus habilidades) a todos los niños que Jesús ama. Cante: "Cristo ama a los niñitos".

5 Preparación para ir a casa

Diga a cada niño este poema, haciéndolo específico para el niño. Toque la cabeza del niño a quien dirige el poema.

Aquí está un(a) niño(a) pequeño(a) cuyo cabello es (negro/castaño/amarillo/rojo),
Y sus ojos son (azules/cafés/amarillo/verdes/negros)
Ahora es pequeño (a),
Pero crecerá hasta ser bastante alto. (a).
(Después de que haya repetido el poema para cada niño, termínelo así)
Cada uno tiene cabello diferente
Sus ojos también son diferentes
Cada uno tiene un nombre diferente.
Pero Jesús los ama a todos de la misma forma.
Cuando termine, pregunte a cada niño: "¿Te ama Jesús? ¿Amas a (nombre del niño sentado a su lado)? Todos nos amamos unos a otros. Vamos a darnos un abrazo". Deje que se abracen uno a otro y anímelos a dar un fuerte abrazo a sus padres cuando lleguen. Pregunte a los padres si los niños tienen algún tipo de alergia, porque la semana próxima les servirá pan y pescado.

138

Pan y peces

Objetivo de la unidad:
Que los alumnos conozcan algunas historias de la Biblia.

Objetivo de la lección:
Que los alumnos sepan que pueden compartir con otros.

Versículo clave de la unidad:
"Hagamos bien a todos".
Gálatas 6:10a, (DHH).

Preparación:

• Recorte figuras de comida y colóquelas alrededor del salón, Provea algunos canastos que los niños puedan cargar y donde puedan colocar la comida.

• Dibuje el contorno de un pez y haga copias para cada niño. Coloque pintura espesa (no tóxica) de color amarillo o marrón (café) en recipientes poco profundos. Provea delantales o bolsas de plástico para la basura para proteger su ropa.

• Arregle un área donde puedan jugar con arena. Provea cubetas, palas y vasos de plástico.

• Provea pedazos pequeños de pan (o galletas saladas) y algún tipo de pescado (lo que pueda conseguir en su región). Si tiene niños con alergias a esta comida, debe proveerles otra clase de alimentos.

• Tenga listas bolsas pequeñas con cinco piezas de pan y dos peces cortados de papel, para cada niño, y un canasto grande.

• Haga copias de la hoja del alumno. Recorte pedazos de esponja (uno para cada niño). Sujete la esponja a un broche para tender la ropa. Provea pintura en recipientes poco profundos.

Preparación espiritual del maestro

Ponga atención especial a las últimas palabras de Juan 6:1-12, conforme lee el pasaje completo. "Recojan los pedazos sobrantes, para que no se desperdicie nada". El Señor de todo, dueño del universo no quería que nada se desperdiciara. ¿Malgasta usted su tiempo? En lugar de orar por sus alumnos, ¿se encuentra usando su tiempo haciendo otras cosas? ¿Desperdicia el tiempo de los niños en el aula porque no proveyó actividades estimulantes y bien preparadas para ellos? Si Jesús se preocupó por el buen uso del pan y los peces, cuanto más por un recurso valioso como el tiempo. Sea un buen mayordomo de las 24 horas al día que Dios le dio y úselo sabiamente. Invierta tiempo valioso en el estudio de la Palabra, en conversación con Dios y en enriquecer su enseñanza de los pequeños.

1 Actividades de motivación

Asegúrese de hablar con los padres hoy, recordándoles que servirá algo de pan y pescado y asegurándose de que ningún niño tiene alergias. Después de saludar a los niños por nombre y hablar con ellos acerca de su semana y decirles lo feliz que se siente de que hayan venido hoy, muéstreles el canasto y dígales que trataremos de llenarlo con alimentos que encontremos en el salón. Señale algunos de los lugares donde está escondida la comida y permítales que la recojan y la pongan en el canasto. Una vez que hayan recogido la comida, deje que los niños la saquen, la coloquen alrededor del salón y la vuelvan a recoger. Mientras juegan que están recogiendo la comida, dígales que hoy les va a contar acerca de un niñito que compartió su comida que llevaba en un canasto.

2 Centros de interés

Naturaleza (mesa de arena): Mientras los niños juegan con las cubetas y palitas, hábleles acerca de compartir sus juguetes. Los niños de dos años todavía no saben cómo compartir, pero puede elogiar a cualquier niño que sí comparte y usar esta oportunidad para animarlos a cooperar. Permítales jugar con la arena mientras dice: "Estamos compartiendo".
Arte: Dígales a los niños que este es un pez. Explíqueles que a algunas personas les gusta comer pescado. Déjelos que les pinten escamas metiendo el pulgar en la pintura y presionándolo al papel. Mientras terminan sus dibujos, dígales que un día mucha gente tuvo bastante pescado para comer porque un niñito compartió su peces.
Área del hogar: Pida a los niños que le ayuden a arreglar la mesa y luego sirva la comida de pan y pescado, con agua. Antes de comer, guíe a los niños a dar gracias a Jesús por la comida. Diga a los niños: "Hoy van a escuchar una historia acerca del pan y el pez. Estamos compartiendo el pan y los peces, así como en la historia".

3 Enseñanza de la Biblia

Cante: "Hagamos una ronda" (núm. 28 del *Cancionero para preescolares 1*) moviéndose en un círculo mientras cantan. Al finalizar el canto, siéntese con los niños. Comience a relatar la historia con su Biblia abierta en Juan 6.
• Había tanta gente.
• Escuchaban a Jesús.
• Les gustaba escuchar.

A los niños les gusta mucho jugar con la arena, pues desafía sus sentidos. Es importante usar arena limpia que no tenga parásitos. Además, debe hablar con los niños acerca de la regla: "No tirar la arena". Jugar con arena causará que el área se ensucie, pero si se prepara teniendo una escoba a la mano y plástico alrededor de la caja de arena, no habrá problemas mayores. Cuanto más variedad de juguetes para la arena provea, mejor. Deben ser juguetes para escarbar resistentes, como cucharas grandes, palas pequeñas, pedazos pequeños de manguera, vasos y embudos.

Aplicación a la vida
No siempre tendrá éxito en guiar a este grupo de edad a compartir, pero por lo menos los niños pueden comenzar a ver que otras personas comparten, y pueden aprender el valor de compartir, algo que pueden imitar. Además, se deben sentir bien cada vez que comparten con otros.

• Pero ahora tenían hambre.
• No había suficiente comida para todos.
• Los niños tenían hambre.
• Las mamitas y los papitos tenían hambre.
• Los ayudantes de Jesús buscaron por todos lados.
• "¿Qué podemos hacer?
• "No tenemos dinero para comprar comida.
• "Nadie trae comida.
• "Todos tienen hambre".
• Les crujía el estómago.
• Luego se levantó un niñito.
• Tengo unos panes.
• Tengo unos peces.
• Jesús tomó los panes.
• Jesús tomó los peces.
• "Gracias, Dios, por estos panes y estos peces".
• Jesús dividió el pan y los peces.
• Había suficiente para todos.
• ¡Humm! ¡Qué rico! La comida está deliciosa.
• Todos estaban contentos.
• Especialmente el niñito.
• Compartió y todos tuvieron suficiente para comer.
• Es bueno compartir con otros.

Distribuya los canastos pequeños (o las bolsas de papel) que contienen cinco panes y dos peces a los niños. Pregúnteles si "compartirán" su pan y peces poniéndolos en el canasto grande que está al frente. No critique a los niños que no quieran compartir, pero elogie a los que sí lo hagan. Diga: "Miren cuántos panes y peces tenemos. Igual que en la historia. El niñito compartió y hubo bastante para todos. Qué bueno que ustedes compartieron. ¡Hagámoslo nuevamente!". Llene las bolsas otra vez y repita el juego.

Pregunte a los niños si recuerdan lo que el pequeño niño compartió para que todos tuvieran comida. Luego muéstreles la hoja

4 Actividades de reforzamiento

del alumno y pregúnteles lo que es. Enséñeles cómo mojar la esponja en la pintura y hacer impresiones con la esponja en el dibujo del pan. Póngales a los niños ropa que les proteja la suya y luego distribuya las hojas, permitiendo que los niños pinten con la esponja. Mientras trabajan, elogie cualquier esfuerzo que hagan para tomar turnos o compartir, diciendo: "¡Qué bien, Roberto, estás compartiendo así como lo hizo el niñito de la historia! Podemos compartir con otros. La Biblia dice: 'Hagamos bien a todos'. ¿Pueden decirlo conmigo?".

5 Preparación para ir a casa

Coloque los recortes de pan y peces en una bolsa grande. Diga a los niños que intentarán sacar un pedazo de pan o un pez de la bolsa. Antes de meter la mano, pregúnteles si quieren pan o un pez. Luego déjelos meter la mano sin poder ver hacia adentro, y sacar una de las figuras. Cuando saquen la figura haga el comentario apropiado: "¡Tenías razón! Sí es un pan. El niñito de la historia compartió su pan. Espero que tú compartas tus juguetes esta semana"; o "¡Oh! Es un pez y tú pensabas que sería un pan. Está bien. El niñito compartió su panes y peces con los demás. Tú también puedes compartir". Puede repetir este juego mientras esperan la llegada de los padres. Si el tiempo lo permite, permítales jugar en la mesa de arena. Cuando lleguen los padres, déles la hoja del alumno y los otros proyectos que hicieron, y dígales que estudiaron el concepto de compartir.

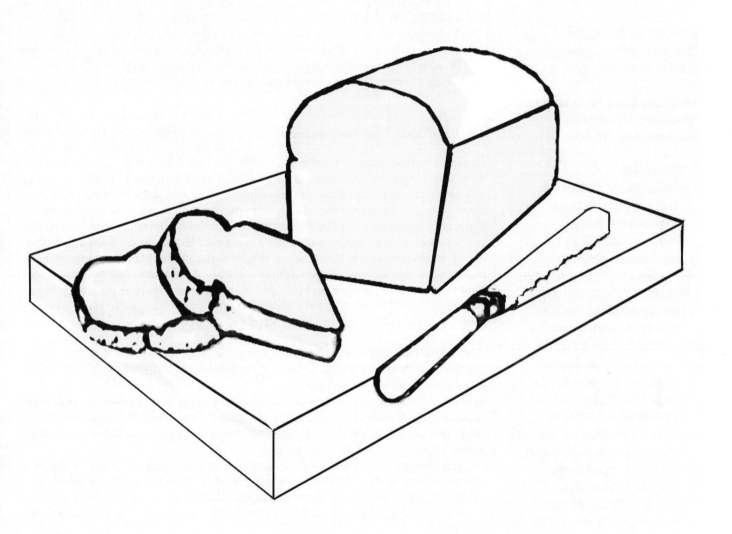

Unidad 5
Ser como
Jesús es
aprender las
historias de
la Biblia

ESTUDIO 22

2, 3
años

David y Jonatán

Objetivo de la unidad:
Que los alumnos conozcan algunas historias de la Biblia.

Objetivo de la lección:
Que los alumnos sepan que pueden tener amigos.

Versículo clave de la unidad:
"Hagamos bien a todos".
Gálatas 6:10a, (DHH).

Preparación:
- Provea solución para soplar burbujas y una varita con que soplar las burbujas.
- Pegue tres monedas y un cordón a una cartulina. Prepare varias, asegurándose de que no puedan desprender las monedas. Las monedas forman los ojos y la nariz, y el cordón forma la cara y sonrisa. Provea hojas de papel blanco y crayones grandes.
- Tenga lista una jarra con un poco de agua y vasos de cartón, o use otros juguetes, como platos, tazas y plastilina (comida de juguete) para practicar servir a otros.
- Provea cartoncillo delgado y bloques de plástico o cubos de plástico para que los niños apilen.
- Tenga una bolsa llena de frijoles que los niños de esta edad puedan arrojar.

Preparación espiritual del maestro
Mientras lee la maravillosa historia de la amistad de David y Jonatán en 1 Samuel 18:1-4; 20:35-43, piense en sus amistades. Yo me he mudado varias veces en mi vida, así que sé cómo se siente perder amigos queridos y comenzar de nuevo. Sin embargo, ¡no aceptaría nada en lugar de mis amigos esparcidos por todo el mundo! Son muy queridos para mí. Dé gracias a Dios por sus amigos. ¿Tiene un amigo con quien orar? Si no, hoy mismo pida a alguien que lo sea. Hay poder en la oración entre amigos. Pida a su compañero de oración que ore por su habilidad de enseñar a los niños.

1 Actividades de motivación
Asegúrese de que todo esté en su lugar, el salón limpio, en orden y organizado para recibir a los niños.
Conforme vayan llegando, debe estar libre para recibirlos y decirles lo maravilloso que es que hayan venido para estar con otros amigos. Dígales que harán muchas cosas divertidas junto con sus amigos. Saque la solución para hacer burbujas y enséñeles cómo hacerlo. Luego pregúnteles si ellos lo pueden hacer. Permítales soplar (dígales que lo hagan suavemente) las burbujas, tomando turnos con los otros niños. Generalmente los niños se divierten mucho haciendo burbujas. Mientras juegan con las burbujas, elógielos porque se están divirtiendo y también porque juegan juntos como amigos. Diga: "¡Qué bueno que podemos estar juntos con nuestros amigos en el templo. Estoy contenta porque mi amiga *Marta* está aquí hoy". Canten: "Si estás alegre" (núm. 3 del *Cancionero para preescolares 2*), haciendo los movimientos. Repita el canto.

Arte: Dé a cada niño una hoja de papel y un crayón. Permita a los niños tomar turnos y colocar su

2 Centros de interés
hoja de papel sobre los objetos en la cartulina y rayar suavemente con el crayón hasta que aparezcan los contornos y las texturas en el papel. Pregunte: "¿Qué ven? Ven caras felices. Así es como se ven los amigos cuando están juntos. Sonríen mucho. Es bueno tener amigos".
Área del hogar: Anime a los niños a arreglar la mesa para la "fiesta" y luego a servirse el uno al otro. Mientras juegan, hábleles: "¡Están jugando juntos como amigos! ¡Qué bueno que se están ayudando! Puedo ver que son buenos amigos. Los amigos se ayudan unos a otros. Los amigos juegan juntos. Los amigos se divierten".
Bloques: Pida a los niños que le ayuden a construir una torre muy alta. Muestre a los niños cómo apilar los bloques, uno arriba del otro. Anime a varios niños a participar. Si se cae, ríanse y comiencen de nuevo. Mientras los niños trabajan, elógielos porque están jugando juntos como buenos amigos, diciéndoles que los amigos se divierten juntos.

3 Enseñanza de la Biblia
Junto con otro maestro, pretendan que uno de los dos está llorando. Luego comience a cantar: "No llores" (núm. 9 del *Cancionero para preescolares 2*) y el otro maestro deja de llorar. Anime a los niños a cantar con usted cuando lo repita. Después de que los niños estén juntos, comience a relatar la historia.
- David era una persona muy buena.

En el centro de interés de bloques puede usar cualquier cosa que se pueda apilar. Pueden ser de espuma, cartón o plástico. No use los bloques grandes de madera todavía, porque a esta edad pueden ser peligrosos. Los bloques pueden ser caseros. Deben ser aptos para los pequeños, de formas geométricas y livianas, no deben tener orillas filosas. Añada accesorios como cajas, carretas, carritos, gente, etc. para hacer el centro más atractivo. Es importante separar el área del bloque y no permitir que los bloques salgan de esa área. Puede lograrlo dibujando una línea alrededor del área donde los bloques deben permanecer.

Aplicación a la vida

Aunque los niños de esta edad no han aprendido a jugar bien juntos (tienden a jugar solos), sí les gusta estar con otros niños. Por lo tanto, a través de las actividades y la conversación se puede aplicar la verdad que es bueno tener amigos y que es bueno ser un amigo. Además, deben comenzar a sentir que los otros niños en la clase son sus amigos. Cuando escuchan la palabra amigos deben sentirse felices y pensar: "Tengo amigos".

• Un día fue a la casa de Jonatán para visitar al padre de Jonatán.
• Vio a Jonatán.
• Jonatán vio a David.
• Jonatán dijo: "¿Quieres ser mi amigo?".
• David contestó: "Seré tu amigo".
• Después, David y Jonatán hicieron muchas cosas juntos.
• A los amigos les gusta estar juntos.
• Compartieron muchas cosas.
• Jonatán tenía muchas cosas.
• Le dio a David algunas de sus cosas.
• Los amigos comparten las cosas.
• Cuando David tuvo un problema, Jonatán lo ayudó.
• Los amigos se ayudan unos a otros.
• Cuando David estaba triste, Jonatán lo hizo feliz.
• Los amigos se hacen felices unos a otros.
• A Jonatán y a David les gustaba estar juntos.
• David tuvo que salir de la casa de Jonatán.
• Le dio un abrazo fuerte.
• Es bonito cuando los amigos se abrazan.
• Muestran que son amigos cuando se abrazan.
• Me alegro de que David y Jonatán eran amigos.
• También me alegro porque soy tu amigo.

Pida a los niños que se formen en círculo y enlacen los brazos. Diga: "Dios quiere que nos amemos unos a otros y seamos amigos. Cada uno de ustedes es especial, y eres un amigo especial. Ahora oremos. Dios, ayúdanos a ser buenos amigos. Amén".

Guíe a los niños en esta "rima infantil" (aunque no rima), repitiendo hasta que puedan hacer los movimientos.

4 Actividades de reforzamiento

Tú tomas tu turno cuando jugamos (señale a un niño).
Luego es mi turno para jugar (señálese a sí mismo).
¡Qué divertido es jugar! (de una vuelta).
Tomo mi turno (señálese a sí mismo).
Tú tomas tu turno (señale a un niño).
Somos amigos cuando jugamos (abrácese usted mismo y luego extienda sus brazos como si estuviera abrazando a alguien más).

Ahora distribuya la hoja del alumno y pida a los niños que se fijen si los niños en la figura son amigos o no. Deben reconocer que realmente sí son amigos. Pregúnteles si pueden hacer la misma cosa que los niños en el cuadro están haciendo. Guíelos a cantar: "Hagamos una ronda" (núm. 28 del *Cancionero para preescolares 1*). Después, pueden colorear la figura para que se lo lleven a casa y se acuerden que son amigos.

5 Preparación para ir a casa

Pida a los niños que se sienten en un círculo. Dé a un niño una bolsa llena de frijoles (porotos) y pídale que diga su nombre antes de decir "es un amigo". El niño entonces arrojará la bolsa de frijoles a otro niño en el círculo quien dice su nombre antes de decir "es un amigo", y así sucesivamente. Por ejemplo, si *Ramón* recibe la bolsa de frijoles primero dice: "Ramón es un amigo" y la arroja a Juanita quien dice "Juanita es una amiga" antes de arrojarla a alguien más. Después del juego diga: "Qué bueno que todos somos amigos. Dios se siente feliz cuando todos somos buenos amigos. Pregunte a los niños: ¿Quién es tu amigo? y deles tiempo para que respondan. Cuando los padres lleguen a recogerlos, guíe a los niños a decir a sus padres: "Soy un amigo".

Unidad 6
Ser como
Jesús es
conocerle
mejor

ESTUDIO **23**

2, 3
años

Jesús fue un bebé especial

Objetivo de la unidad:
Que los alumnos comprendan que Jesús es una persona muy especial.

Objetivo de la lección:
Que los alumnos sepan que Jesús fue un bebé como cualquier otro.

Versículo clave de la unidad:
"Ustedes son mis amigos". Juan15:14a, (DHH).

Preparación:
• Corte lápices o varillas de diferentes tamaños. Dibuje el patrón de una escalera, trazando el largo de estos lápices en una cartulina, comenzando con el más corto y terminando con el más largo.
• En el área del hogar, coloque varias muñecas, una cuna (puede usar una caja), cobijas para bebé, ropa de bebé, una tina para bebé y biberones. Pregunte a los padres si tienen biberones viejos que le puedan regalar.
• Coloque pintura diluida en recipientes poco profundos. Provea camisas o blusas para proteger la ropa de los niños.
• Si es posible, hable con los padres con tiempo para que traigan una foto de su hijo cuando era bebé. Si no es posible, pida a alguna persona que tiene niños que le preste un álbum de fotos de uno de sus bebés.
• Provea pegamento, recipientes pequeños, trozos pequeños de cordón y copias de la hoja del alumno.

Preparación espiritual del maestro

Con mucha frecuencia damos énfasis a la divinidad de Jesús y olvidamos que fue completamente humano. De modo que, al leer la historia del nacimiento de Jesús en Lucas 2:6-20, busque los detalles de todo lo que le sucedió. Piense acerca de todo lo que pasó para que él pudiera nacer. Recuerde entonces, que cualquier cosa que le suceda y que experimente, él lo comprende. Él fue un hombre. Hebreos 2:18 nos recuerda: "Pues en cuanto él mismo padeció siendo tentado, es poderoso para socorrer a los que son tentados". Hasta comprende cuando se siente cansado de enseñar a los niños o pierde la paciencia con ellos. Preséntele sus inquietudes acerca de enseñar a los niños. Él comprenderá.

1 Actividades de motivación

Todo debe estar listo para la llegada de los niños. Cuando lleguen, cante: "Bienvenidos sean todos" (núm. 21 del *Cancionero para preescolares 2*), asegurándose de usar los nombres de los niños y los adultos que estén presentes. Después de darles la bienvenida, tome en sus brazos una de las muñecas y pretenda consolarla, como si hubiera estado llorando. Comience a arrullarla con un canto. Cuando la bebé se duerma, pida a los niños que la tomen y quietamente pongan a la bebé en la cuna. Hable suavemente y explique que hoy estarán pensando en los bebés, especialmente en un bebé muy especial que se llamaba Jesús. Muestre a los niños las diversas actividades en el salón y anímelos a participar en una de ellas. No olvide preguntar a los padres si trajeron la foto de su niño cuando era un bebé.

Rompecabezas/Juegos: Permita a los niños jugar con las varillas (lápices) y muéstreles cómo unos son más largos que otros. Muéstreles el patrón de la escalera y enséñeles cómo ponerlos en orden desde el más corto hasta el más largo. Permita que los niños intenten hacerlo. ¡Algunos son pequeños como los bebés y otros son grandes como tú!

2 Centros de interés

Área del hogar: Mientras los niños examinan los artículos del bebé, pregúnteles si saben cómo cuidarlo. Anímelos a usar los materiales para dar al bebé un baño, darle de comer, llevarlo a pasear. Hable de lo importante que es cuidar bien a los bebés porque son tan pequeños.
Arte: Después de ponerles delantales a los niños para proteger su ropa. Muéstreles cómo meter los biberones y las tapaderas en la pintura y usarlos para hacer ruedas en el papel. Hábleles acerca de cómo los bebés tienen que usar los biberones porque todavía no saben cómo tomar de un vaso. Hable del cuidado especial que se debe dar a los bebés. Diga: "Jesús fue un bebé".

3 Enseñanza de la Biblia

Abra un álbum de fotos y diga: "Veamos las fotos de los bebés". A los niños de esta edad les fascinan las fotos de bebés. Siéntese en el piso y vean juntos las fotos. Hable acerca de lo

El aprendizaje es un proceso. Para la actividad con los lápices (usando los lápices de diversos tamaños), necesitará reforzar la técnica animándolos a usar las palabras apropiadas para describir los lápices (corto, más corto, largo, más largo). Es posible que los niños necesiten ayuda para identificar la diferencia de tamaños colocándolos lado a lado verticalmente en lugar de colocarlos horizontalmente sobre la mesa. Esta es una técnica importante que deben dominar, pero debe ser tolerante con sus errores mientras aprenden. Ofrezca ayuda haciendo preguntas. Elógielos cuando escojan correctamente. Cuando se equivoquen, señale el tamaño correcto y sugiera que pruebe ese. Debe ayudarlos para que comiencen con el más corto hasta llegar al más largo. También puede señalar otros objetos que sean largos y cortos.

Aplicación a la vida

Conforme los niños observan cuadros de bebés y escuchen la frase "Jesús fue un bebé" vez tras vez, deben comenzar a darse cuenta de que Jesús fue un bebé, que los padres de Jesús lo cuidaron así como lo hace cualquier padre y deben comenzar a identificarse con Jesús.

que los bebés están haciendo y cómo los niños crecen. Querrá dar énfasis a cómo los padres cuidan a un bebé, pues es tan pequeño y necesita mucho cuidado. Diga: "Jesús necesitaba a alguien que lo cuidara".

• Jesús nació en un día muy especial.
• Tenía una mamá.
• Se llamaba María.
• Tenía un papá.
• Se llamaba José.
• María y Jesús amaban mucho a Jesús.
• Cuando Jesús nació, lo cuidaron mucho.
• Después de que nació, vinieron algunas personas para visitarlo.
• Vieron que era un bebé que lloraba.
• Era un bebé que necesitaba a su mamá para que le diera su comida.
• Necesitaba a su papá para que lo cuidara.
• Las personas que fueron a visitar a Jesús se alegraron porque había nacido.
• Cantaron.
• "Gracias, Dios, porque Jesús nació". (Cante esta frase inventando una tonada).
• Se lo contaron a otras personas.
• Jesús nació.
• Jesús era un bebé.
• Dormía en su cama.
• Su mamá lo envolvió en una cobija calentita.
• Me alegro mucho porque Jesús nació.

Diga: "Escucharon una historia muy alegre, ¿verdad? Cantemos acerca de que Jesús nació. Conozco un canto que podemos cantar". Guíelos a cantar "Contento estoy" (núm. 26 del *Cancionero para preescolares 2*). Diga: "Jesús nació como bebé, así como ustedes eran bebés".

Diga: "Me alegro de que Jesús fue un bebé así como yo lo fui un día". Muestre una figura de un bebé y de un adulto y pregúnteles cuál es el bebé. Recuérdeles que ellos también fueron bebés.

4 Actividades de reforzamiento

Entrégueles las hojas del alumno y pregúnteles qué le está sucediendo al bebé del cuadro. Dígales que es una figura de Jesús. Póngales las blusas y camisas para proteger su ropa. Coloque pegamento no tóxico en un recipiente pequeño, diluyendo el pegamento (dos partes de pegamento/una parte de agua) y revolviendo la mezcla. Muestre a los niños cómo mojar el estambre (lana) en el pegamento y luego colocarlo en el cuadro a fin de decorar el cuadro de Jesús cuando era bebé. Mientras trabajan, hable de lo bien que están colocando el estambre, acerca de los colores y lo bien que están trabajando para que el cuadro de Jesús cuando era un bebé quede bonito. Cante con ellos: "Contento estoy".

5 Preparación para ir a casa

Ayude a los niños a juntar sus pertenencias, su trabajo de arte y otros materiales para evitar la confusión cuando lleguen sus padres. Después de que todo esté listo, permítales jugar libremente, quizá repitiendo una o dos de las actividades.

Ya que los niños nunca parecen cansarse de ver fotos de ellos mismos, siéntese con ellos y vean juntos las fotos de cuando eran bebés. Aproveche este tiempo quieto para hablar con ellos. Escuche lo que tengan que decir y conteste sus preguntas. Si no quieren conversar o apenas están aprendiendo a hablar, puede hacer preguntas sencillas relacionadas con las fotos. Mientras conversa, repase la historia bíblica y recuérdeles que Jesús fue un bebé así como lo fueron ellos.

Unidad 6
Ser como
Jesús es
conocerle
mejor

ESTUDIO **24**

2, 3
años

Jesús crecía

Objetivo de la unidad:
Que los alumnos comprendan que Jesús es una persona muy especial.

Objetivo de la lección:
Que los alumnos sepan que están creciendo, así como creció Jesús.

Versículo clave de la unidad:
"Ustedes son mis amigos".
Juan15:14a, (DHH).

Preparación:
• Tenga lista una cinta de medir o una regla. Tenga una báscula, para pesar a los niños. Coloque un pedazo grande de papel (puede ser un periódico) en la pared, donde pueda marcar la altura y el peso de cada niño.
• Dibuje el contorno de un niño y una niña, más o menos de 15 cm. de alto. Recorte las figuras, pero no muy cerca del borde. Doble las figuras recortadas en el centro para que parezca que crecen o se hacen más chicas al doblarlas y desdoblarlas.
• Provea ropa que puedan usar para jugar, que incluya ropa de bebé que sea demasiada pequeña para sus niños.
• Use las figuras de bebés y las fotos de niños mayores en las Ayudas Didácticas.
• Provea dos cajas para separar las fotos.
• Invite a una madre que tenga un bebé para que venga y lo muestre, y hable de las diferencias entre el bebé y los niños de dos o tres años.
• Asegúrese de hacer copias de la hoja del alumno y proveer crayones o colores de agua para que los niños los usen para pintar la hoja.

Preparación espiritual del maestro
Probablemente conozca los versículos de Lucas 2:39, 40, 51, 52 de memoria, habiéndolos aprendido desde niño. Estamos dando énfasis al aspecto del crecimiento físico e intelectual en la lección, ya que los niños pueden relacionarse con eso. En su caso, sin embargo, debe notar que Jesús también crecía en sabiduría. Es un proceso natural crecer físicamente. El crecimiento mental también acontece con un esfuerzo mínimo. El crecimiento espiritual es otro asunto. Debe haber una inversión de energía y de tiempo. Para guiar a los niños en el crecimiento espiritual, usted también debe crecer. Para crecer necesita leer la Palabra de Dios, hablar con el Señor y adorar con otros cristianos. ¿Se podría decir lo mismo de usted como se dijo de Jesús?

1 Actividades de motivación

Al llegar los niños, diga a cada uno: "¡Vaya, cómo estás creciendo! Te voy a medir para ver qué tan grande eres. Creo que estás creciendo. Ven para acá y hagamos una marca en el papel para ver qué tan alto eres". Dibuje la marca y ponga el nombre del niño al lado de ella. Mida la altura del niño y si tiene una báscula, péselo. Escriba las cifras al lado del nombre. Cuando vea los resultados, dígale al niño qué tan grande está y que ciertamente ha crecido. Felicítelo por su crecimiento, así como creció Jesús. Dígales que participarán en muchas actividades divertidas, relacionadas con el crecimiento. Muéstreles las diversas actividades y guíelos a participar en una de ellas.

2 Centros de interés

Arte: Dibuje una silueta del cuerpo de cada niño en un papel grande y permita que la coloreen. Cuando hayan terminado coloque el dibujo en la pared. Comente: "¡Vaya, cómo has crecido! Eres TAN grande ahora. Me alegro de que estés creciendo así como creció Jesús. Él era un bebé, pero creció hasta ser un niño grande, así como tú".

Área del hogar: Muéstreles la ropa de bebé que trajo y pídales que se la prueben. Mientras lo hacen, diga: "¡Qué va, esta ropa te queda muy chica! Tú estás muy grande. Ya no eres un bebé. Probemos la ropa en la muñeca. A ella sí le quedará. Ella es pequeña. No ha crecido como tú".

Rompecabezas/Juegos: Vean juntos las figuras y converse acerca de las figuras de los bebés, diciendo que los bebés son muy pequeños. Luego fíjense en figuras de niños y hable de lo mucho que esos niños han crecido. Sugiera a los niños que pongan las figuras de los bebés en una caja y las de los niños mayores en la otra. Diga: "Ustedes están creciendo también, ¡así como creció Jesús!".

3 Enseñanza de la Biblia

Jueguen a "Soy muy pequeño, soy muy alto". Párese de puntillas y cante en una voz aguda "Soy muy alto". Luego póngase en cuclillas y cante en una tono muy bajo "Soy muy pequeño". Repita varias veces con los niños. Luego pídales que cierren los ojos y cante "Adivinen qué soy ahora" (debe hablar en voz aguda si es alto o en tono bajo si es pequeño). Es posible que los niños no puedan adivinar, pero repítalo

La dramatización, o usar muñecas, ropa para jugar, teléfonos, artículos de casa, y otras cosas con las que el niño está familiarizado ayudan al niño a demostrar lo que está sintiendo y sucediendo a su alrededor. Provea suficientes accesorios para ayudar al niño a hacerlo, pues un niño que no puede demostrar y expresar lo que está sintiendo es un niño que puede llegar a estar confuso y enojado. Los niños disfrutarán cuando usted, como maestro, se una a ellos en sus juegos, les dé ideas o tome parte en su juego imaginario.

Aplicación a la vida

Usted y los niños deben entusiasmarse cuando perciban que están creciendo. Cuando ellos se den cuenta de que están creciendo, deben sentir gratitud porque Dios les ha ayudado a crecer. Además, cada vez que la ropa les quede chica o hayan aprendido a hacer una tarea nueva, deben recordar que eso significa que Dios les está ayudando a crecer. Eso, a su vez, debe ayudarlos a relacionarse con el lado humano de Jesús que creció así como ellos están creciendo.

varias veces (dejando que los niños hagan los movimientos con usted) hasta que comprendan el concepto de pequeño y alto. Enseguida dígales que todos van a ser muy pequeños porque se sentarán. Cuando todos estén sentados, relate la historia bíblica.

• Jesús fue un niño pequeño, así como tú, Rafael (*nombre de uno de los niños*). •
• Después de que nació, era muy chiquito.
• Luego Jesús comenzó a crecer.
• Aprendió a caminar.
• Aprendió a hablar.
• Le gustaba jugar con sus juguetes.
• Le gustaba ayudar a su papá cuando trabajaba con la madera.
• Se hizo amigo de otros niños.
• Comía su comida todos los días.
• Creció más.
• Se puso más fuerte.
• Podía hacer muchas cosas.
• Escuchaba a su mamá y a su papá.
• Obedecía a sus padres.
• Tenía muchos amigos.
• Todos querían a Jesús.
• Era muy amable.
• Aprendió a hacer muchas cosas.
• Dios lo ayudó a crecer.
• Dios lo ayudó a aprender muchas cosas.
• Dios lo ayudó a ser un niño amable.
• Dios ayudó a Jesús.
• ¡A ti también te ayudará a crecer!

Después de la historia bíblica enseñe a los niños el canto "Voy creciendo" (núm. 24 del *Cancionero para preescolares 1*), usando los movimientos sugeridos. Cante solamente la primera estrofa del canto. Pregunte: "¿Están creciendo?". Guíelos a contestar a una sola voz: "Sí, estoy creciendo".

Pregunte a los niños sin son bebés. Probablemente digan ¡no! Dígales que están creciendo y que ya no son bebés. Si con-

4 Actividades de reforzamiento

siguió que una madre trajera a su bebé, puede enseñarles al bebé y decirles todas las cosas que ellos pueden hacer que el bebé no puede. (Como caminar, hablar, subirse a los muebles, comer y vestirse solo). Deje que los niños vean al bebé y luego recuérdeles que ellos también eran bebés, pero que ya han crecido. Guíelos a darle gracias a la mamita y al bebé por haber visitado la clase. Dele a los niños la hoja del alumno y pídales que señalen el dibujo que más se parece a ellos. Converse acerca del bebé y luego comente cómo el niño ha crecido tan alto. Permita que los niños pinten la parte de la figura que se parece a ellos.

5 Preparación para ir a casa

Asegúrese de que los trabajos de arte de los niños, al igual que sus pertenencias, estén listos para que se los lleven a casa y no haya confusión o lágrimas en la puerta. Mientras espera la llegada de los padres, repita el juego "Soy muy alto, soy muy pequeño", o cante "Jesús crecía" (núm. 41 del *Cancionero para preescolares 1*). Guíe a los niños a contar a sus padres que están creciendo tal como creció Jesús, repitiendo la frase "Estoy creciendo tal como creció Jesús". Puede lograrlo preguntando: "¿Qué le van a decir a mamá y papá que aprendieron hoy? ¿Quién está creciendo? Sí, tú estás creciendo. Estás creciendo tal como creció Jesús. Repitamos esa frase". Cuando lleguen los padres, pida al niño que le diga a sus padres lo que aprendió hoy. Quizá tenga que ayudarlos comenzando la frase.

Unidad 6
Ser como
Jesús es
conocerle
mejor

ESTUDIO **25**

2, 3
años

Jesús ayudó a la gente

Objetivo de la unidad:
Que los alumnos comprendan que Jesús es una persona muy especial.

Objetivo de la lección:
Que los alumnos sepan que Jesús ayudó a otras personas.

Versículo clave de la unidad:
"Ustedes son mis amigos". Juan15:14a, (DHH).

Preparación:
• Prepare láminas de personas ayudando que los niños puedan colgar en la pared, para decorar el salón. Use cinta adhesiva al dorso de las láminas.

• Cubra una mesa con papel de cera, sujeto con cinta adhesiva. Prepare pintura espesa para usar con los dedos. Coloque una cantidad de pintura en medio. Cubra la pintura con plástico y sujete las orillas con cinta adhesiva.

• Antes de la sesión pegue cada figura de gente ayudando a una cartulina (ver Ayudas Didácticas). Recorte ventanas grandes en otra cartulina del mismo tamaño. Cubra las láminas con las ventanas de cartulina, de modo que solo se vea parte de la lámina.

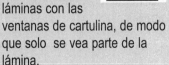

• Provea escobas, trapeadores y recogedores, trapos para limpiar, botellas vacías (limpias y de plástico) de solución para limpiar para el área del hogar.

• Haga copias de la hoja del alumno y provee crayones grandes para que la pinten.

Preparación espiritual del maestro
En los dos cortos versículos de Lucas 4:38 y 39 vemos dos ejemplos perfectos de un servicio abnegado. El mundo nos hace creer que nos hemos de satisfacer a nosotros mismos, preocuparnos por nuestras necesidades y, si hay tiempo o dinero extra, podemos ayudar a otros. No fue el caso con Jesús. Tan cansado como estaba después de haber predicado, aún así fue a la casa de Pedro para curar a su suegra. También la suegra de Pedro, apenas se recuperó de la alta fiebre que tenía, inmediatamente se puso a servir a otros. ¿Está usted tan preparado para servir a otros? Pídale a Dios que le dé un corazón que esté dispuesto a servir.

1 Actividades de motivación

Conforme lleguen los niños, salúdelos y asegúrese de elogiarlos por algún detalle (preferiblemente por algo que el mismo niño puede controlar, como el sonreír felizmente, caminar tan rápidamente, o entrar al salón con entusiasmo). Conforme vayan llegando, dígales que necesita ayuda para arreglar el salón, explicando que tiene unos cuadros que necesita colocar en la pared. Enséñeles los cuadros y permita que escojan uno que les guste. Muéstreles cómo colocar el cuadro en la pared. Permita a cada niño escoger un lugar donde colocar el cuadro y luego guíelo a pegarlo dándole unas palmaditas. Cuando haya terminado, asegúrese de elogiarlo diciendo: "¡Qué buen trabajo hiciste con tus manos para ayudarme a decorar el salón! Gracias por tu ayuda. Eres un buen ayudante".

Arte: Anime a los niños a mover la pintura con las manos. Cuando hayan terminado, quite el plástico y

2 Centros de interés

ayude a los niños a presionar una hoja de papel sobre la pintura. Diga: "Me alegro que pude ayudarles. Me gusta ayudar. Es bueno ser ayudadores".

Rompecabezas/Juegos: Invite a uno de los niños a que escojan una lámina. Anímelos a levantar una tapa a la vez hasta adivinar quién es el ayudante en la lámina. Levante la cartulina de arriba para verificar si adivinó correctamente. Diga: "La Biblia nos dice que **Jesús ayudó**. Es bueno ser un ayudante".

Área del hogar: Muestre a los niños los artículos que hay para la limpieza y pregunte si creen que pueden usarlos para limpiar el salón. Mientras sacuden, barren y ayudan a limpiar, elógielos por sus esfuerzos de ser buenos ayudantes.

3 Enseñanza de la Biblia

Guíe a los niños hacia el círculo, repitiendo la frase **"Ustedes son ayudantes"**. Juegue "Ayudantes, Ayudantes". Toque el hombro de cada niño y diga: "Ayudantes, Ayudantes, tú". Cuando diga "tú", ese niño se para y lo sigue, pretendiendo ayudarlo a barrer, sacudir o limpiar. Repita, escogiendo a otros niños.

Relate la historia bíblica.
• Jesús tenía un amigo especial.
• Su amigo era Pedro.

Durante la clase puede proveer muchas oportunidades para que el niño participe en tareas de "esfuerzo personal". Estas incluirían recoger los juguetes, guardar las cosas con las cuales jugaron, cepillarse el cabello, lavarse las manos, ponerse y quitarse la bata que usan para pintar. Esta práctica de aprender a hacer las cosas por sí mismos es una habilidad importante para esta edad que los empuja a ser independientes. Reconozca sus esfuerzos y trate de no interferir o ser impaciente.

Aplicación a la vida
Cuando los niños vean a alguien ayudando a otra persona, deben reconocer esto como una buena acción. También deben saber que esta actitud de ayudar es una actitud que Jesús practicaba. Además, cuando hay oportunidad de ayudar a otros, deben hacerlo felizmente y con entusiasmo.

- Pedro estaba muy triste.
- Su suegra estaba enferma.
- Estaba muy enferma.
- La amaba mucho.
- Pedro le pidió a Jesús: "¿Puedes ayudar a mi suegra?".
- Ella tenía una fiebre muy alta.
- Estaba tan enferma que no podía levantarse de la cama.
- Pedro estaba muy preocupado.
- Jesús le dijo: "Pedro, te ayudaré.
- "Ayudaré a tu suegra".
- Jesús fue a su casa.
- La sanó.
- Ella se sintió tan bien que se levantó de la cama.
- Comenzó a preparar la comida para Jesús y Pedro.
- Ella también quería ayudar.
- Es bueno ayudar a otros.
- Nos hace sentirnos felices.
- Jesús estaba listo para ayudar.

Ore, pidiendo a Dios que nos ayude a ser bondadosos como lo fue Jesús. Canten "Yo soy ayudante" (núm. 34 del *Cancionero para preescolares 2*). Ayude a los niños a pensar cómo ellos pueden ser ayudantes.

4 Actividades de reforzamiento

Después de repartir las hojas, hable acerca de lo que los dos niños en los dibujos están haciendo. Pregunte a los niños cuál es el que está ayudando. Permita a los niños colorear el dibujo del niño que está ayudando. Pídales que imiten las acciones del niño que está ayudando. Luego usted debe imitar otros actos de personas que ayudan (cosas que el niño pueda reconocer, como barrer o lavar platos) y deje que los niños traten de adivinar lo que está imitando. Quizá también les guste imitar esas acciones. Repita el canto "Yo soy ayudante". Pregúnteles cómo ayudó Jesús a la señora de la historia. Quizá quiera repetir la historia. Esto ayudará porque los niños aún no han desarrollado memorias a largo plazo, así es que las historias y acciones deben ser repetidas a fin de que ellos las recuerden.

5 Preparación para ir a casa

Mientras espera la llegada de quienes vienen por los niños, saque unos bloques. Anímelos a trabajar juntos para construir una torre. Elogie sus esfuerzos para cooperar. Dígales que se ayudaron unos a otros para construir una fabulosa torre. Al acercarse más la hora de salida, pida a los niños que lo ayuden a quitar las figuras que ellos ayudaron a colocar en la pared, recoger sus cosas y guardar los juguetes que usaron. Durante el tiempo que estén trabajando, dígales: "Son buenos ayudantes. Qué bueno es tener tanta ayuda. Jesús quiere que ayudemos a otras personas. Cuando tu mamá te recoja, quizá tú mismo puedes llevar tus papeles para mostrarle qué tan buen ayudante eres". Cuando los padres lleguen, dígales que deben buscar oportunidades para animar a sus hijos a ser ayudantes.

Unidad 6
Ser como
Jesús es
concerle
mejor

ESTUDIO **26**

2, 3
años

Jesús ama a todos

Objetivo de la unidad:
Que los alumnos comprendan que Jesús es una persona muy especial.

Objetivo de la lección:
Que los alumnos sepan que Jesús ama a todos.

Versículo clave de la unidad:
"Ustedes son mis amigos". Juan15:14a, (DHH).

Preparación:
• En botellas que sean fáciles de aplastar (como las de plástico) mezcle partes iguales de harina, agua y sal. Agregue pintura o colorante para la comida. La consistencia de la mezcla debe ser como la arena mojada que pude exprimirse.
• Recorte la tarjeta maestra con diferentes clases de personas en la lámina que viene con las Ayudas Didácticas. Protéjala cubriéndola con plástico. Recorte los dibujos pequeños.
• Provea instrumentos rítmicos (estos pueden ser hechos en casa) y pañoletas suaves para agitar al ritmo de la música.
• Provea una pelota y una caja para el juego de clausura.

Preparación espiritual del maestro

La historia de la mujer samaritana en el pozo, en Juan 4:5-15, 27-30, nos enseña que Jesús no tiene prejuicios. No le importó el origen étnico de esta mujer o qué había hecho con su propia vida. ¿Es usted tan objetivo en su amor por sus estudiantes? O ¿se siente más atraído a ciertos niños porque son obedientes o inteligentes o lindos? ¿Ama igual a ese niño que es difícil de controlar o que está sucio? Ore porque Dios le dé su amor perfecto (y no el amor condicional que los humanos sentimos) para todos los alumnos que enseña.

1 Actividades de motivación

Debe ser sensible al hecho de que cada niño que viene a su clase hoy tiene un trasfondo diferente. Eso significa que pueden estar agotados, que no se sienten bien, tienen hambre o no se sienten amados. Asegúrese de ver a cada niño como individuo y averigüe con la persona que lo trajo si hay problemas especiales de los cuales usted debe estar al tanto. Si un niño no quiere entrar al salón, invite a su mamá (o a quien lo trajo) para que entre y ayude a su niño a relacionarse con los otros niños y participe en las actividades. Cuando el niño se sienta cómodo, la mamá podrá dejarlo bajo su cuidado. Es importante que usted reciba a cada niño con alegría y de manera que lo haga sentir que usted está contento porque llegó. Hoy, al llegar los niños, señale todas las actividades emocionantes que realizarán. Dígales que hoy aprenderán que "Jesús me ama". Cante este canto al niño y anímelo a cantarlo con usted.

Arte: Muestre a los niños cómo exprimir la mezcla en la cartulina. Mientras trabajan, converse con

2 Centros de interés

ellos acerca de que Jesús los ama y que deben sentirse contentos por eso, así como se sienten felices cuando pintan. Cuando terminen, ponga las figuras en un lugar seguro y plano para que se sequen.

Rompecabezas/Juegos: Dé a los niños la tarjeta maestra y converse con ellos acerca de las personas. Deles uno de los cuadros pequeños y pídales que encuentren el cuadro que es idéntico en la tarjeta maestra. Mencione que las personas en los cuadros son diferentes, pero que Dios las ama.

Música: Enseñe a los niños la primera estrofa de "Niños de todo lugar" (núm. 8 del *Cancionero para preescolares 2*). Dé a los niños instrumentos rítmicos para que toquen mientras les canta el canto. Deles una pañoleta suave para que la agiten al ritmo de la música. Diga: "Este canto nos ayuda a saber que Jesús ama a todos y que yo también puedo amar a todos".

3 Enseñanza de la Biblia

Tome la mano de un niño y camine con él diciendo: "Tengo un buen amigo y se llama *Tomás*". Sin soltar la mano del niño tome la mano de otro niño y diga su nombre. Luego pida a *Tomás* que tome la mano de otro niño. Siga haciendo lo mismo, repitiendo la frase: "Tengo un buen amigo y se llama..." hasta que todos los niños estén tomados de las manos. Siéntense y comience a relatar la historia bíblica.

Actividades de aprendizaje
Usar experiencias creativas de arte da a los niños una oportunidad maravillosa de trabajar independientemente para hacer cosas interesantes y tener algo tangible para llevar a casa. Quizá sea necesario ayudar a los padres a comprender que los niños de esta edad tienden a hacer dibujos que no se pueden reconocer porque apenas están aprendiendo a controlar los dedos y las manos y a enfocar sus ideas. Es importante proveer actividades de arte variadas y exhibir su trabajo para que sientan que usted aprueba lo que han hecho. Estará contribuyendo a estimular su autoestima y su independencia.

Aplicación a la vida
Los niños deben aplicar estas verdades a la vida como resultado de esta lección:
1. Las personas son diferentes.
2. Jesús ama a todos aunque sean diferentes.
3. Los niños pueden amar a todos.

• Jesús había caminado por mucho tiempo.
• Jesús tenía sed.
• Pensó: "Ojalá tuviera algo para tomar".
• Una mujer llegó a donde él estaba.
• Ella llevaba agua.
• Jesús le preguntó: "¿Podrías darme agua?"
• "Tengo sed".
• Ella se sorprendió.
• Nadie le hablaba.
• No tenía amigos.
• Nadie la quería.
• No era una persona buena.
• Jesús le siguió hablando.
• Ella se sintió muy feliz.
• Habló con Jesús por mucho tiempo.
• Ella quedó sorprendida.
• Jesús quería ser su amigo.
• Jesús la amaba.
• Ella pensó: "Me alegro de tener ahora un amigo".
• Fue y contó a todos:
• "Conocí a Jesús.
• "Él es mi amigo".

Diga: "Jesús también es mi amigo. Una vez Jesús dijo: 'Ustedes son mis amigos'. ¿Pueden repetir eso? ¡Qué bueno es saber que Jesús es nuestro amigo!". Canten "Tengo un buen amigo" (núm. 33 del *Cancionero para preescolares 1*).

"¿Se acuerdan que Jesús tenía mucha sed? Se hizo amigo de una mujer que le dio agua. ¿Les gustaría tomar agua?". Dé a los niños vasos chicos con agua y diga que eso fue lo que la nueva amiga de Jesús hizo: le dio agua a Jesús. Recuerde a los niños que ella se sentía triste sin amigos y Jesús se hizo su amigo.

4 Actividades de reforzamiento

Reparta la hoja del alumno y permita que los niños "pinten" la figura con la tiza que mojarán en el agua. Diga: "Recuerden que la mujer le dio a Jesús agua y se hicieron amigos. Mojemos la tiza en el agua y pintemos el cuadro de Jesús y su nueva amiga. Me siento contenta porque Jesús la amó. Me alegro de que Jesús ama a todos".

5 Preparación para ir a casa

Jueguen este juego para terminar la sesión. Pida a los niños que hagan un círculo alrededor de una caja. Permita que tomen turnos tirando la pelota en la caja. Si lo logran, todos pueden aplaudirle. Si no, pueden intentarlo nuevamente. Estimuleí a los niños a animar a los demás para que logren meter la pelota. Cuando termine el juego, permita a los niños jugar quietamente con algunos juguetes. Mientras juegan, puede organizar las cosas que deben llevar a casa. Además, puede usar el tiempo para hablar con ellos acerca de lo que han aprendido hoy, y cantar con ellos. Cuando lleguen los padres, dígales que hablaron de amar a todos y que deben comentar a sus hijos, durante la semana, lo bueno que es saber que Jesús ama a todos. Esto reforzará la enseñanza que se realizó durante la clase.

155

Unidad 7
Ser como
Jesús
es tener
amigos

ESTUDIO **27**

2, 3
años

Los amigos de Job

Objetivo de la unidad:
Que los alumnos comprendan que Jesús desea que sean amigos.

Objetivo de la lección:
Que los alumnos sepan que los amigos se aman unos a otros.

Versículo clave de la unidad:
"En todo tiempo ama el amigo". Proverbios 17:17a

Preparación:
- Prepare una grabación con sonidos que los niños puedan reconocer, como un perro ladrando, una persona diciendo "hola", aplausos, teléfono sonando, televisor prendido, etc.
- Coleccione figuras de amigos, o dibújelos y péguelos sobre tapas redondas (como las de los recipientes de margarina). Perfore un agujero en las tapads de plástico y colóquelas todas en un anillo como los que se usan como portallaves. Provea otros libros con el tema de la amistad.
- Provea recipientes de plástico, agua, trozos de esponjas y jabón líquido para el juego con el agua. No olvide cubrir toda el área con plástico y provea delantales de plástico para proteger la ropa de los niños.
- Recorte pequeños trozos de tela y tenga listo pegamento en recipientes pequeños. Haga suficientes copias de la hoja del alumno.

Preparación espiritual del maestro

A mí me encanta hablar. Así son la mayoría de los maestros. Sin embargo, a veces lo que el niño o amigo necesita es alguien que lo escuche. Los amigos de Job no siempre se portaron bien como amigos, especialmente cuando abrían la boca para hablar. Al principio, después de la tragedia de Job, mostraron ser buenos amigos. En Job 2:11-13 se destaca una cosa: "Durante siete días y siete noches estuvieron allí, sin decir una sola palabra, pues veían que el dolor de Job era muy grande". Realmente sabían cómo escuchar. ¿Y usted? Ore porque el Señor le enseñe cómo escuchar a sus alumnos. Tome el tiempo ahora para escuchar a Dios hablándole. Aprenda a escuchar.

1 Actividades de motivación

Antes de que lleguen los niños, prepare una solución para hacer burbujas, mezclando ½ taza de agua, ½ taza de detergente líquido y una cucharada de aceite para cocinar. Si no tiene la varita para hacer las burbujas, puede usar un popote (pajilla) o doble la punta de un alambre en un círculo. Cuando lleguen los niños, comience a soplar burbujas, teniendo cuidado de no soplarlas muy cerca a sus caras. A esta edad, este grupo de niños se asusta fácilmente y lo que usted quiere es divertirlos, no asustarlos. Trate de que esta actividad sea lo más divertida posible para que los niños se sientan entusiasmados de entrar al salón y perseguir las burbujas. Diga: "Hoy nos divertiremos mucho con nuestros amigos. ¡Qué divertido es ser un amigo y amarnos unos a otros!". Cante: "Bienvenida" (núm. 2 del *Cancionero para preescolares 1*) usando el nombre de los niños. Ayude a cada niño a entrar al salón y escoger un juego o actividad en la cual participar.

Naturaleza: Involucre a los niños en un juego tocando el casete que contiene varios sonidos.

2 Centros de interés

Toque un sonido y pregunte a los niños si lo reconocen. Repita el mismo sonido varias veces hasta que todos lo reconozcan. Diga: "Tuvieron que escuchar cuidadosamente. Felicitaciones. Es bueno escuchar. Los amigos se hablan unos a otros y también escuchan. Ustedes pueden ser buenos oyentes y también buenos amigos".

Libros: Comience abriendo un libro e invitando a un niño a que se siente y lea con usted. Haga que este sea un tiempo especial para estar juntos y hablar de lo bueno que es tener amigos. Diga: "Tú eres mi amigo. Tú eres especial".

Juego con agua: Dé a cada niño un recipiente de plástico y trozos de esponja. Vierta dos centímetros y medio de agua en el recipiente, y permita que los niños exploren lo que sucede cuando meten las esponjas en el agua y las exprimen. Recuérdeles que deben exprimir la esponja dentro del recipiente. Para extender el tiempo del juego, añada jabón líquido para hacer burbujas. Mientras juegan diga: "Nos divertimos como amigos".

Los libros que use no necesitan ser costosos si su presupuesto no lo permite. Confeccione sus propios libros, usando las sugerencias en las lecciones. Cuando confecciona sus propios libros, use cuadros a color de cosas con las cuales los niños están familiarizados. Mantenga los libros organizados y sólo saque unos cuantos libros cada semana. Cambie los libros frecuentemente. El rincón del libro debe ser cómodo y confortable con almohadones, alfombra y posiblemente una o dos sillas. Puede hablar de las figuras en el libro o leer las historias individualmente o en grupos pequeños. También disfrutarán hojeando los libros, dando vuelta a las páginas ellos mismos. Los libros para estos niños no deben ser rompibles, pero a la vez se les debe enseñar a manejar los libros con cuidado.

Aplicación a la vida
Conforme los niños participen en las actividades y conversan con el maestro, debe aplicar estas verdades a su vida:
1. Puedo ser un amigo.
2. Soy un amigo cuando soy bondadoso con otros.
3. Soy un amigo cuando juego con otros.

3 Enseñanza de la Biblia

Llame la atención de los niños comenzando un juego en círculo. Use el canto "Hagamos una ronda" (núm. 28 del *Cancionero para preescolares 1*) u otro juego similar. Después de haber dado un par de vueltas, diga a los niños lo contento que está porque son amigos. Diga: "Conozco una historia acerca de un hombre que necesitaba un amigo". Enseguida abra su Biblia e inmediatamente comience a relatar la historia.

• Job estaba muy triste. Estaba enfermo.
• Tenía muchos problemas. Estaba solo.
• Comenzó a llorar.
• Job tenía tres amigos.
• Supieron que Job estaba triste.
• Se sintieron tristes por él.
• Lo fueron a visitar.
• Uno de los amigos le dio a Job un abrazo.
• Otro amigo le dio un abrazo a Job.
• El otro amigo también le dio uno.
• Luego sus amigos se sentaron con él.
• Estuvieron muy quietos.
• Escucharon a Job.
• Amaban a Job.
• Los amigos se aman unos a otros.
• Tú puedes ser un buen amigo ayudando a un amigo que está triste.

Después de la historia diga: "La Biblia contiene buenas noticias acerca de los amigos. 'En todo tiempo ama el amigo'. Repitamos estas palabras". Pida a los niños que se agachen en el suelo. Explique que dirán el versículo en una voz muy bajita, subiendo la voz cada vez que lo repitan. A la vez, deben enderezarse poco a poco hasta que estén bien parados, gritando el versículo por última vez. Después de cuatro o cinco repeticiones, los niños deben poder decir el versículo.

Diga a los niños que conoce un canto de alguien que estaba triste y llorando, pero sus amigos trataron de ayudarlo para que

4 Actividades de reforzamiento

no llorara más. Canten "Ya no llores" (núm. 12 del *Cancionero para preescolares 1*). Imite a alguien que está llorando y dé un abrazo a un niño cuando llegue a la parte que habla de ayudar. Cuando se mencione la sonrisa, imite una sonrisa grande. Repita el canto varias veces para que los niños lo acompañen. Reparta la hoja del alumno y hable con los niños acerca de lo que está pasando. Ayúdeles a comprender que los dos amigos están ayudando a su amigo que está triste y que lo hacen porque lo aman. Luego permita a los niños poner pegamento en el dibujo y colocar pedazos pequeños de tela sobre el pegamento. Permita que los niños hagan sus trabajos a su manera. Supervise de modo que no interfieran con el trabajo de otro niño o derramen el pegamento.

5 Preparación para ir a casa

Mientras espera la llegada de los padres, reúna a los niños para este juego:
Dios quiere que seamos amigos. Una forma de ser un amigo es sonriendo a la gente que nos rodea. (Pida a los niños que sonrían unos a otros). *Podemos ser un amigo diciendo* (pida a los niños que digan: "Eres un buen amigo" a los niños a su alrededor). *A los amigos les gusta estar juntos. Aplaudan porque están contentos.* (Pida a los niños que aplaudan). *Se abrazan porque se aman.* (Pida a los niños que se abracen). *Y brincan porque todos son amigos.* (Pida a los niños que brinquen). Cuando lleguen los padres, dígales que durante las próximas semanas, se dará énfasis a la amistad y será importante que les hablen acerca de los amigos. Pueden mencionar quiénes son sus amigos y que los amigos se aman unos a otros.

Unidad 7
Ser como
Jesús
es tener
amigos

ESTUDIO **28**

2, 3
años

Los amigos de Apolos

Objetivo de la unidad:
Que los alumnos comprendan que Jesús desea que sean amigos.

Objetivo de la lección:
Que los alumnos sepan que a los amigos les gusta estar juntos.

Versículo clave de la unidad:
"En todo tiempo ama el amigo". Proverbios 17:17a

Preparación:
- Decore el área del hogar como si fueran a tener una fiesta de cumpleaños. Coloque varias muñecas y animales de peluche en el área. Provea platos y plastilina para que los niños se preparen para la fiesta.
- Recorte varios cuadrados (30 x 30 cm) de papel de color para cada niño. Provea crayones para los niños.
- Prepare bloques de cartón (puede usar cajas resistentes llenas de papel para esto). Recorte una rueda de cartón.
- Haga copias de la hoja del alumno y provea pegamento y crayones. Haga un patrón de la silueta del globo que aparece en la hoja del alumno. Recorte suficientes siluetas de globos para que cada niño tenga 3 ó 4 globos para pegar en la hoja.

Preparación espiritual del maestro

La hospitalidad es una expresión concreta de la amistad. Frecuentemente estamos muy ocupados con nuestra vida, pero nunca hacemos a un lado a los amigos. Todos conocemos la expresión: "Si quieres tener amigos, debes mostrarte amigo". Eso es exactamente lo que Priscila y Aquila hicieron en Hechos 18:24-26 al dar la bienvenida al joven Apolos a su hogar. ¿Se ha mostrado usted ser amigo de sus alumnos? ¿Los ha visitado en sus hogares? Esto puede parecerle extraño, pero al conocer el ambiente de hogar de sus alumnos podrá comprender cómo suplir sus necesidades. Se mostrará siendo un amigo bondadoso. ¿Piensa usted que los niños y sus familias lo ven como un amigo? Pida a Dios que le muestre lo que necesita hacer para ser visto como tal.

1 Actividades de motivación

Esté preparado para la llegada del primer alumno, llegando temprano y teniendo el salón arreglado. De esa forma no andará con apuros y estará listo para darles su total atención. Cuídese de no involucrarse en conversaciones con otros maestros o padres y olvidarse de los niños. Cuando llegue el niño, recíbalo personalmente, y guarde sus pertenencias en un lugar seguro. Asegúrese de poner nombre a todas sus cosas si los padres no lo hicieron. Conforme vayan llegando los niños, muéstreles las diferentes actividades para que rápidamente se sienta emocionado de estar allí y de lo que hará. Para hacerlo sentirse amado e involucrado en la enseñanza, use esta pequeña rima. Coloque al niño en su regazo y tome su brazo, moviéndolo con las palabras.

Tengo manita (mueva la mano hacia arriba); *no tengo manita* (muévala hacia abajo para esconderla); *porque la tengo* (muévala hacia arriba) *escondidita* (muévala hacia abajo).

Es posible que los niños querrán repetirlo y hágalo, animando a los otros niños a mover su mano para arriba y para abajo por sí solos.

Área del hogar: Muestre a los niños las decoraciones para una fiesta de cumpleaños. Deje que los niños usen la plastilina para hacer la comida para la fiesta de cumpleaños. Anímelos a invitar a sus amigos (las muñecas y los animales) a tener una fiesta. Diga: "A los amigos les gusta divertirse juntos. Es bueno tener amigos".

2 Centros de interés

Arte: Permita a los niños colorear los cuadros como quieran. Cuando terminen uno, escriba su nombre en él y cuélguelo en la pared. Conforme los niños vayan terminando sus cuadros y colocándolos en la pared, estarán haciendo un *collage* gigante. Diga: "Miren cómo han trabajado juntos para hacer este hermoso cuadro colorido. A los amigos les gusta hacer cosas juntos".

Bloques: Ayúdelos a alinear los bloques hechos de cajas y pretender que es un autobús o un tren. Muestre a los niños que pueden sentarse en los bloques y pretender que se están paseando. Permita al niño al frente detener el volante y pretender que lo guía. Al unirse el resto de los niños, diga: "Miren cómo juegan los amigos juntos. Los amigos se divierten".

Probablemente ya ha notado que los niños de esta edad no juegan "juntos". Se dedican a lo que se llama juego paralelo. Es decir, juegan lado a lado, quizás hasta el mismo juego, pero realmente no juntos, aunque puede haber interacción. Eso significa que siempre necesita planear para ese factor teniendo duplicados de los juguetes favoritos. Si un juego o un juguete es particularmente interesante, querrá tener dos. Tener muy pocos fomenta los pleitos y las lágrimas. Sin embargo, si planea bien, estará enseñando a los niños a jugar con otros y cómo llegar a ser amigos.

Aplicación a la vida

Ya que los niños de dos y tres años apenas comienzan a formar el concepto de lo que es un amigo, deben comenzar a aplicar estas verdades a su vida como resultado de esta lección:
1. Tengo amigos en el templo.
2. Me gustan mis amigos.
3. Los amigos se divierten juntos.

3 Enseñanza de la Biblia

Para introducir la historia de hoy, siéntese en el piso y comience a rodar una pelota. Invite a algunos de los niños a que se sienten con usted y le rueden la pelota. Conforme van dominando esto diga: "Voy a rodar la pelota a mi amigo (*nombre del niño*), porque a los amigos les gusta jugar juntos". Pídale a su amigo que le devuelva a usted la pelota rodándola. Luego ruédela a otro niño. Cuando todos hayan recibido la pelota, guárdela y comience a cantar "Con mis amigos" (núm. 30 del *Cancionero para preescolares 1*). Abra su Biblia para relatar la historia.

• Apolos era nuevo.
• No tenía amigos. Estaba solo.
• No conocía a nadie. Pero conocía a Jesús.
• Contaba a otros acerca de Jesús.
• Luego conoció a otras personas.
• También amaban a Jesús.
• Hablaban juntos acerca de Jesús.
• Comenzó a hacer amigos.
• Apolos se puso feliz. Ya no se sentía triste.
• Era un amigo especial de Aquila.
• También Priscila era su amiga.
• Les gustaba estar juntos.
• Aquila y Priscila invitaron a Apolos a su casa.
• Se divertían mucho estando juntos.
• Era bueno ser amigo de ellos.
• ¿Tienes amigos?
• ¿Qué hacen los amigos?

Anime a los niños a abrazarse porque los amigos se aman. Repita la actividad de la semana anterior para aprender Proverbios 17:17. Pida a los niños que se agachen. Explíqueles que repetirán el versículo en voz baja e irán alzando la voz poco a poco. Además, cada vez irán levantándose hasta que queden derechos y gritarán el versículo por última vez.

Muestre la hoja del alumno y pregunte a los niños qué está sucediendo en el cuadro. Recuérdeles lo que algunos de ellos jugaron en el área del hogar. Pretenda que está teniendo una fiesta de cumpleaños con los niños. Sírvales galletitas y jugo o agua. Dé a cada uno una hoja y muéstreles cómo poner el pegamento en los globos y luego pegarlos en la hoja. Recuerde, no corrija su trabajo tratando de hacer que el cuadro esté perfecto. Déles la satisfacción de hacer su propio trabajo. Después de haber pegado los globos, déles crayones para colorear el cuadro. Lea lo que el cuadro dice y pídales que repitan las palabras. Siga conversando acerca de los amigos y cómo todos somos amigos y cómo a los amigos les gusta estar juntos.

4 Actividades de reforzamiento

5 Preparación para ir a casa

Diga a los niños que se siente feliz de ser su amigo y estar con ellos. Muévase alrededor del salón. Permita a los niños jugar quietamente con los bloques y otros juguetes mientras esperan a sus padres. Cuando ellos lleguen, dígales que han estado hablando de lo divertido que es estar junto con los amigos. Si es posible, sería bueno invitar a uno de los amigos a la casa y, mientras juegan, mencionar cómo se divierten los amigos y lo bueno que es tener amigos. Además, deben reforzar los muchos amigos que tenemos en el templo y cómo nos gusta venir al templo para ver a nuestros amigos. Al retirarse los niños, déles gracias por haber venido y por ser su amigo. Dígales que espera verlos nuevamente muy pronto.

Los amigos están juntos

Unidad 7

Ser como
Jesús
es tener
amigos

ESTUDIO

29 Los amigos de un hombre enfermo

Objetivo de la unidad:

Que los alumnos comprendan que Jesús desea que sean amigos.

Objetivo de la lección:

Que los alumnos sepan que los amigos se ayudan unos a otros.

Versículo clave de la unidad:

"En todo tiempo ama el amigo".
Proverbios 17:17a

Preparación

- Llene bolsas grandes de papel con periódicos. Cierre la bolsa haciéndole un doblez y sellándola con cinta adhesiva. Coloque estos bloques hechos de bolsas y los bloques de cartón en el piso. Esconda una copia de la hoja del alumno que ya esté coloreada en un lugar cercano.
- Coloque uno o dos peces en una botella de plástico llena de agua corriente que ha estado reposando durante la noche. (**Precaución:** Agua corriente que no ha reposado durante la noche puede matar a los peces). Selle con pegamento y cinta adhesiva la tapa de la botella para que los niños no la puedan abrir.
- Copias de la hoja del alumno ya coloreadas de los primeros dos estudios de esta unidad, y de los estudios 20 (Jesús y los niños) y 22 (David y Jonatán) de la Unidad 5. Colóquelas en la pared. Pegue lado a lado con cinta adhesiva dos tubos de cartón para confeccionar binoculares. Prepare dos o tres pares.

Preparación espiritual del maestro

Querrá comenzar leyendo la base bíblica de la lección de hoy, que se encuentra en Marcos 2:1-5, 11, 12. Esta es una historia bastante asombrosa acerca de la fe de cinco personas. Cuéntelas. ¡El hombre paralítico y sus cuatro amigos! Debido a la fe de sus amigos para traerlo a Jesús, no sólo fue perdonado, salvado y sanado, pero, como resultado, muchos alabaron a Dios. El milagro más grande aquí es en realidad el perdón de Dios. ¿Ha experimentado últimamente el perdón de Dios de sus pecados? Tome tiempo ahora mismo para confesarlos y experimentar su perdón que limpia.

1 Actividades de motivación

Conforme lleguen los niños y los reciba en la puerta, pídales que jueguen con usted "¿Puedes hacer lo que yo hago?". Invítelos a hacer lo que usted hace. Haga cosas tales como aplaudir, tocarse los pies, brincar, agitar la mano, saludar, abrazar a un amigo. Diga: "Acabas de darle un abrazo a un amigo. Hoy vamos a hablar acerca de los amigos. Sé que todos los que están aquí son tus amigos. ¿Crees que puedes decir sus nombres?". Repita el nombre de todos los que están en el salón y pida a los niños que también los repitan. (Repita esto con todos los niños que estén dispuestos a participar cada vez que llegue otro niño). Diga: "La Biblia nos dice que los amigos se ayudan unos a otros. ¿Por qué no ayudan a un amigo jugando con él ahora? Veamos si podemos encontrar algo interesante para hacer". Este es el momento de motivar al niño a participar en una de las actividades.

2 Centros de interés

Bloques: Mientras los niños juegan con los bloques, repita el versículo bíblico: "En todo tiempo ama el amigo". Diga: "Me alegro de que se estén ayudando unos a otros jugando juntos. ¿Creen que pueden encontrar la figura de algunos amigos que están ayudando a alguien?". Cuando lo encuentren entre los bloques, dígales que hoy aprenderemos cómo estos amigos se ayudaron unos a otros.

Naturaleza: Llame la atención de los niños a los peces. Guíelos a tomar turnos para detener la botella. Invente un cantito acerca de los amigos que se ayudan unos a otros tomando su turno. Diga: "Están haciendo lo que la Biblia nos enseña que debemos hacer, 'amar a nuestros amigos' ".

Figuras/Libros: Dé a un niño un par de binoculares. Mírelo a través de un par. Diga: "Busco una figura de unos amigos. ¿Me puedes ayudar a encontrarla?". Cuando hayan encontrado la figura diga: "Son figuras de unos amigos. La Biblia dice: 'En todo tiempo ama el amigo' ".

3 Enseñanza de la Biblia

Cubra un área de la pared con papel (puede ser papel periódico). Dé a los niños crayones o marcadores lavables para que todos trabajen juntos y hagan un hermoso mural. Mientras trabajan juntos, felicítelos porque se están ayudando unos a otros a hacer un dibujo hermoso.

Actividades de aprendizaje

A través del uso del centro de naturaleza, los niños pueden comenzar a explorar su mundo, tanto adentro como afuera. Comienzan a aprender las palabras para la naturaleza (el cielo, el agua, la arena, etc.). Además, comienzan a aprender a respetar la naturaleza, lo cual les durará toda la vida. Esto es necesario para que el cristiano llegue a ser un buen mayordomo del mundo que se nos ha dado para cuidar. Es importante proveer regularmente tiempos para jugar con la arena y el agua, y exhibir tesoros naturales como las flores, plantas, conchas, insectos, comida, animales pequeños, etc. Se debe tener precaución cuando escoja las cosas a exhibir, pensando siempre en la seguridad del niño.

Aplicación a la vida

Debido a que los niños de dos y tres años por naturaleza son compasivos, la lección de hoy debe ayudarles a desarrollar esta característica y traducirla en acciones prácticas.
1. Cuando ayudan a otros, saben que están agradando a Dios.
2. Cuando actúan bondadosamente compartiendo, tomando su turno, consolando a otros, saben que están ayudando a otros.
3. Cuando alguien está herido o necesitado, quieren ayudar para hacer que la persona se sienta mejor.

Recuérdeles que cuando trabajan juntos y se ayudan unos a otros están siendo buenos amigos. Al terminar su trabajo de arte, dígales que la Biblia nos cuenta de cuatro amigos que ayudaron a un amigo enfermo. Abra su Biblia y comience a relatar la historia.
• Había cuatro amigos.
• Estaban preocupados.
• Su amigo estaba muy enfermo.
• No podía caminar.
• Sabían que Jesús lo podía ayudar.
• Pero el amigo no podía caminar.
• ¿Cómo podían ayudarle?
• Tenían un gran problema.
• Se pusieron a pensar y pensar
• Ya sé, dijo un amigo.
• Lo cargaremos para que vea a Jesús.
• Y eso es lo que hicieron.
• Lo pusieron en una cobija.
• Luego cada amigo levantó una esquina de la cobija.
• Fue difícil cargarlo.
• Se cansaron.
• Pero estaban alegres de poderlo ayudar.
• Llevaron a su amigo a Jesús.
• Jesús sanó al amigo.
• Jesús se alegró porque los amigos ayudaron.
• El hombre enfermo se sentía feliz porque ya estaba bien.
• Los amigos también estaban contentos.
• Es bueno ser un amigo y ayudar a otros.
Después de la historia guíe a los niños a demostrar cómo los amigos ayudaron, cargando una muñeca en una cobija para llevarla a Jesús. Mientras toman turnos jugando, felicítelos por ayudarse unos a otros tomando turnos y recordando la historia de hoy.

Guíe a los niños a imitar lo que usted hace: aplaudir, darse una vuelta, tocar a un amigo, brincar, saludar, sentarse.

4 Actividades de reforzamiento

Cuando los niños se hayan sentado, muéstreles el cuadro de la hoja del alumno y compruebe si recuerdan algo de la historia de hoy. Déjelos contarla, con su ayuda por supuesto. Guíelos a colorear sus dibujos y recuérdeles que pueden dárselos a sus padres y contarles acerca de los cuatro amigos que ayudaron a su amigo.
Canten "Con mis amigos" (núm. 30 del *Cancionero para preescolares 1*). Diga: "Gracias, Dios, por los amigos. Queremos ayudarles".

5 Preparación para ir a casa

Mientras espera la llegada de los responsables de buscar a los niños, recoja todas sus pertenencias y póngalas juntas para que estén listas tan pronto como lleguen por los niños. Juegue la "Pelota en el canasto" mientras espera a los padres. Los niños se paran en un círculo, alrededor de una caja o canasta. Dé una pelota a un niño e indíquele que la trate de meter en la caja. Usted debe sacar la pelota cada vez diciendo: "Tuviste tu turno y ahora es el turno de (nombre del niño). Los amigos se ayudan uno al otro tomando turnos. Cuando toman turnos, están mostrando que son buenos amigos".

Un hermano como amigo

Objetivo de la unidad:
Que los alumnos comprendan que Jesús desea que sean amigos.

Objetivo de la lección:
Que los alumnos sepan que los hermanos y las hermanas pueden ser amigos.

Versículo clave de la unidad:
"En todo tiempo ama el amigo". Proverbios 17:17a

Preparación
• Con anterioridad doble hojas de color de cartulina gruesa, desdóblelas y colóquelas abiertas en una pila. Forre la mesa de trabajo con plástico o periódicos. Ponga pintura en recipientes. Ponga una cuchara en cada recipiente de pintura. Provea blusas o camisas para proteger la ropa de los niños.
• Dibuje, baje de la computadora o recorte de revistas figuras de niños. Necesitará dos copias de cada figura. (Puede fotocopiar las figuras de las revistas).
• Provea por lo menos un par de muñecas "gemelas". Si es posible, provea dos juegos de muñecas gemelas en el área del hogar.

Preparación espiritual del maestro

No sé por qué, pero la historia de Jacob y Esaú en Génesis 33:1-4, 8-12 siempre me sorprende. Los dos hermanos que se odiaban, ahora se aman. La confesión y el perdón son un factor importante en una relación. ¿Siente usted esta misma clase de unión y amor especiales para todos los niños de su grupo? Es natural sentir más cariño para ciertos niños que para otros. De alguna manera nuestras personalidades concuerdan. Otros alumnos nos pueden irritar y caer mal. Confiese a Dios cualquier dificultad de relación que tenga con sus alumnos. Ore para que pueda aprender a aceptarlos con todo su corazón, así como lo hicieron los ex enemigos, Jacob y Esaú.

1 Actividades de motivación

Antes de la llegada de los niños, prepare un túnel por el cual puedan meterse. Cubra una mesa con una cobija o sábana grande. Si tiene un grupo grande, querrá preparar más de un túnel. Quizá querrá poner animales de peluche o pequeñas almohadas en el túnel. Cuando lleguen los niños y los salude, inmediatamente señáleles el túnel. Pregúnteles si creen que hay alguien en el túnel. Dígales que la única forma de saberlo es explorando el túnel. Sugiérales que es posible que encuentren un amigo en el túnel si deciden entrar. Abra uno de los extremos del túnel para animar al niño que vacila a que explore el túnel. Recuérdeles que hoy hablarán acerca de dos amigos muy especiales. Diga: "Se divertirán hoy cuando hablemos acerca de dos hermanos que se amaban como amigos. Es lindo saber que podemos tener muchos amigos". Mientras los niños se meten y salen del túnel puede cantar "Con mis amigos" (núm. 30 del *Cancionero para preescolares 1*).

2 Centros de interés

Arte: Ponga varias cucharadas de pinturas de color alrededor del centro del papel. Pida a los niños que doblen el papel y suavemente froten la parte superior del mismo para esparcir la pintura. Ayúdeles a desdoblar el papel para ver el diseño. Hable acerca de que los diseños son iguales en ambos lados, como los hermanos y las hermanas. Diga: "Hoy vamos a aprender de hermanos que fueron buenos amigos".
Rompecabezas/Juegos: Explique que los gemelos son hermanos y hermanas que se parecen y nacieron el mismo día. Muéstreles dos copias de la misma figura y diga: "Estas son gemelas". Revuelva los dos juegos de figuras y pida a los niños que encuentren las gemelas. Diga: "Los hermanos y las hermanas son amigos especiales".
Área del hogar: Mientras los niños cuidan de las muñecas, explíqueles que son gemelas. Significa que son hermanas que parecen iguales. Anime a los niños a cuidar bien a las gemelas. Diga: "Hoy vamos a aprender acerca de hermanos gemelos que eran amigos muy especiales. ¿Son ustedes amigos de sus hermanos y hermanas?".

A los niños les encantan los proyectos de pintura. A veces limitamos esta actividad por costosa. Existen recetas caseras para preparar la pintura que puede reducir los costos. Por ejemplo, una receta muy económica para la pintura es:

1/4 de taza de maicena; 2 tazas de agua; colorante para la comida.

Mezcle la maicena y el agua en un recipiente. Déjela hervir hasta que se espese. Permita que la pintura se enfríe, luego añada el colorante. Viértalo en un recipiente que se pueda sellar.

Para colores de agua, ésta es una receta excelente para usar:

1 cucharada de vinagre blanco; 2 cucharaditas de bicarbonato; 1 cucharada de maicena; 1/4 de cucharadita de glicerina; colorante para la comida

Mezcle el vinagre y el bicarbonato en un recipiente grande. (La mezcla tendrá burbujas). Gradualmente añada la maicena y la glicerina a la mezcla. Vierta la pintura en vasos pequeños de cartón y añada mucho colorante para la comida. Use más de lo que piensa que necesitará. Cuando la pintura se seque, remueva el vaso de cartón. Guárdelos en un recipiente que no se humedezca.

Aplicación a la vida

Los niños de esta edad comienzan a formar una idea de lo que es un hermano o una hermana. será importante que comiencen a aplicar las verdades de la lección de hoy a la vida.

1. Los hermanos y las hermanas se tratan unos a otros con amor.
2. Los hermanos y las hermanas se aman.
3. Dios quiere que nos portemos bien con nuestros hermanos y nuestras hermanas.

3 Enseñanza de la Biblia

Esconda algunos objetos alrededor del salón y ponga un par idéntico a la vista. (Use cosas que ya tiene, como sábanas, cobijas, pañales o toallas). Muestre uno de los objetos y pregunte a los niños si pueden encontrar el gemelo, o sea uno que sea exactamente igual. Repita con los otros objetos. Cada vez que encuentren el "gemelo", explique que esos objetos son gemelos porque se parecen. Al terminar el juego diga: "La Biblia nos relata una historia acerca de dos hermanos que eran gemelos. Eran amigos especiales. Veamos quiénes eran. Abra su Biblia al comenzar a relatar la historia.

• Jacob y Esaú eran hermanos.
• Hacía mucho tiempo que no se veían.
• Jacob extrañaba a Esaú.
• Esaú extrañaba a Jacob.
• Eran gemelos. Habían nacido el mismo día.
• Tenían la misma edad.
• Cuando se volvieron a ver, se sintieron felices.
• Esaú abrazó a Jacob.
• Jacob dijo: "Tengo regalos para ti".
• Esaú se sintió contento con los regalos.
• Fue un día feliz.
• Dos hermanos se amaban.
• Estaban contentos de estar juntos. Eran amigos.
• Los hermanos y las hermanas son amigos especiales.

Provea varias cajas envueltas para usar cuando los niños pretendan ser Jacob y Esaú, abrazándose y dándose regalos. Después, enfatice el hecho de que los hermanos y las hermanas pueden ser amigos especiales.

Después de repartir la hoja del alumno a los niños, pídales que se fijen en los dos dibujos. Vea si pueden identificar

4 Actividades de reforzamiento

cuál de los dos es un dibujo de gemelos. Pídales que coloreen el dibujo de los gemelos, y que dejen el otro en blanco. Vea si alguno de los niños puede contar o recordar la historia de Jacob y Esaú. Es posible que tenga que volver a contar parte de la historia para que ellos puedan recordar el hecho de que los gemelos eran amigos especiales. Repita la actividad de las semanas anteriores para aprender Proverbios 17:17. Pida a los niños que se agachen. Explique que repetirán el versículo en voz baja e irán subiendo la voz cada vez. Además, se irán enderezando poco a poco hasta que estén derechos y gritarán el versículo la última vez que lo digan.

5 Preparación para ir a casa

Hacia el final de la clase, comience a guardar los juguetes y organizar los proyectos de los niños y sus pertenencias para facilitar encontrarlos cuando lleguen los padres. Mientras los esperan, permita a los niños participar en una actividad de su elección. Quizá quiera poner el juego que ayuda a los niños a observarse a sí mismo y a otros. Diga: "Si tienen puestos los zapatos, brinquen". Ayude a los niños preguntando: "¿Tienes los zapatos puestos? Dime dónde están. ¿Tiene (nombre del niño) los zapatos puestos?". Pruebe varios tipos de movimientos como: Si traes calcetines, mueve el cuerpo de un lado a otro; si tienes puesta una camisa, aplaude; si llevas pantalones, sacude la cabeza. Diga: "¡Qué divertido es jugar con los amigos! ¿Verdad?". Recuérdeles que sus hermanos y hermanas son sus amigos. Practique diciendo la frase: "Amo a mi hermano (o hermana)" con los niños para que se la puedan decir a sus hermanos/hermanas cuando los vean.

Unidad 7
Ser como
Jesús
es tener
amigos

ESTUDIO 31

2, 3
años

Dorcas y sus amigas

Objetivo de la unidad:

Que los alumnos comprendan que Jesús desea que sean amigos.

Objetivo de la lección:

Que los alumnos sepan que los amigos comparten unos con otros.

Versículo clave de la unidad:

"En todo tiempo ama el amigo". Proverbios 17:17a

Preparación:

• Escriba la frase "Dorcas compartió" en cartulinas que repartirá a los niños. Recorte diferentes tipos de ropa como vestidos, pantalones, camisas de diferentes telas (que cada niño tenga varias piezas). Estos deben ser pequeños para pegar en un papel. Provea pegamento en recipientes pequeños.

• Coleccione una variedad de pañoletas, chales y pañuelos viejos. Incluya algunos que sean delgados y transparentes, y otros gruesos de tejido. Colóquelos en una canasta.

• En cuadrados de cartulina dibuje un vestido, una camisa, unos pantalones. Perfore agujeros, 3 cm aparte, alrededor de la ropa. Use estambre (lana) para unir las piezas, cubriendo las puntas con cinta adhesiva para formar una punta maciza.

• Haga dos copias de todas las hojas del alumno de esta unidad de estudio. Coloree los dibujos. Coloque un juego de hojas en una bolsa.

• Copie la hoja del alumno y provea crayones para cada niño.

Preparación espiritual del maestro

Lea la historia de Dorcas en Hechos 9:36-39. Aunque hoy sólo estaremos enfatizando la historia de su generosa amistad, ponga atención a la reacción de los amigos de Dorcas cuando ella murió. La Biblia dice: "Todas las viudas le rodearon llorando y le mostraron los vestidos y túnicas que Dorcas había hecho cuando aún vivía". ¿Alguna vez ha pensado lo que la gente dirá de usted cuando muera? ¿Hablarán de su amor generoso para con los niñitos que enseñó? Eso depende de lo que usted hace ahora mientras vive. Mientras haya tiempo, invierta su vida en esas cosas que son eternas.

1 Actividades de motivación

Cuando lleguen los alumnos, tenga una canasta en sus manos. En la canasta coloque trozos de tela y otros materiales que se usan para coser ropa (evite las agujas o seguros porque los niños pueden metérselos a la boca o lastimarse). Muéstreles la canasta y pregúnteles si saben para qué se usan los objetos. Explique que las personas los usan para coser ropa. Muéstreles una costura de un vestido viejo que está al revés para que vean cómo se cose la ropa. Dígales: "Hoy vamos a coser un vestido. Vamos a aprender acerca de una mujer que hacía ropa para compartir con sus amigos. Hoy tienes a muchos amigos aquí con quienes jugar y divertirte. ¡Comencemos!".

Arte: Lea a los niños lo que está escrito al pie de la cartulina. Muéstreles la "ropa" que ha recortado y explique que Dorcas hacía y compartía la ropa con otros. Permita a los niños escoger ropa para pegar a la cartulina. Mientras trabajan hable acerca de las texturas y colores de la ropa, y de lo amable que Dorcas fue al compartir su ropa.

2 Centros de interés

Naturaleza: Mientras examinan las pañoletas, converse con los niños acerca de cómo se usan para cubrirse la cabeza como un sombrero, para evitar que el viento despeine el cabello, y que Dorcas las compartía con otros. Anime a los niños a examinar las pañoletas frotándolas, admirando los colores, tratando de ver a través de la tela, jugando a las escondidas, probándoselas, etc.

Rompecabezas/Juegos: Haga un nudo en la punta de un cordón y métalo por uno de los agujeros. Muestre a los niños cómo enlazar desde arriba para abajo y de abajo para arriba. Diga: "Están cosiendo ropa así como lo hizo Dorcas para compartir con sus amigos. ¡Qué bueno es compartir con los amigos!".

3 Enseñanza de la Biblia

Muestre la bolsa de figuras de "amigos" a uno de los niños y pídale que saque uno. Pregúntele en qué forma las personas en la figura se portan como amigos. Luego muéstreles el otro juego de figuras. Pídale que encuentre el cuadro que se parece. Pida a otro niño que haga lo mismo. Mientras participan en el juego diga: "La Biblia dice: 'En todo tiempo ama el amigo'. Estos amigos se aman. La Biblia nos cuenta de una amiga que amaba a la gente. Su nombre era Dorcas". Comience a relatar la historia.

Ensartar estambre (lana) en tarjetas no sólo es entretenido pero ayuda a refinar la habilidad de manipulación del niño. Al comenzar a aprender a ensartar el estambre, guíe su trabajo hasta que entienda que debe insertar en orden el estambre en los agujeros, de adelante hacia atrás. Lo puede animar señalando al siguiente agujero y diciendo: "¿Puedes meter el estambre en este agujero ahora?". Después de que los niños aprendan a meter y sacar el estambre, ayúdelos a quitar el estambre, mostrándoles cómo sacar el estambre haciéndolo más y más grande (sacándolo de los agujeros). Esta es una actividad desafiante para los niños que les ayudará a desarrollar sus músculos delicados, pero en realidad muy fácil de preparar.

Aplicación a la vida

Aunque los niños de dos y tres años todavía no comprenden el concepto de compartir, pueden comenzar a aplicar estos conceptos a su vida:
1. Dios quiere que compartamos los unos con los otros.
2. Es bueno compartir los unos con los otros.
3. Cuando damos algo a otra persona, estamos compartiendo.

Haga la mímica correspondiente conforme relata los eventos.
• A Dorcas le gustaba coser ropa.
• Hacía ropa bonita.
• Se hacía su propia ropa.
• Hacía ropa para sus amigas.
• Algunas no tenían suficiente dinero para hacerse su ropa.
• Dorcas les hacía su ropa.
• Se gozaba cortando la tela.
• Luego tomaba la aguja para...
• Coser, coser, coser.
• Cosía una pieza con otra.
• Pronto tenía un vestido hecho.
• Rápidamente tenía una camisa lista.
• Las llevaba a sus amigas que las necesitaban.
• Era una muy buena amiga.
• Compartía con sus amigas.
• Los amigos comparten unos con otros.

Diga: "Vamos a participar en un juego que nos enseña a compartir". Pase una pelota a uno de los niños y pídale que la "comparta" con otro niño pasándosela a él. Cuando lo haga, aplauda y diga: "Estás compartiendo con tus amigos así como lo hizo Dorcas". Repita el juego, animando a los niños a "compartir" en una forma que no intime.

Comience a cantar "Con mis amigos", tercera estrofa (núm. 30 del *Cancionero para preescolares 1*). Guíe a los niños en una

4 Actividades de reforzamiento

oración espontánea, dando gracias a Dios por los amigos. Distribuya la hoja del alumno y explique que es un dibujo de Dorcas compartiendo su ropa con una amiguita. Ayude a los niños a recordar algunas de las cosas que compartieron durante la hora hoy. (Usted debe estar atento durante las actividades para observar a los niños compartiendo o dando cosas a otros y, en ese momento, hacerlos conscientes de ese comportamiento positivo). Dé a los niños crayones grandes para que pinten el cuadro de Dorcas.

Cuando terminen, puede usar este juego digital para enfatizar la amistad:
Comienza con las manos juntas y los dedos meñique dándose golpecitos (como si tocaran la puerta) y diciendo: "Tan, tan, tan, tan". Luego los dedos pulgar contestan moviéndose para atrás y para adelante diciendo: "¿Quién es?". Luego el meñique responde moviéndose para atrás y para adelante como si estuviera hablando, diciendo: "Soy yo". El pulgar entonces responde abriendo las manos y diciendo: "Voy a abrir". Luego los dedos del medio se cruzan de la derecha a la izquierda y viceversa como si los dedos se estuvieran saludando y diciendo: "Hola amiguito(a). ¿Cómo estás?". Repita lo mismo con los dedos índice, los de en medio y el anular.

5 Preparación para ir a casa

Use la casetera para tocar música quieta (sugerencia: puede usar el casete del *Cancionero para preescolares 1* para tocar "Con mis amigos"). Dé a los niños las pañoletas que usaron en el centro de interés de la naturaleza y guíelos a moverlas al ritmo de la música. Mientras se mueven al ritmo de la música y juegan con las pañoletas, asegúrese de supervisarlos de cerca para que no choquen unos con otros o se enreden en la pañoleta. Cuando termine el juego, júntelas y pida a los niños que le ayuden a guardarlas. Repita la actividad para aprender el versículo bíblico: Pida a los niños que se agachen. Repetirán el versículo en una voz bajita y subirán la voz cada vez que lo repitan. Al mismo tiempo se irán enderezando poco a poco hasta que estén parados derechitos. Al repetirlo la última vez lo gritarán. Después de cuatro o cinco repeticiones, los niños deben poderlo repetir.

Unidad 8
Ser como
Jesús es
saber lo que
puedo hacer

ESTUDIO 32

2, 3
años

Simeón vio al bebé Jesús

Objetivo de la unidad:
Que los alumnos sepan que hay muchas cosas que pueden hacer.

Objetivo de la lección:
Que los alumnos sepan que pueden ver con los ojos.

Versículo clave de la unidad:
"El oído... y el ojo... fueron creados por el Señor". Proverbios 20:12, (DHH).

Preparación:
• Haga un par de anteojos para sol para cada niño. (Pegue papel celofán de color a un armazón hecho de cartón).
• Recorte figuras de sillas, mesas, libros, ventanas, juguetes, etc. Cubra las figuras con plástico y pegue franela o papel de lija al dorso. Tenga un franelógrafo listo.
• Llene un caja con objetos interesantes de la naturaleza para que los niños los puedan ver y jugar con ellos. Pueden ser conchas, arena, hojas, frutas, flores. Provea una variedad amplia en tamaño, forma y color. Que los objetos sean seguros y no tóxicos.
• Confeccione un libro de colores, juntando varias hojas de diferentes colores y uniéndolas con un broche. Confeccione otro libro usando objetos de colores diferentes para cada página (por ejemplo, un plátano para el amarillo, una manzana para el rojo, etc.). Puede usar el libro de Noé que hizo antes de las Ayudas Didácticas, señalando el arco iris de colores.
• Coloque un espejo en el salón para que los niños se puedan ver.
• Haga copias de la hoja del alumno y provea crayones grandes.

Preparación espiritual del maestro

Frecuentemente nos olvidamos que Simeón, cuya historia se encuentra en Lucas 2:25-32, era un hombre muy anciano. Quizás lo pueda visualizar sentado en el templo, esperando que llegara el Mesías y buscándolo. Ahora, trate de imaginar la expresión de sus ojos al enfocarlos en Jesús y ver tanto con sus ojos internos como los externos al Mesías. ¡Qué bendición que aun en esta edad avanzada, no había perdido su visión ni la esperanza! Conforme se prepara para enseñar a los niños acerca de Simeón, pídale a Dios que le dé sabiduría para realmente VER a los niños que enseña, verlos física y emocionalmente.

1 Actividades de motivación

Salude a los niños cariñosamente y diga: "Llevo puesta una blusa amarilla brillante (o el color de ropa que lleve). Tú, Eunice, llevas puesta una blusa floreada (haga hincapié en lo que el niño lleve puesto). ¿Sabes cómo lo sé? ¡Usé mis ojos! Puedes usar tus ojos para ver quién está aquí hoy? ¿Qué están haciendo? Sí, puedo ver que puedes usar tus ojos". Canten la segunda estrofa de "Dos ojitos" (núm. 32 del *Cancionero para preescolares 1*), usando el nombre del niño. Póngale los anteojos al niño (si se deja) y comente: "Oh, ¡qué oscuro está aquí!". Quítele los anteojos y diga: "Ya puedes ver mejor. Queremos que veas todo hoy. Dios te dio ojos para ver".

2 Centros de interés

Rompecabezas/Juegos: Coloque una de las figuras en el franelógrafo. Pregunte a un niño qué es lo que ve (si no lo puede hacer, dígale el nombre correcto). Luego pídale que busque el mismo objeto en el salón. Repita la actividad con otras figuras. Conforme vaya encontrando los objetos que son iguales a la figura, diga: "Estás usando tus ojos para encontrar las cosas en el salón. ¡Qué bueno que Dios te dio ojos!".
Naturaleza: Los objetos en la "caja de la naturaleza" pueden o no ser conocidos por los niños. Pídales que se fijen en los objetos y traten de nombrarlos. Señale ciertos detalles de cada uno de los objetos para ayudar a los niños a que se fijen en ellos. Felicítelos por la manera como están usando los ojos.
Libros: Vean los libros acerca de los colores. Al señalar al color, diga el nombre y converse acerca de las cosas que tienen ese color. Señale otras cosas en el salón que tienen el mismo color. Deje que el niño señale alguna cosa que tiene ese color. Dígale que está usando sus ojos que Dios le dio para encontrar los colores.

3 Enseñanza de la Biblia

Busque en el salón algo que es conocido por los niños. Converse acerca del objeto y descríbalo en términos que los niños puedan comprender, sin decir su nombre. Pregunte a uno de los niños si pueden "ver" de qué está hablando. Permítale señalarlo e ir a tocarlo. Repita esto varias veces, hasta que todos hayan tenido un turno. Pídales que cierren los ojos y pregúnteles qué ven con los ojos cerrados. Pídales que abran los ojos y vean a su alrededor y digan qué ven. Esta será la introducción a la historia.

• Me alegra mucho que puedas ver.
• Cuando Jesús era un bebé, alguien lo vio.
• Era un hombre muy anciano.
• Era muy anciano, pero todavía podía ver.
• Todos los días iba al templo y observaba.
• Quería ver a Jesús.
• Pero Jesús no había nacido.
• Hacía lo mismo todos los días.
• Deseaba ver a Jesús.
• Un día mientras estaba sentado y observando, vio algo.
• Era un bebé.
• Observó cuidadosamente.
• No era un bebé común y corriente.
• Era el bebé Jesús.
• Sus ojos brillaban de felicidad.
• Pidió tomar a Jesús en sus brazos.
• Lo observó de cerca.
• Luego dio gracias a Dios:
• "Gracias, Dios.
• "Me alegro tanto de ver a Jesús.
• "Este es el mejor día de mi vida".

Pregunte a los niños: "¿Qué ven que los hace sentirse felices?" y espere sus respuestas. Muestre el espejo y diga: "Me gusta verme. ¿A ti te gusta verte?". Deje que cada niño se vea en el espejo. Luego canten: "Dos ojitos".

Reparta las hojas y señale cada parte de la cara de la persona. Diga: "Esta es la nariz. Olemos con la nariz (huela el aire). Esta es la boca. Hablamos con la boca (abra y cierre la boca). Estos son los oídos. Escuchamos con los oídos (coloque su mano detrás de la oreja). Estos son los ojos. Tenemos dos ojos. Podemos ver con los ojos (entrecierre los ojos). ¿Vio el anciano a Jesús con su nariz? ¡No! No vemos con la nariz. ¿Vio el anciano a Jesús con la boca? ¡No! No vemos con la boca. ¿Vio el anciano a Jesús con los oídos? ¡No! No vemos con los oídos. ¿Vio el anciano a Jesús con los ojos? Sí. Vemos con los ojos". Mencione una parte de la cara y pida a los niños que la señalen. Luego pídales que señalen la parte con la que vemos. Deles crayones y pídales que coloreen la cara como deseen.

4 Actividades de reforzamiento

5 Preparación para ir a casa

Diga a los niños que conoce un juego que les ayudará a saber qué tan buenos están sus ojos. Cubra la figura (puede usar las mismas figuras que usaron anteriormente) con un pedazo de papel grueso. Mientras los niños ven la figura, descúbrala lentamente. Pídales que traten de adivinar qué figura es antes de que esté totalmente descubierta. Esta actividad no será fácil para los niños de dos años. Quizá tendrá que mostrarles la figura y luego cubrirla, pidiéndoles que traten de identificarla mientras la descubre. Cuando termine con una figura, muéstreles otra. Diga: "Dios nos dio ojos para ver. Me alegro mucho de que los estén usando. Demos gracias a Dios por nuestros ojos". Anime a cada uno de los niños a que digan "gracias".

Las hermosas flores

Objetivo de la unidad:
Que los alumnos sepan que hay muchas cosas que pueden hacer.

Objetivo de la lección:
Que los alumnos sepan que pueden oler con la nariz.

Versículo clave de la unidad:
"El oído... y el ojo... fueron creados por el Señor".
Proverbios 20:12, (DHH).

Preparación:
- En recipientes de plástico con tapas, haga varios agujeros en la tapa. Coloque una fragrancia diferente en cada recipiente (por ejemplo: crema de maní, limones, plátanos, canela). Recorte o haga un dibujo de cada objeto y cubra las figuras con plástico.
- Llene con agua un recipiente de plástico grande. Agregue menta (u otra fragancia) al agua. Cubra la mesa o piso con plástico para protegerlos.
- Recorte patrones blancos de flores. Para terminar la actividad de arte necesitará papel liso, bolas de algodón, atomizador con perfume o desodorante ambiental y pegamento. (Asegúrese que ninguno de los niños sea alérgico al perfume o a los aromas).
- Haga copias de la hoja del alumno. Provea gelatina en polvo o refresco en polvo sin azúcar, y pegamento, ambos en recipientes poco profundos de plástico (como los de margarina).
- Traiga una flor que tenga un aroma bonito o fuerte.

Preparación espiritual del maestro

Lea la base bíblica para la lección de hoy: Génesis 1:11, 12; Cantares 2:11-13a. Ponga atención especial a las palabras: "El invierno ha pasado... y han brotado flores en el campo". Oro que esta sea la realidad en su vida, que pueda sentir el calor del aliento del amor de Dios y sienta su belleza en todo lo que le rodea. Los niños tienen tal sentido de admiración y lo desafío a que usted también adopte ese espíritu. Mire a su alrededor y vea la hermosura en las flores y permita que eso le recuerde el amor de Dios y su cuidado. Si se siente insensible y cansado, deje que las flores le recuerden el verano y el calor del amor de Dios. Al sentir su amor, irradiará eso a sus alumnos.

1 Actividades de motivación

Después de que haya recibido y saludado individualmente a los niños, muéstreles los recipientes de margarina. Deje que los huelan. Converse con ellos acerca de lo que huelen, ayudándolos a identificar el aroma mostrándoles un dibujo del objeto. Luego repítalo, pidiéndoles que igualen el aroma con el dibujo. Diga: "Están oliendo los aromas con la nariz. Dios nos dio una nariz para que pudiéramos oler. Hoy vamos a hacer muchas cosas divertidas con nuestras narices. ¡Qué bueno que podemos oler!". Muéstreles los diversos centros de interés y déjelos que comiencen a jugar/trabajar en el que escojan.

Naturaleza: Permita a los niños jugar con el agua aromática, usando tazas, cucharas y embudos. Mientras disfrutan jugar con el agua, converse con ellos acerca de lo diferente que el agua huele. Explique que agregó un aroma especial para que pudieran sentir y oler el agua.

2 Centros de interés

Arte: Pida a los niños que hagan flores coloreando los patrones y pegándolos en la cartulina. Rocíe las bolas de algodón con colonia o desodorante ambiental y deje que los niños peguen una bola de algodón aromática en el centro de cada flor. Permítales oler las flores y hable con ellos acerca de lo bien que huelen. Dé gracias a Dios porque podemos oler las flores.

Área del hogar: Prepare una receta sencilla para los niños. Use algo sencillo, para que ellos le puedan ayudar. Mientras prepara la comida, converse con ellos acerca de los olores de la comida. Cuando termine, permítales probar y oler la comida. Dé gracias a Dios porque podemos oler y probar la comida.

3 Enseñanza de la Biblia

"Jesús me dio una nariz;
Con ella puedo yo oler;
Las cosas que hizo Dios
La fruta y la flor".
Comience ahora a relatar la historia.

Cante "Dios me hizo" (núm. 39 del *Cancionero para preescolares 1*) con estas palabras:

- Prepare, con tiempo, plastilina perfumada. Puede añadirle aromas como vainilla, limón, canela, café, chocolate en polvo o clavos a su receta favorita de plastilina (o use esta receta: Mezcle 2 ½ tazas de harina, 1 taza de sal, 2 paquetes de refresco en polvo, añada 3 cucharaditas de aceite, 2 tazas de agua hirviendo. Tenga cuidado, porque estará caliente, así que mezcle con una cuchara y luego amase).

Actividades de aprendizaje

¿Tiene miedo de cocinar donde hay niños? No se preocupe. A ellos les encanta ayudar y generalmente sus mamás no tienen tiempo para dejarlos ayudar. Será mejor evitar recetas que usen fuego, para no tener accidentes. Asegúrese de que los niños se hayan lavado las manos antes de la preparación. Una receta sencilla que le puede gustar se llama "hormigas". Los niños cortan bananas (usando cuchillos de plástico) en pedazos pequeños. Luego los cubren con mantequilla de cacahuate. Finalmente les pegan pasas (por eso se llaman "hormigas").

Aplicación a la vida

Debido a que esta es una lección práctica, no será difícil que los niños apliquen las verdades de esta lección a su vida. Cada vez que se vean la nariz, pensarán:
1. Huelo con la nariz.
2. Dios hizo mi nariz.
3. Me alegro de que puedo oler.

- ¿Sabían que hubo un tiempo en que no había ni una flor?
- Es verdad.
- Antes de que Dios hiciera la flores, no había flores.
- Dios quería que el mundo fuera hermoso.
- Quiso hacer algo bonito para que lo oliéramos.
- Dios hizo las flores para nosotros.
- Hizo flores que tuvieran un olor dulce.
- Hizo flores que tuvieran un olor fuerte.
- Hizo flores que nos hacen sentirnos felices.
- En algunos lugares sólo hizo unas pocas flores.
- En otros lugares hizo muchas flores.
- Cuando Dios creó a las personas, les dio una nariz.
- Así podían oler las flores.
- Dijo: "¡Miren la flores!".
- Dijo: "Huelan las flores".
- "Gracias, Dios, porque podemos oler las flores que hiciste".

Canten "¡Qué linda flor!" (núm. 20 del *Cancionero para preescolares 2*). Muestre a los niños la flor que trajo. Permita a cada uno oler la flor.

Después de enseñar la hoja del alumno a los niños, guíelos a poner pegamento en las flores. Luego deben rociar un poco del polvo de gelatina en las flores. Ponga la hoja en un lugar seguro para que se seque. Mientras trabajan, hábleles acerca del aroma de los polvos que está rociando en las flores. Dé gracias a Dios por la nariz que nos dio.

Cuando hayan terminado su trabajo, guíelos en este juego digital:
Las flores altas (levante los dedos largos)
Las flores pequeñas (levante el meñique y el pulgar)
Cuéntalas una por una - 1, 2, 3, 4, 5 (toque cada dedo mientras cuenta)
Huélelas con la nariz (huela cada dedo con la nariz).

4 Actividades de reforzamiento

5 Preparación para ir a casa

Después de que haya recogido todos los materiales y el salón quede en orden, pida a los niños que se sienten a las mesas y permítales trabajar con la plastilina aromática. Hable acerca de lo bonito que huele la plastilina, pero dígales que no deben metérsela en la boca. Explique que es sólo para jugar, ¡no para comer! Déjelos trabajar libremente, pero mientras lo hacen diga: "Me alegro de que tengan una nariz y que pueden oler muchas cosas. Gracias, Dios, por la nariz que nos diste".

Cuando los niños salgan con sus padres, dígales que enseñen a sus padres el trabajo de arte que hicieron. Anímelos a contar a sus padres que hablaron acerca de cómo pueden oler muchas cosas. Deje que enseñen a los padres algunas de las cosas que olieron hoy.

Unidad 8

Ser como
Jesús es
saber lo que
puedo hacer

ESTUDIO **34**

2, 3
años

Un sordomudo escuchó

Objetivo de la unidad:
Que los alumnos sepan que hay muchas cosas que pueden hacer.

Objetivo de la lección:
Que los alumnos sepan que pueden escuchar con los oídos.

Versículo clave de la unidad:
"El oído... y el ojo... fueron creados por el Señor".
Proverbios 20:12, (DHH).

Preparación:
• Provea un par de audífonos y/o un radiocasete portátil.
• Coloque varios artículos en recipientes donde se guardan rollos de películas, o en otras latas.
Algunos de los artículos pueden ser: monedas pequeñas, fideos, cereal y arroz. Séllelos bien para que no los puedan abrir.
• Necesitará un aparato para tocar casetes o discos compactos, y casetes y discos compactos. Provea algunos instrumentos sencillos, como campanitas, tambores o maracas.
• Tenga un silbato.
• Haga copias de la hoja del alumno y provea crayones grandes.
• Provea tres vasos, uno con 1/4 de agua, otro lleno hasta la mitad y el tercero totalmente lleno. Tenga lista una cuchara.
• Haga copias de la hoja del alumno y provea crayones grandes para los niños.

Preparación espiritual del maestro

Cuando leyó Marcos 7:32-37, ¿le asombró el método que Jesús usó para sanar al hombre? Jesús nunca había usado ese método ni lo volvió a usar. En realidad, si lee los Evangelios, descubrirá que Jesús no repitió los mismos métodos con personas diferentes. Individualizó. Vio y ministró a individuos. ¿Hace usted lo mismo? O ve a sus alumnos como parte de un "grupo" que enseña. Trate de visualizar a cada niño, y luego pídale a Dios que le enseñe cómo ministrar a su necesidad. Esto le ayudará en su forma de actuar y reaccionar en el aula.

1 Actividades de motivación

El momento en que llegan los niños es muy emocionante. Para eso estudió y se preparó toda la semana. Todo está listo. Los alumnos captarán ese mismo espíritu de entusiasmo en la forma como los reciba. Cuando lleguen, recíbalos teniendo los audífonos (o el radiocasete portátil) en sus oídos. Cuando hable con ellos, pretenda que no los puede oír. Hasta querrá hablar más fuerte de lo acostumbrado. Después de unos segundos, quítese los audífonos y explíqueles que no los podía oír porque tenía los oídos tapados, pero que ahora ya los puede oír. Pídales que repitan lo que dijeron. Diga: "¡Qué bueno es escuchar sus voces! Hoy vamos a escuchar muchas cosas, porque usaremos nuestros oídos". Señale sus propios oídos y luego en una voz muy bajita, repita la frase "Dios hizo tus oídos" en el oído de los niños.

Naturaleza: Pida al niño que sacuda el recipiente. Hable de los diferentes sonidos que cada uno hace. Diga:

2 Centros de interés

"Este es muy ruidoso. Este es más suave. Me gusta más este. ¿Cuál te gusta a ti?". Cuando hayan escuchado y jugado con todos, abra el recipiente y muéstreles lo que hay adentro. Vuélvalo a sellar o guardar al terminar.

Juego: Guíelos en un juego de "tocar ligeramente" usando un palo o lápiz sin punta. Camine alrededor del salón tocando diferentes objetos. Hable acerca de cómo los sonidos son diferentes. (*Toque objetos blanditos y duros*). Deje que los niños toquen algunos objetos, teniendo la precaución de no dejar cosas que se quiebren a su alcance y supervisarlos para que no "toquen" a otros niños.

Música: Dé a los alumnos instrumentos musicales que son fáciles de tocar o tóqueles un disco compacto o casete. Deben acompañar la música. Pruebe diferentes clases de música. Anime a los niños a escuchar, usando sus oídos, la música y tocar a su ritmo. Cuando la música cese, ellos deben parar de tocar.

3 Enseñanza de la Biblia

Dé a un niño un silbato y pídale que se esconda. Cuando ya esté escondido, instruya al niño que empiece a soplar el silbato. Los otros niños deben seguir el sonido del silbato para encontrar al niño. Aquel que encuentre al niño escondido será el que se esconderá enseguida. Hábleles acerca de cómo tuvieron que usar sus oídos para participar en el juego. Cante "Yo soy así" (núm. 5 del *Cancionero para preescolares 2*). Repítalo,

Puede dar por sentado que los niños "oyen" todo, pero en realidad no es así, a menos que les ayude a centrar su atención en "escuchar". Debe evitar ruidos innecesarios en el trasfondo y, al mismo tiempo, ayudarles a estar conscientes de los ruidos y ritmos planeando actividades específicas que llamen su atención a los diferentes sonidos. Cuando escuche algún ruido de otra clase, llame la atención del niño a ese ruido. Cuando un ruido de la calle llegue hasta su salón, aprovéchelo para la enseñanza. No espere que los niños queden callados, pero sí anímelos a escuchar el tono de sus voces y usar voces "quietas" dentro del templo. Provea algunos juguetes que "hagan ruido", pero no los sobreestimule con ellos. Guárdelos cuando ya no los necesite.

Aplicación a la vida

Como resultado de las actividades de hoy los niños deben aplicar estas verdades a su vida:
1. Es bueno poder oír.
2. Podemos oír porque tenemos oídos.
3. Dios hizo nuestros oídos para que pudiéramos oír.

usando esta vez la palabra "oído". Abra su Biblia en Marcos 7 y comience a relatar la historia.

• Había una vez un hombre que no podía oír nada.
• Él deseaba poder oír.
• Pero no podía oír.
• Porque no podía oír,
• Nunca aprendió a hablar.
• No podía oír y no podía hablar.
• Sus amigos dijeron: "Pediremos a Jesús que lo ayude".
• Ellos querían que su amigo oyera.
• Querían que su amigo hablara.
• Así es que lo llevaron a Jesús.
• Jesús tocó sus oídos.
• Jesús tocó su boca.
• El hombre pudo oír.
• Entendió todo lo que la gente decía.
• También podía hablar.
• Ahora podía oír.
• Ahora podía hablar.
• ¡Qué feliz se sentía!
• Jesús se alegró porque pudo ayudarlo.
• Todos estaban sorprendidos.
• Todos se sentían felices.
• ¡Qué bueno es poder oír!
• ¡Qué bueno es poder hablar!
• Gracias, Dios, por nuestros oídos que nos permiten oír.
• La Biblia dice: "El oído... y el ojo... fueron creados por el Señor".
• ¿Pueden decir eso conmigo?

Vierta agua en tres vasos del mismo tamaño. Vaso #1: 1/4; vaso #2: ½ ; vaso #3: lleno. Diga: "Escuchen. ¿Qué oyeron? ¿Son iguales todos los sonidos?". Con una cuchara toque varias veces cada vaso. Si sus alumnos son los suficientemente maduros, guíelos para que toquen los vasos. Pídales que señalen la parte de su cuerpo que usaron para escuchar el sonido de los vasos. Dígales que Dios hizo sus oídos para que pudieran oír.

4 Actividades de reforzamiento

Distribuya la hoja del alumno y explique que encontrarán varios objetos que hacen ruido. Señale cada objeto y luego permita a los niños encontrar ese objeto en el salón. Distribuya los crayones y permita a los niños colorear el cuadro de "sonido".

5 Preparación para ir a casa

Guíe en este juego: Los niños se sientan en un círculo. El maestro camina alrededor del círculo tocando sus cabezas y haciendo un ruido (por ejemplo, silbar). Repite el "silbido" varias veces, y luego hace otro ruido (por ejemplo, cantar). Cuando toque la cabeza de un niño y "canta", este niño se para y corre alrededor del salón persiguiendo al maestro. Si el niño toca al maestro antes de que este corra alrededor del círculo y se siente en la silla del niño, entonces este niño podrá caminar alrededor del círculo haciendo ruidos (silbando, cantando) y tocando la cabeza de otros niños. Si no, el maestro continuará tocando las cabezas. Puede tomar unos minutos aprender el juego, pero a los niños les encantará. Entre turnos, recuerde a los niños que tendrán que escuchar cuidadosamente ¡con los oídos que Dios les dio! Cuando lleguen los padres, cuénteles qué hicieron sus niños.

Unidad 8
Ser como
Jesús es
saber lo que
puedo hacer

ESTUDIO **35**

Moisés y el pueblo cantaron

Objetivo de la unidad:
Que los alumnos sepan que hay muchas cosas que pueden hacer.

Objetivo de la lección:
Que los alumnos sepan que pueden cantar con la boca.

Versículo clave de la unidad:
"El oído... y el ojo... fueron creados por el Señor".
Proverbios 20:12, (DHH).

Preparación:
• Use los modelos de bocas que aparecen abajo para recortar bocas y decorar su vestido. Use imperdibles para colocarlas.

• Recorte diferentes clases de bocas, usando cartulina gruesa, dos de cada una. Coloque un juego de bocas en una bandeja. Coloque las otras bocas en la pared.

• Confeccione un libro muy especial para ilustrar el canto "Dios me hizo" (núm. 39 del *Cancionero para preescolares 1*). Prepare figuras de bocas, alguien cantando, alguien sonriendo, alguien orando. Prepare tres o cuatro latas de metal que puedan caber una dentro de la otra. Lije las orillas si no están lisas. Cubra las latas con papel de color y luego pegue uno de los dibujos en la lata (asegúrese de que los dibujos estén en el orden correcto, colocando la boca en la primera lata, luego la que está cantando en la próxima, etc.).

• Haga copias de la hoja del alumno para cada niño. Trace la boca de la hoja del alumno y recorte bocas rojas (de cartulina roja o tela roja) para cada alumno.

Preparación espiritual del maestro
Sin duda el pasaje de Éxodo 15:1-8 es uno de los cantos más emotivos y hermosos de la Biblia. Mientras escribo estas lecciones, los jóvenes de mi iglesia han sido grandemente inspirados por este pasaje, es el tema de su culto especial de adoración. Al leer el pasaje, trate de imaginar todo lo que Moisés y su pueblo sintieron al cruzar el mar Rojo y ser testigos de la destrucción de los egipcios. Moisés guió a su pueblo en esta hermosa adoración. ¿Está usted guiando a sus niños a adorar a nuestro Dios, quien continúa siendo digno de nuestro regocijo?

1 Actividades de motivación

Ya que todo estará en su lugar antes de que llegue el primer niño, debe estar libre para recibir a cada uno individualmente. Cante "Bienvenida" (núm. 2 del *Cancionero para preescolares 1*), junto con el niño que acaba de llegar. Después de cantar, señale las bocas que colocó en su ropa. Pida a los niños que encuentren las bocas y las toquen. Necesitará arrodillarse para que los niños puedan alcanzarlas. Pregúnteles qué son. Dígales que son dibujos de bocas. Señale su boca y diga: "Uso mi boca para cantar". Canten "Bienvenida" otra vez y deje que los niños toquen su boca para ver cómo la está usando para cantar.

2 Centros de interés

Música: Escoja un canto que todos los niños conocen bien. Cántelo lentamente. Luego cántelo rápidamente. Hable acerca de la diferencia. Luego repítalo. Pregúnteles cuál les gustó más. Diga: "Es bueno poder usar nuestras bocas para cantar de diferentes formas".
Rompecabezas/Juegos: Muestre a los niños las bocas en la pared y explique que todos tenemos bocas, pero que son un poco diferentes. Muéstreles las bocas similares que están en la bandeja. Señale una boca en la pared y pídales que encuentren la boca en la bandeja que se le parece. Diga: "Dios nos dio bocas para que pudiéramos cantar con ellas". Canten su canto favorito.
Libros: Mientras canta "Dios me hizo", vaya sacando una por una las latas con el dibujo correcto. Cuando haya terminado, vuélvalos a acomodar, y anime a los niños a volverlo a cantar solitos. Mientras juegan con las latas, cante con ellos.

3 Enseñanza de la Biblia

Cante en voz normal uno de los cantos que a los niños les gusta. Luego cántelo en tono alto. Dígales que es en tono alto. Repita el mismo canto en tono bajo. Dígales que era un tono bajo. Repítalo un par de veces. Hable acerca de los tonos altos y bajos. Cante en tono alto o bajo y deje que los niños le digan en qué tono está cantando. Repítalo. Cante, junto con los niños "Dios me

Para los niños de esta edad, la música no significa simplemente cantar, sino también moverse al ritmo de la música, escuchar la música y crear música con los instrumentos y juguetes. Es importante proveer accesorios como campanas, tambor y cascabeles de cuando en cuando. Animará a los niños a cantar cuando usted canta con ellos regular y espontáneamente. No fuerce al niño a cantar si es muy tímido o no desea hacerlo. Comparta los cantos que usa en la clase con los padres para que los niños también los escuchen en la casa. A estos niños les encanta repetir el mismo canto vez tras vez. No olvide inventar cantos según los eventos que ocurran e incluir los nombres de los niños en los cantos, cuando sea posible.

Aplicación a la vida

Ya que todas las actividades están enfocadas en el uso de la boca del niño para cantar, la aplicación práctica de este lección es que:
1. El niño se da cuenta de que puede cantar.
2. El niño piensa en Dios cuando canta.
3. El niño cantará solo durante el día.

hizo", usando la primera estrofa. Cuando hayan terminado, abra su Biblia y rápidamente comience a relatar la historia.
• Moisés se sentía muy feliz.
• Se sentía tan feliz que no hacía más que cantar.
• Dios le ayudó.
• Dios había ayudado a sus amigos.
• Así que Moisés cantó a Dios.
• Cantó alegremente.
• Cantó en voz alta.
• Cantó acerca de Dios.
• "Dios, tú eres mi Dios.
• "Dios, tú eres fuerte.
• "Dios, tú eres maravilloso.
• "Te amo, Dios.
• "Gracias, Dios".
• Moisés cantó solo.
• Enseñó su canto a todos.
• Todos sus amigos cantaron su canto con él.
• Creo que su canto era así:
Canten "Te alabo, oh Dios" (núm. 3 del *Cancionero para preescolares 1*). Luego repítalo usando los movimientos que se indican en el cancionero. Ayude a los niños a hacer los mismos movimientos.
• ¡Qué bueno que podemos cantar a Dios!
• ¡Qué bueno es tener una boca con la cual cantar!
• Me gusta cantar a Dios.

Muestre a los niños las bocas que ha recortado. Pregúnteles que son. Pídales que toquen sus bocas. Recuérdeles que en la historia de hoy Moisés usó su boca para cantar a Dios.

4 Actividades de reforzamiento

Escoja uno de los cantos favoritos de los niños y cante con ellos.
Reparta la hoja del alumno y pídales que señalen la boca en la cara. Dé a cada niño una boca roja y pregúnteles dónde deben ponerla en el dibujo. Deles recipientes pequeños de pegamento y déjelos pegar la boca. Recuerde, a esta edad no tienen la coordinación motriz para colocar correctamente la boca. Deje que lo hagan a su manera. NO "arregle" su trabajo. Lo que es importante aquí es el proceso y aprendizaje de usar la boca para cantar, no la "belleza" del producto final. Use las latas para cantar la primera estrofa de "Dios me hizo".

5 Preparación para ir a casa

Pida a los niños que canten con usted mientras ordenan el salón y guardan todo. Agradézcales su ayuda y cooperación.
Dígales que están usando sus bocas para cantar, así como Dios quiere que lo hagan. Mientras esperan la llegada de los padres repita el juego de cantar en tono alto/bajo y rápido/lento y pida a los niños que le digan cómo está cantando. Cuando los niños vayan saliendo cante "Despedida" (núm. 48 del *Cancionero para preescolares 1*), usando el nombre del niño que se está yendo. Al saludar a los padres, dígales que el tema de la lección giró alrededor de usar la boca para cantar. Pídales que le ayuden cantando con sus niños durante la semana y recordándoles que Dios nos dio bocas para cantar.

Unidad 8
Ser como
Jesús es
saber lo que
puedo hacer

ESTUDIO 36

2,3
años

Rut recogió espigas

Objetivo de la unidad:
Que los alumnos sepan que hay muchas cosas que pueden hacer.

Objetivo de la lección:
Que los alumnos sepan que pueden tocar las cosas con sus manos.

Versículo clave de la unidad:
"El oído... y el ojo... fueron creados por el Señor". Proverbios 20:12, (DHH).

Preparación:
- Prepare bandejas de arena y juguetes. Cubra el área con periódicos. Coloque vasos de agua al lado de las bandejas de arena.
- Recorte formas geométricas sencillas (círculos, cuadrados, triángulos, etc.) de papel de lija. Haga dos de cada forma. Coloque un juego en una bolsa opaca.
- Confeccione un libro de texturas así: Use una variedad de texturas como bolas de algodón, pedazos de tela de terciopelo, papel aluminio, papel de lija, arpillera, hojas secas, etc. Pegue estos materiales en hojas grandes de cartulina o en un trozo de madera delgada. Grape las hojas juntas para formar un libro grande para "palpar".
- Haga copias de la hoja del alumno. Prepare pinturas con diferentes texturas, añadiendo uno de los siguientes ingredientes a cada color de pintura que ha preparado: arena, sedimento de café, especias, elementos naturales desmigados, sal de grano, bicarbonato de soda, almidón líquido, sal, maicena. Cubra la mesa con periódico o plástico. Proteja la ropa de los niños.

Preparación espiritual del maestro

Abra su Biblia y lea en Rut 2:1-3, 17, 18 la historia de Rut mientras recogía espigas. Vemos la provisión de Dios para los que son los más pobres, como Rut y Noemí. Las mujeres no podían tener trabajo, pero en Levítico descubrimos que a los pobres se les permitía recoger las espigas que quedaban en los campos. No había deshonra en lo que hacía Rut. Trabajaba legítimamente para sostenerse a sí misma y a su suegra. Aun Boaz, el rico dueño de los campos, reconoció su derecho de trabajar. Nunca debemos sentir vergüenza de trabajar arduamente o trabajar con nuestras manos. Nunca debe sentirse inferior o menos importante porque enseña a los niños pequeños. Dios honrará su arduo trabajo, así como honró la labor de Rut en el campo. Pídale que bendiga su ministerio.

1 Actividades de motivación

Conforme lleguen los niños, salúdelos por nombre y con un abrazo. Muéstreles sus manos y pregúnteles qué ven de diferente. (Debe llevar puestos guantes o mitones). Dígales que las cosas no se sienten iguales con los guantes. Déjelos que se pongan los guantes (o provea un par de su tamaño para que se pongan). Coloque una pelota o una manzana pequeña en sus manos mientras tienen puestos los guantes. Luego pídales que la tomen sin los guantes. Hábleles acerca de cómo se siente diferente con y sin guantes. Déjelos tocar las paredes y otros objetos con y sin los guantes. Diga a los niños que hoy estarán tocando muchas cosas con las manos y pensando en el hecho de que Dios nos dio manos para usar de diferentes maneras. Diga: "Dios hizo nuestras manos. Me alegro de que tengo manos para usar. ¡Me alegro de que ustedes también tienen manos!".

2 Centros de interés

Mesa de arena: Pida a los niños que tomen el vaso de agua y lentamente la viertan en las bandejas de arena. Mientras la textura cambia hábleles de este cambio. Deje que describan cómo se siente. Diga: "Dios les dio manos para que pudieran sentir las diferentes cosas".
Juegos: Pida a cada niño que meta la mano en la bolsa y palpe las tarjetas. Una vez que haya "escogido" una, anímelo a palpar la forma y pídale que trate de encontrar la misma forma fuera de la bolsa. Una vez que la haya escogido, permítale sacar la otra de la bolsa y verificar si son iguales. Si lo hacen bien o no, felicítelos por su habilidad de palpar con las manos.
Libros: Abra el libro grande y diga: "Hoy vamos a palpar muchas cosas diferentes. ¿Qué les dicen sus manos y dedos de cada una de estas?". Deje que los niños palpen las páginas y, si quiere, invente una historia. Pregúnteles qué sienten con los dedos.

3 Enseñanza de la Biblia

Comience a cantar las estrofas una y dos de "Dios me hizo" (núm. 39 del *Cancionero para preescolares 1*) y luego añada la estrofa que cantó durante la segunda semana de esta unidad. Señale su boca y pregúnteles qué pueden hacer con ella. Señale los

La forma más natural para que los niños de dos y tres años aprendan es usando sus sentidos. Así que es importante que provea una variedad de actividades, dándoles oportunidad de usar sus sentidos y aprender las palabras apropiadas para describir lo que están sintiendo. No olvide que todavía están aprendiendo lo que es "frío" y "caliente", "suave" y "duro". Provea juguetes de colores, formas, texturas, sonidos diferentes. Guíelos en juegos que usen texturas, sonidos y el sentido del tacto. Haga preguntas para que los niños aprendan a hablar acerca de lo que están sintiendo.

Aplicación a la vida

Como con otras lecciones de esta unidad, la aplicación a la vida del niño es práctica:
1. Dios hizo nuestras manos.
2. Podemos trabajar con las manos.
3. Podemos tocar cosas diferentes con las manos.

ojos y pídales que le muestren lo que pueden hacer con ellos. Señale la nariz y pregúnteles qué pueden hacer con ella. Luego cante la tercera estrofa, acerca de las manos. Pídales que le muestren algunas de las cosas que pueden hacer con las manos. Diga: "Conozco una historia de una mujer que se llamaba Rut. Ella trabajaba con sus manos". Abra su Biblia y relate la historia.
• Rut era una mujer muy buena.
• Cuidaba a su amiga Noemí.
• Rut no tenía a nadie que la cuidara.
• Ella cuidaba a Noemí.
• Rut trabajaba afuera.
• Rut trabajaba en el campo.
• Recogía espigas. Era un trabajo pesado.
• Tenía que recoger el grano del suelo.
(Debe agacharse y pretenda recoger el grano)
• Usaba sus manos. Recogía las plantas.
• Podía palpar lo suave que eran.
• Se agachaba y las recogía con las manos.
• ¡Qué bueno que podía usar sus manos para trabajar!
• Se cuidaba sola. Cuidaba a su amiga.
• Dios le dio manos para trabajar.
• ¿Tú trabajas con tus manos?
Guíelos en el juego basado en "Rut trabaja con una mano":
Rut trabajaba con una mano (al decirlo, agáchese como si estuviera recogiendo algo, repítalo cada vez que diga "mano"), *con una mano, con una mano.*
Rut trabajaba con una mano, ahora trabaja con dos (ahora comience a recoger cosas con la segunda mano. Al decir "manos" continúe trabajando con ambas manos).
Rut trabaja con dos manos, con dos manos, con dos manos. Rut trabaja con dos manos, ahora descansará (todos se sientan y descansan).

Reparta la hoja del alumno y pregúnteles qué ven. Pregúnteles quién hizo las manos. Hable acerca de las diferentes cosas que podemos hacer con las manos. Anímelos a aplaudir, abrirlas, cerrarlas, etc.

4 Actividades de reforzamiento

Saque la pintura que ha preparado y permita a los niños escoger una para pintar la mano. Converse acerca de cómo se siente y ve la pintura. Cuando todos hayan probado esa pintura, déjelos probar otra. Contraste esta pintura con la otra. Mientras pintan y sienten la textura dígales: "Están trabajando con sus manos así como Rut trabajó con sus manos. Dios hizo nuestras manos para que las pudiéramos usar. ¡Gracias, Dios, por nuestras manos!".

5 Preparación para ir a casa

Después de que los niños le ayuden a recoger y ordenar todo antes de salir, guíelos en el juego tibio/fresco. Prepare una botella con agua fresca y otra con agua tibia. Que no esté ni muy fría ni muy caliente, pero deben poder sentir la diferencia de temperatura. Déjelos tomar turnos tocando las botellas para ver cuál está tibia y cuál fría. Los niños pueden cerrar los ojos cuando toquen las botellas si lo desean. Esto les ayuda a concentrarse en usar un sentido. Hábleles acerca de cómo sus manos pueden sentir algo caliente y algo frío. Recuérdeles de todas las cosas que hicieron con las manos hoy, para que cuando lleguen sus padres puedan mostrarles o decirles lo que han hecho.

Unidad 8

Ser como
Jesús es
saber lo que
puedo hacer

ESTUDIO 37

2, 3
años

Zaqueo usó sus pies

Objetivo de la unidad:
Que los alumnos sepan que hay muchas cosas que pueden hacer.

Objetivo de la lección:
Que los alumnos sepan que pueden caminar con sus pies.

Versículo clave de la unidad:
"El oído... y el ojo... fueron creados por el Señor".
Proverbios 20:12, (DHH).

Preparación:
• Use dos líneas de cinta adhesiva para hacer un sendero en el salón. Este sendero debe guiar a un área donde hay apilados varios almohadones para que los niños puedan treparse.

• Provea algunas muñecas grandes u osos de peluche para el área del hogar.

• Provea una tabla larga y plana donde los niños puedan caminar. Asegúrese de que esté limpia y que no tenga astillas o clavos que los puedan dañar.

• Provea pintura diluida en recipientes poco profundos. Provea unos zapatos viejos de bebé (u otros zapatos pequeños) que los niños puedan usar para meter en la pintura. Coloque hojas grandes de papel en el piso que ha sido cubierto con periódico o plástico. Provea delantales protectores para los niños.

• Recorte 10 ó 15 huellas (usando tela o cartón). Péguelas al piso (cerca una de la otra) para hacer un sendero que los niños puedan seguir.

• Haga copias de la hoja del alumno para cada niño.

Preparación espiritual del maestro
Estoy consciente de que ya sabe bien la historia de Zaqueo, pero tome tiempo para volverla a leer en Lucas 19:1-6. ¿Estaría dispuesto a caminar un tramo largo para ver a Jesús? ¿Se treparía a un árbol? Algunos de nosotros ni estamos dispuestos a pasar 10 minutos al día estudiando la Biblia y orando, mucho menos hacer un esfuerzo físico. ¿Está usted tan ansioso de encontrarse con Jesús como lo estaba Zaqueo? ¡Necesita este encuentro diario para crecer en Jesús! Pase tiempo con él diariamente y entonces estará preparado espiritualmente para enseñar a los pequeños.

1 Actividades de motivación
Tan pronto como lleguen los niños, señáleles cómo está arreglado el salón. Dígales que se ve desordenado, pero que está bien, que así lo arregló. Muéstreles el sendero que lleva a los almohadones. Guíe a los niños a caminar entre las dos líneas *sin* pisarlas. Al hacerlo, anímelos y diga: "Dios te dio dos pies con que caminar. Caminas muy bien. ¡Te felicito!".
Cuando lleguen a los almohadones, pregúnteles si creen que pueden treparlos. Estimule sus esfuerzos para usar sus pies y sus piernas para subir. Ayúdelos a comprender que es bueno poderse mover así. (Asegúrese de que haya otro adulto supervisando esta actividad).

2 Centros de interés
Área del hogar: Muestre a los niños las muñecas grandes (o los osos de peluche). Muéstreles cómo hacer que la muñeca camine enseñándole a detener la muñeca enfrente de él y hacer que la muñeca camine hacia adelante mientras él camina hacia atrás. Anímelo a tratar de caminar de diferentes formas. Diga: "Dios nos dio pies y podemos caminar con los pies".
Juego: Coloque una tabla plana en el piso y camine sobre ella. Diga: "Mírenme. Estoy caminando sobre la tabla. Si te tomo de la mano, ¿crees que puedes hacerlo?". Muestre a los niños cómo caminar, poniendo un pie enfrente del otro mientras le detiene la mano. Deje que cada niño haga el intento de caminar sobre la tabla.
Arte: Muestre a los niños cómo meter los zapatos en la pintura y presionarlos sobre el papel para hacer una huella. Déjelos que lo repitan. Hable acerca de por qué usamos zapatos para proteger nuestros pies, y cómo usamos los pies para caminar y correr. Diga: "Gracias, Dios, por nuestros pies".

3 Enseñanza de la Biblia
Señale las huellas en el piso. Pregúnteles si pueden caminar sobre las huellas. Felicítelos por usar los pies para caminar sobre el sendero. Cuando hayan terminado, puede comenzar a relatar la historia, abriendo su Biblia en Lucas 19. Mientras la relata, querrá usar los pies para hacer lo mismo que hicieron los pies de Zaqueo.

187

Actividades de aprendizaje

De una cosa puede estar seguro, sus niños disfrutan de actividades físicas. Necesitan moverse activamente y participar físicamente. Aunque sí necesitan aprender habilidades físicas usando sus músculos grandes, los más importante es que sienten un gran placer de poderse mover. Cuando sea posible lleve a los niños al aire libre donde pueden moverse más libremente. Querrán ser independientes, así es que cuando introduzca una actividad nueva, hágalo lentamente y ofrezca su ayuda, sin entrometerse. Al ir dominando nuevas habilidades, va aumentando su autoconfianza.

Aplicación a la vida

Aunque hay muchas cosas que el niño todavía no puede hacer, la lección de esta semana puede transformar la vida del niño ayudándolo a:

1. Pensar en Dios cada vez que usa sus pies.
2. Sentirse bien de sí mismo porque puede hacer muchas cosas con sus pies y piernas.
3. Dar gracias a Dios porque puede caminar, correr, brincar y trepar.

• Jesús iba llegando a la ciudad.
• Zaqueo vivía en esa ciudad.
• Escuchó acerca de Jesús.
• Se puso muy contento.
• "Quiero ver a Jesús", dijo.
• Así es que corrió para ver a Jesús.
• Las otras personas llegaron antes que él.
• Se puso triste.
• Era muy bajito.
• No podía ver nada.
• Luego tuvo una idea.
• Corrió muy aprisa.
• Corrió al frente de la gente.
• Encontró un lindo árbol.
• Se subió al árbol.
• Usó sus pies para que le ayudaran a subir al árbol.
• Fue una gran idea.
• Cuando Jesús pasó por allí,
• Zaqueo lo vio.
• Jesús vio a Zaqueo.
• Jesús habló con Zaqueo.
• Zaqueo se sintió muy contento.
• Se alegró de haber usado sus pies para correr.
• Y usó sus pies para treparse al árbol.
• Se alegró de ver a Jesús.

Cante la cuarta estrofa de "Dios me hizo" (núm. 39 del *Cancionero para preescolares 1*), usando sus pies como lo sugiere el canto. Anime a los niños a cantar y hacer los movimientos con usted.

4 Actividades de reforzamiento

Probablemente los niños querrán repetir la actividad con los almohadones, o caminar sobre la tabla o seguir los senderos. Esta será una buena oportunidad para dejar que lo hagan, conversando con ellos acerca de cómo están usando los pies para caminar, cómo Dios hizo nuestros pies, y recordarles que Zaqueo también usó sus pies para caminar, correr y trepar, así como ellos están haciendo. Después de que todos hayan tenido oportunidad de usar sus pies, muéstreles la hoja del alumno. Vea si pueden asociar el dibujo con la historia que escucharon. No se desanime si no pueden hacerlo. Recuérdeles la historia del hombre que quería ver a Jesús, así que se subió al árbol. Pregúnteles si pueden usar los pies para colorear el dibujo. Ayúdeles a entender que usamos nuestros pies en el piso y las manos para colorear. Deles crayones grandes para colorear el dibujo.

5 Preparación para ir a casa

Confeccione un buen número de flechas de cartón, algunas rectas, otras apuntando a la derecha y otra a la izquierda. Esconda un "tesoro" o algunos juguetes alrededor del salón. Prepare un sendero muy sencillo usando las flechas que guiarán a los niños a los escondites. (Coloque las flechas lo suficientemente aparte como para retar su sentido de la vista). Explique a los niños que tendrán que usar los ojos y los pies para seguir las flechas para encontrar el "tesoro". Sigan las flechas juntos, preguntando a los niños por donde deben ir para seguir las flechas. Cuando los niños hayan encontrado el tesoro o los juguetes, déjelos jugar con ellos mientras llegan los padres. Recuerde a los padres que estuvieron hablando sobre el uso de varias partes de su cuerpo durante las últimas seis semanas y que ellos deben reforzar estas enseñanzas animando al niño a usar sus cinco sentidos.

Unidad 9
Ser como
Jesús es
ayudar

ESTUDIO **38**

2, 3
años

David ayudó a papá

Objetivo de la unidad:
Que los alumnos sepan que Dios desea que sean ayudadores.

Objetivo de la lección:
Que los alumnos sientan el deseo de ayudar a sus papás.

Versículo clave de la unidad:
"Todo lo que te venga a la mano para hacer, hazlo".
Eclesiastés 9:10

Preparación
- Pida a uno de los padres que llegue temprano hoy y sea su asistente. Dígale cuáles son las actividades y cómo él le ayudará durante la clase.
- Antes de la sesión coloque las tapas en las cajas de los zapatos y cúbralas con plástico. Haga una abertura de 13 x 5 cm en cada tapa. Recorte varios círculos de cartoncillo de diferentes colores. Imprima el versículo de hoy en algunos de los círculos y pegue o dibuje a niños felices en los otros círculos.
- Tenga listos cinco diferentes pares de calcetines de hombre. Haga lo posible por que los estilos y colores sean lo más diferente posible. Separe los pares y mézclelos.
- Junte pares de crayones con ligas. Prepare un juego para cada niño. Provea papel liso para su uso.
- Copias de la hoja del alumno y lápices de color.
- Traiga (o pida a los padres que los presten) algunos zapatos de hombre que estén sucios (¡pero no demasiado sucios!) y alguna ropa y cepillos.

Preparación espiritual del maestro

Usted sabe, por haber leído 1 Samuel 17:14, 15, que David era el menor en su familia; sin embargo, demostraba una tremenda responsabilidad ayudando a su papá con las ovejas, aunque hubiera podido abandonar eso para trabajar exclusivamente para el rey. Sentía la responsabilidad de "honrar" a su papá. Si desea enseñar ese concepto a sus alumnos, usted mismo debe vivirlo. Aunque su papá ya no viva, ciertamente tiene un papá espiritual a quien respeta y obedece, y a quien sirve con amor y voluntad. Ore por su relación con su papá y ore por sus alumnos y sus padres también.

1 Actividades de motivación

Cuando vaya a la puerta a recibir a los niños hoy, pida al papá que lo acompañe. Después de hablar con el niño, señale hacia el papá y diga: "¿Sabes quién es él? Sí, es el papá de (*nombre del niño*). Él ha venido para ayudarnos hoy. A los padres les gusta ayudar. Creo que será interesante tener a un papá aquí hoy ayudándonos a pasarla bien". Luego diríjase al papá y pregúntele cómo va a ayudar durante la clase de hoy. Deje que él muestre y explique algunas de las actividades y también aprenda los nombres de los niños. También enseñe a los niños el nombre del padre. Los niños reaccionan de forma diferente a los cambios, así que esté preparado cuando al principio algunos de los niños se mantengan un poco alejados.

Rompecabezas/Juegos: Coloque las cajas y círculos en el piso. Cuando un niño muestre interés en las cajas,

2 Centros de interés

muéstrele cómo insertar los círculos en la abertura de la caja, leyéndole las frases de la Biblia. Diga: "Estos niños deben estar felices porque están ayudando a sus padres", mientras inserta el círculo con los niños felices.
Área del hogar: Muestre a los niños los diferentes calcetines. Pregúnteles si su papá tiene calcetines como esos. Sugiérales que pueden ayudar juntando los calcetines que se parecen. Use el pensamiento bíblico para hoy para animarlos en su tarea de ayudar. Cante "Yo soy ayudante" (núm. 34 del *Cancionero para preescolares 2*).
Arte: Invite a los niños a escoger un par de crayones. Anímelos a usarlos para hacer dibujos. (Muéstreles cómo asir el crayón. Se les puede hacer difícil al principio, pero anímelos a seguir coloreando). Los crayones trabajan juntos, así como tú puedes trabajar para ayudar a tu papá.

3 Enseñanza de la Biblia

Comience a cantar este canto (invente la tonada según prosiga) para que los niños se acerquen. Mientras canta "hagan esto", haga alguna clase de movimiento para que los niños lo imiten. Comience con los movimientos más activos y gradualmente pase a los más pasivos hasta que los niños estén sentados y quietos.
Todos hagan esto, esto, esto
Todos hagan esto, así como yo.
Cuando los niños estén listos, abra su Biblia y comience a relatar la historia.

Conforme el niño de esta edad aprenda a asir un crayón, también descubrirá que hacer contacto con el papel y aplicar presión hace una marca. Esto parecerá al niño un proceso maravilloso. Pero eso requiere que haga un gran esfuerzo para dominar los músculos frágiles, y esa es la razón por la que sus dibujos generalmente les parecen garabatos a los adultos. Simplemente porque no reconoce algo, no quiere decir que no tiene significado para el niño. Anime a los niños a hablar acerca de sus dibujos, pero en vez de decir: "¿Qué es eso?", use la frase: "Dime algo acerca de tu dibujo". El uso libre de los crayones en papel en blanco es importante en la preparación para la escritura más adelante, así es que déjelos usar los materiales de arte a su manera.

Aplicación a la vida

Durante la semana después de esta lección, los niños deben hacer estas aplicaciones prácticas:
1. Cuando estén con su papá, traten de ayudarlo de alguna forma.
2. Se sienten felices de ser los ayudantes de su papá.
3. Mientras ayudan a sus papás, comprendan que también están agradando a Dios.

• ¿Tú le ayudas a tu papá?
• La Biblia nos habla de un jovencito que le ayudó a su papá.
• Se llamaba David.
• El papá de David tenía muchas ovejas.
• ¿Puedes balar como una oveja? (Permita que los niños lo hagan).
• A las ovejas les gusta correr por todos lados, pero luego se pierden. (Permita que los niños corran alrededor del salón y usted los persigue y los vuelve a sentar).
• Alguien tenía que ir detrás de las ovejas para asegurar que estaban a salvo.
• El papá de David tenía tantas ovejas que no podía hacer el trabajo él solo.
• Sus otros hijos le ayudaban.
• Luego sus hijos crecieron.
• Ellos tenían que cuidar a sus propias familias.
• ¿Ahora quién cuidaría a las ovejas? ¡David!
• David era el hijo menor.
• Todavía vivía con su papá.
• Él podía dar de comer a las ovejas.
• Podía darles agua.
• Podía cepillar su piel.
• Podía cuidarlas.
• Había mucho trabajo que hacer.
• A David no le molestaba.
• David amaba a su padre.
• Le gustaba ayudar a su padre.
• ¿A ti te gusta ayudar a tu papá?
• ¿Cómo ayudas a tu papá?
Diga: "Una manera de ayudar a nuestros papás es orando por ellos. Conozco un canto que habla de eso". Cante "Oremos por papá" (núm. 43 del *Cancionero para preescolares 1*), usando solamente la palabra "papá"(y no mamá) y haciendo el verbo singular.

Pida a algunos niños que pretendan que están ayudando a sus papás: orando por ellos, colgando su ropa, besándolo, guardando la herramienta, limpiando sus zapatos.

4 Actividades de reforzamiento

Después de pretender hacer algunas de estas cosas, deles la hoja del alumno y con la ayuda de ellos identifique los dibujos en que los niños están ayudando a sus papás. Identifique los dibujos en donde los niños no están ayudando a sus papás. Muéstreles cómo poner una X sobre los dibujos donde los niños no están ayudando. Déjelos colorear los otros dibujos (con la ayuda del padre). Felicítelos por su buen trabajo, diciéndoles que la Biblia dice: "Todo lo que te venga a la mano para hacer, hazlo" (Ecl. 9:10).

5 Preparación para ir a casa

Ordene el salón, con la ayuda de los niños, elogiándolos porque están ayudando. Cante "Yo soy ayudante". Luego muéstreles los zapatos sucios. Explique que pertenecen a algunos padres y que ellos pueden ayudarlos limpiándolos. Muéstreles cómo usar las franelas o los cepillos para limpiarlos. Deje que cada niño limpie un zapato. Felicítelos por el esfuerzo que están haciendo por ayudar a sus papás. Sugiera algunas otras cosas que pueden hacer en casa para ayudar a sus papás. Cuando los padres lleguen, explíqueles el tema de la semana y pídales que elogien cualquier esfuerzo que el niño haga para ayudar a su papá durante la semana.

María ayudó a su mamá

Objetivo de la unidad:
Que los alumnos sepan que Dios desea que sean ayudadores.

Objetivo de la lección:
Que los alumnos sepan que pueden ayudar a su mamá.

Versículo clave de la unidad:
"Todo lo que te venga a la mano para hacer, hazlo".
Eclesiastés 9:10

Preparación

- Igual que la semana pasada, invite a una mamá para que ayude en la clase. Pídale que se ponga un delantal y tenga a su disposición una escoba, una toalla u otros materiales de limpieza que se usan en la casa.
- Provea una tela blanca para cada niño. Coloque pintura acrílica de color en un recipiente.
- Coloque algunas bandejas de plástico, unos pedazos de esponja y agua arriba de una sábana de plástico (o una cortina de ducha).
- Provea una botellita de plástico que tenga una tapa que pueda ser firmemente apretada. Vasos de plástico o cartón para cada niño. Un vaso de leche para cada niño. Un paquete de gelatina instantánea, del sabor de su preferencia.
- Copias de la hoja del alumno y crayones.

Preparación espiritual del maestro

Cuando lea la historia de Moisés y María en Éxodo 2:2-9 le parecerá que es un poco excepcional. Decididamente, María demostró una madurez y sabiduría sorprendentes para su edad. Sin duda, fue porque estaba acostumbrada a que confiaran en ella y desde temprana edad le habían dado responsabilidades. Ore porque Dios le dé sabiduría para saber cuándo debe ayudar a los niños y cuándo debe esperar que ellos solos hagan las cosas para que aprendan a ser adultos responsables.

1 Actividades de motivación

Al recibir a los niños, dígales que tiene una amiga especial que le ayudará hoy. Presénteles a la mamá que ha invitado a ayudarle y dígales que es la mamá de (*el nombre del niño*). Ella debe comenzar a limpiar el salón y pedirle a los niños que la ayuden. Conforme comiencen a participar en "trabajar" en el salón, se les debe recordar a los niños que están siendo ayudadores. Comience a cantar "Yo soy ayudante" (núm. 34 del *Cancionero para preescolares 2*) mientras sigue trabajando. Al terminar el canto, señale las diferentes actividades en las que se van a ocupar.

Arte: Ayude a los niños a cubrir ligeramente las palmas y dedos con pintura acrílica. Luego pida al niño

2 Centros de interés

que presione sus manos en la tela. Déjela secar y luego escriba en la parte superior: "Somos ayudadores".

Juego con agua: Dé a cada niño una bandeja de plástico y unos pedazos de esponja. Vierta sólo 2 cm de agua en la bandeja, y permita que los niños experimenten lo que pasa cuando mete las esponjas y las exprime. A los niños les encantará lavar cualquier cosa: muñecas, camiones, paredes, etc. Felicítelos por la forma en que están ayudando a limpiar el salón.

Área del hogar: Coloque una taza de leche en la botella. Deje que los niños le ayuden a verter una cucharada de gelatina en la leche. Invite a los niños a que la sacudan. Cuando hayan terminado, guíelos a verterla en una taza. Diga: "Prepararon comida así como lo hace mamá. Son ayudadores. Están haciendo lo que la Biblia dice: 'Todo lo que te venga a la mano para hacer, hazlo' ".

3 Enseñanza de la Biblia

Comience con uno o dos niños a cantar este canto y los otros pronto se unirán:

Dios hizo mis ojos para que parpadeen (parpadee los ojos).
Dios hizo mi cerebro para pensar (dé palmadas a su cabeza).
Dios hizo mis manos para aplaudir cuando me divierto (aplauda).
Dios hizo mis pies para brincar y correr (corra allí mismo en su lugar).
Dios hizo mi boca para cantar (señale a su boca y ábrala).
Dios hizo mis oídos para escuchar a mi mamá todo el día (ponga la mano detrás de la oreja).

Cuando estén todos los niños juntos, abra su Biblia y relate la historia:

Actividades de aprendizaje

Cuando ore con los niños, nunca use la oración como una forma de conseguir que los niños se pongan quietos o lo escuchen. Tampoco debe ser usada como un castigo. Cuando ore, hágala muy cortita, de sólo una frase y tema. No use formas complicadas para dirigirse a Dios, pero tampoco es necesario usar el diminutivo o términos infantiles para hablar de Dios. Anime a los niños a orar a su manera. No es necesario que repitan oraciones memorizadas, pero les puede dar sugerencias como: "Puedes decir 'gracias Dios por mi mamá' ". Haga de la oración una actividad espontánea durante las actividades.

Aplicación a la vida

Aun después de que los niños hayan salido del salón, deben hacer aplicaciones a su vida diaria como:
1. Querer ayudar a su mamá.
2. Sentirse contento cuando ayudan a su mamá.
3. Ayudar a la mamá con gusto cuando se les pida.

- Había una vez una familia muy feliz.
- La mamá cuidaba muy bien a su familia.
- Especialmente al bebé Moisés.
- Sin embargo, un día no pudo estar cerca de él.
- Su hija, María, dijo que ella cuidaría a su hermano.
- Se paró muy cerca de él.
- Observó todo lo que estaba sucediendo.
- Lo cuidó para que nadie le hiciera daño.
- Cuando alguien se acercó, llamó a su mamá.
- Su mamá estaba muy orgullosa de ella.
- "María, eres una hermana maravillosa.
- "Has cuidado bien a tu hermanito.
- "Has sido una buena ayudante.
- "Me alegro de que me hayas ayudado a cuidar a tu hermano.
- "Te aseguraste de que estuviera bien cuidado.
- "Muchas gracias, mi pequeña ayudante".
- Espero que tú ayudes a tu mamá como lo hizo María.
- Hay muchas cosas que puedes hacer para ayudar a tu mamá.
- Oremos por nuestras mamás.

Canten "Oramos por papá (núm. 43 del *Cancionero para preescolares 1*), sustituyendo mamá por papá. Señale a cada niño y pregunte: "¿Ayudarás a tu mamá?". Mueva la cabeza diciendo que sí para indicarles la respuesta correcta.

4 Actividades de reforzamiento

Guíe a los niños en este juego para que comiencen a pensar en algunas cosas que pueden hacer para ayudar. Juegue: "Ayudantes, ayudantes". Los niños deben sentarse en un círculo en el piso. Toque el hombro de un niño y diga "ayudante, ayudante, tú". Cuando diga "tú", ese niño se para y lo sigue, pretendiendo barrer, sacudir o tender la cama, así como ayudarían a su mamá en la casa. Repita, escogiendo a otro niño y haciendo una actividad diferente. Después de que todos hayan tomado su turno, muéstreles la hoja del alumno. Señale el dibujo de María y recuérdeles la historia de la niñita que ayudó a su mamá cuidando a su hermanito. Luego señale el otro dibujo y dígales que ese podría ser cualquier niñito o niñita hoy. Pídales que señalen el cuadro de María y después el cuadro del niño moderno. Repita esto un par de veces. Diga: "Estos dos niños están ayudando a su mamá. ¿Ayudan ustedes a su mamá? Si ayudan a su mamá, tomen un crayón y coloreen el dibujo".

5 Preparación para ir a casa

Hay ocasiones cuando los niños sienten que son muy pequeños para poder ayudar. Habiendo hecho la actividad de arte de la mano ayudadora, podrán usar la tela para limpiar la mesa. Esta actividad les mostrará que ¡no son demasiado pequeños para ayudar! Anímelos a usar la tela cuando lleguen a casa para limpiar los muebles en su cuarto y así estarán ayudando a su mamá. Cuando los padres lleguen a recogerlos, pídales que muestren a su mamá la tela. Es posible que les tenga que recordar lo que dice en la tela. Explique a la mamá que deben usar la tela durante la semana para ayudar a limpiar.

Unidad 9
Ser como
Jesús es
ayudar

ESTUDIO **40**

2, 3
años

José ayudó a sus hermanos

Objetivo de la unidad:
Que los alumnos sepan que Dios desea que sean ayudadores.

Objetivo de la lección:
Que los alumnos sepan que Dios quiere que ayuden a sus mamás y a sus hermanas.

Versículo clave de la unidad:
"Todo lo que te venga a la mano para hacer, hazlo".
Eclesiastés 9:10

Preparación
• Desorganice el rincón de los juguetes. Ponga varios de estos cerca de la puerta.
• Recorte popotes (pajillas) en varios tamaños, como 4 ó 5 para cada niño y un trozo de estambre (lana) y ponga cinta adhesiva en la punta de cada trozo. Recorte un círculo de papel y escriba en él: "Soy un ayudante". Perfore el círculo.
• Prepare las cuatro tarjetas de la lámina que viene en las Ayudas Didácticas, cubriéndolas con plástico y haciendo agujeros en los lugares indicados. Ponga cinta adhesiva en una punta de cuatro trozos de estambre. Meta la otra punta del estambre por uno de los agujeros de la tarjeta y hágale un nudo.
• Provea una escalera que pueda ponerse en el piso del salón. Si su iglesia no tiene una, quizá pueda pedir prestada una. Coloque la escalera en un lugar donde no estorbe.
• Haga copias de la hoja del alumno y provea crayones.

Preparación espiritual del maestro

Al leer acerca de la relación de José con sus hermanos en Génesis 45:1-11, piense en su propia relación con sus hermanos y hermanas (carnales y espirituales). ¿Hay cosas que necesitan ser perdonadas? ¿Es necesario incrementar el amor? Dé gracias a Dios por sus hermanos y pídale que bendiga sus vidas. De hecho, nuestros hermanos a menudo son nuestros mejores amigos y la relación más duradera de nuestra vida. Antes de comenzar a enseñar, esté seguro de que sus relaciones estén en orden. Ore porque los niños que enseña puedan tener relaciones cariñosas y duraderas con sus propios hermanos.

1 Actividades de motivación

Al llegar los niños, use sus nombres para decirles buenos días y lo contento que está de que hayan venido.

Muéstreles los juguetes que están desordenados y explíqueles que necesita su ayuda para ponerlos en orden. Pregúnteles si están dispuestos a ayudarle. Señale un juguete o bloque y pídales que lo guarden en el lugar correspondiente. Cuando lo hagan, felicítelos por su ayuda, diciéndoles que están haciendo exactamente lo que la Biblia dice que hagan: "Todo lo que te venga a la mano para hacer, hazlo". Diga: "Tú eres un ayudante. ¿Sabías que eres un ayudante? Pienso que también puedes ayudar en tu casa cuando recojas tus juguetes. Esa es una buena manera de obedecer a Dios. Me alegro de que seas un ayudante".

Arte: Los niños insertarán el estambre en los trozos de popote y el círculo para hacer un collar de "ayudante". Cuando lo terminen, haga un nudo con las puntas del estambre y ponga los collares alrededor de sus cuellos. Lea lo que dice y diga: "Eres un ayudante para tus hermanos y hermanas cuando recoges tus juguetes".

2 Centros de interés

Rompecabezas/Juegos: Muestre a los niños las tarjetas y cómo meter el estambre, metiendo una punta por los agujeros de adelante hacia atrás, y otra vez hacia adelante. Diga: "Están haciendo un dibujo de unos hermanos y hermanas que se ayudan unos a otros. Qué bueno es cuando los hermanos y hermanas se ayudan unos a otros. Hoy vamos a escuchar la historia de un hermano que ayudó a sus hermanos".

Actividad especial: Permita a los niños, uno a la vez, caminar sobre los peldaños de la escalera. Será mejor que les tome la mano para que no se caigan. Mientras esperan su turno, deles las gracias por ayudar esperando su turno. Cuando completen la actividad, repita el pensamiento bíblico.

3 Enseñanza de la Biblia

Use este juego cuando tenga dos o tres niños sentados juntos. Los otros niños se unirán si les parece interesante.

Hola, (*nombre del niño*), ¿cómo estás?
¿Quién está a tu lado? (*El niño dice el nombre de la persona a su lado*).
Continúe hasta que todos los niños y adultos en el grupo hayan tenido su turno.
Diga: "Me alegro de que todos se conozcan". ¿Me pueden decir el nombre de sus

No olvide planear actividades físicas porque los niños
de esta edad son muy
activos y siempre quieren
estar moviéndose. Muchas
veces cuando estos niños
están inquietos o tristes,
usted cambia el ambiente
animándolos a usar sus
músculos grandes y sus
habilidades físicas. Ellos
necesitan mucha práctica en
caminar, correr y brincar en
un ambiente seguro.
Conforme adquieren habilidades en esta área, llegan a
ser niños más confiados. No
trate de mantener a los
niños de dos y tres años
quietos todo el tiempo.
Acepte y planee actividades
de movimiento y ruido. Si le
molesta mucho el movimiento y ruido, entonces necesita
orar acerca de su capacidad
para enseñar a este grupo.

Aplicación a la vida

En la vida diaria del niño
esta lección debe traducirse
en estas aplicaciones:
1. Cuando está con sus hermanos querrá ayudarles.
2. Recordará lo que hizo
José y ofrecerá ayuda a
sus hermanos.
3. Tendrá una actitud positiva cuando ayuda en la
familia.

hermanos y hermanas?". (Espere las respuestas). "La Biblia nos cuenta de un hombre que tenía 11 hermanos. Sus hermanos tenían un problema muy grande. Él los pudo ayudar". Abra su Biblia y comience a relatar la historia.

• José era un hombre importante.
• Era un líder en el país de Egipto.
• Tomaba decisiones importantes.
• Controlaba todos los alimentos de Egipto.
• Muchas veces José se sentía triste porque vivía muy lejos de sus hermanos.
• Sus hermanos no sabían que José vivía en Egipto.
• José no lo sabía, pero sus hermanos tenían un problema muy grande.
• Eran agricultores.
• Los agricultores necesitan la lluvia.
• No había llovido.
• Sus hermanos tenían mucha hambre.
• Ellos escucharon que había comida en Egipto.
• Fueron a Egipto.
• Cuando José vio a sus hermanos, se puso muy contento.
• Por fin había encontrado a sus hermanos.
• Les dio comida. Les dio una casa.
• Los cuidó.
• Hasta se olvidó de las peleas que habían tenido.
• Todos se abrazaron y estaban muy felices.
• Es bonito ver cuando los hermanos y las hermanas son felices.
• Ustedes pueden ayudar a sus hermanos y hermanas amándolos.
• ¿Qué más pueden hacer?

Deje que los niños respondan a la pregunta. Quizá tenga que ayudarlos a pensar en cosas que pueden hacer. Recuerde que los niños a esta edad no hablan mucho. Sería bueno que usted o los niños demuestren físicamente cómo pueden ayudar. Para reforzar esto cante "Yo soy ayudante".

4 Actividades de reforzamiento

Use las figuras que preparó para el estudio 25 de la Unidad 6. Invite a cada niño a levantar las tapas hasta que pueda adivinar cómo está ayudando la persona. Mientras trabajan, pregunte: "¿Pueden nombrar algunas maneras como podemos ayudar?". Diga: "Muchas personas necesitan ayuda. ¿Quién en nuestra historia necesitó ayuda? ¿Quién les ayudó? ¿Ayudarán ustedes a sus hermanos y hermanas en la casa? Fíjense en la figura. (*Muéstreles la hoja*). Vemos a José con sus hermanos. ¿Qué está haciendo? Practiquemos eso dándonos un abrazo". Reparta la hoja del alumno y deje que los niños la pinten.

5 Preparación para ir a casa

Anime a los niños para que le ayuden a organizar el salón y los materiales, preparándose para ir a casa. Mientras espera a los padres, guíelos en este juego digital que usó en otras lecciones para enfatizar el hecho de que nuestros hermanos y hermanas son nuestros amigos, y les podemos ayudar. Comienza con las manos juntas y los dedos meñique dándose golpecitos (como si tocaran la puerta) y diciendo: "Tan, tan, tan, tan". Luego los dedos pulgar contestan moviéndose para atrás y para adelante diciendo: "¿Quién es?". Luego el meñique responde moviéndose para atrás y para adelante como si estuviera hablando, diciendo: "Soy yo". El pulgar entonces responde abriendo las manos y diciendo: "Voy a abrir". Luego los dedos de enmedio se cruzan de la derecha a la izquierda y viceversa como si los dedos se estuvieran saludando y diciendo: "Hola hermanito(a). ¿Cómo estás?". Repita lo mismo con los dedos índice, los de en medio y anular.

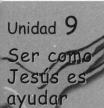

Andrés ayudó a Jesús

Objetivo de la unidad:
Que los alumnos sepan que Dios desea que sean ayudadores.

Objetivo de la lección:
Que los alumnos sepan que pueden ayudar a sus amigos.

Versículo clave de la unidad:
"Todo lo que te venga a la mano para hacer, hazlo".
Eclesiastés 9:10

Preparación
- Confeccione una caja para "tocar" de esta forma: Pegue un trozo de tela en la parte interior de la tapa de una caja de pañuelos de papel, de modo que pueda esconder lo que está dentro de la caja. Coloque un objeto en el fondo de la caja que pueda ser tocado fácilmente a 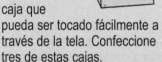 través de la tela. Confeccione tres de estas cajas.
- Cubra una mesa con plástico y luego coloque un papel encima. Sujete el papel con cinta adhesiva. Cubra la mesa completamente. Coloque una bandeja de muy poca profundidad con agua sobre la mesa y también provea varios trozos de tiza de color.
- Provea una canasta o florero, y algunas flores frescas y otras artificiales. Decida a quién le darán los niños las flores. Debe ser alguien de la iglesia a quien los niños conozcan.
- Provea materiales para tener un picnic adentro: un mantel, algunos vasos, jugo y galletas.
- Haga copias de la hoja del alumno y provea crayones.

Preparación espiritual del maestro
Cuando lea la historia de la multiplicación del pan y los peces en Juan 6:1-11, encontrará una nota interesante en el versículo 10. Dice que había 5.000 hombres. En el relato paralelo de Mateo 12:21 dice que había 5.000 "sin contar las mujeres y los niños". Esas palabras son una expresión del valor que muchos dan a las mujeres y los niños, pero no una expresión del valor que Dios les da. Gracias a Dios, ante sus ojos las mujeres y los niños SÍ son importantes. Dé gracias a Dios por ese maravilloso hecho, único al cristianismo. Dele gracias que él le ha confiado a estos niños vulnerables e importantes.

1 Actividades de motivación

Cuando lleguen los niños, recíbalos en la puerta para saludar a cada uno individualmente. Lleve con usted a la puerta un tubo de cartón. Use el tubo como un telescopio y diga que lo está usando para ver si puede encontrar a un amigo. Mientras ve a su alrededor, deténgase y diga: "¡Veo a un amigo!". Comience a describir al niño que está en la puerta y pregunte a los demás si saben quién es el amigo. Siga describiéndolo hasta que adivinen. Diga: "Sí, TÚ eres mi amigo. Hoy vas a estar con muchos de tus amigos y tendrás oportunidad de ayudarlos".

Rompecabezas/Juegos: Tome una caja y guíe la mano de un niño para que la meta por la abertura y toque

2 Centros de interés

el objeto. Pregunte: "¿Qué sientes?". Levante la tela y deje que lo vea. Diga: "La Biblia dice: 'Ayúdense unos a otros'. Yo te ayudé a tocar (nombre del objeto) en la caja". Es bueno que los amigos se ayuden unos a otros.
Arte: Muestre a los niños cómo meter un trozo de tiza en el agua y luego usarlo para dibujar en el papel. Cuando el niño termine con ese trozo, déjelo usar otro. Mientras los niños trabajan, repita el pensamiento bíblico del día y recuérdeles que son amigos que se están ayudando unos a otros a hacer un dibujo hermoso.
Naturaleza: Muestre a los niños el florero. Extienda las flores sobre la mesa y pida a los niños que lo ayuden a arreglar las flores en el florero (o canasta). Explique que las llevarán a un amigo para ayudarle a ser feliz. Cuando los niños terminen, llévelos a entregar las flores al amigo.

3 Enseñanza de la Biblia

Guíe a los niños en un juego de adivinanza. "Veo a un niño que viste una camisa azul y pantalones cortos blancos con sandalias. ¿Quién es?". Asegúrese de hacer esto con cada niño presente. Cuando haya terminado diga: "¡Todos somos amigos!". Quiero contarles una historia de un amigo que ayudó a Jesús. Abra su Biblia y relate la historia.
- ¿Les gusta ir a un *picnic*?
- Me gusta comer afuera.
- Un día Jesús estaba afuera con muchos de sus amigos.
- Pero ellos no habían llevado alimentos.

A veces ignoramos el hecho de que aun los niños pequeños pueden y deben ser enseñados a ayudar a otros. No sólo les da esto un sentido de satisfacción, pero les enseña a crecer más allá de sus necesidades egoístas para llegar a ser una persona considerada y atenta. Siempre debe estar buscando oportunidades para enseñar a los niños a recoger los juguetes, guardar sus trabajos y ayudar en el salón (aunque eso significará más trabajo para usted que si lo hiciera usted mismo). Además debe planear actividades que guíen a los niños a servir a otros, dándoles regalos o llevándoles un saludo.

Aplicación a la vida

Los niños deben comenzar a vivir algunas de estas verdades:

1. Cuando ven a un amigo que está triste, tratar de confortarlo.
2. Estar dispuestos a ofrecer un juguete o comida a un amigo para ayudarlo.
3. Sentir que ayudar a otros agrada a Dios.

• La estaban pasando bien.
• Nadie quería irse a casa.
• ¡Qué divertido es estar con los amigos!
• Pero a la gente le comenzó a dar hambre.
• Les crujía el estómago.
• ¿Qué hacer? No había suficiente comida.
• No había tiendas cerca.
• No había restaurantes.
• Uno de los amigos especiales de Jesús dijo:
• "Encontré a un muchachito que trajo su comida".
• Llevó al niño a ver a Jesús.
• Jesús usó la comida del muchachito para dar de comer a todos.
• Todos comieron.
• Les supo sabroso.
• ¡Qué bueno que el amigo de Jesús le llevó al muchachito!
• ¡Qué bueno que el muchachito compartió!
• Todos ayudaron a sus amigos.
• Es bueno ayudar a nuestros amigos.
• Creo que ustedes también pueden ayudar a sus amigos.

Cante "Yo soy ayudante" (núm. 34 del *Cancionero para preescolares 2*). Ore: "Dios, ayúdanos a ser buenos amigos ayudando a otros".

4 Actividades de reforzamiento

Pretenda tener un *picnic*. Pida a los niños que le ayuden a colocar el mantel en el piso. Pídales que le ayuden a repartir los vasos. Luego pídales que le ayuden a compartir las galletas que trajo. Siéntense y disfruten del *picnic*. Cuando hayan terminado de comer, pida a los niños que le ayuden a recoger todo y guardarlo. Felicítelos por ser tan buenos ayudantes. Pídales que le ayuden a repartir la hoja del alumno. Recuérdeles que es una figura de las personas que ayudaron a Jesús a dar de comer a las personas que tenían hambre. Pida a uno de ellos que le ayude a repartir los crayones. Cuando terminen, pídales que volteen la hoja y hagan un dibujo de ellos mismos ayudando.

5 Preparación para ir a casa

Después de que hayan guardado todos los juguetes, diga a los niños que van a jugar un juego que les ayudará a divertirse como amigos. Ponga las sillas en una línea, una para un lado y la otra para el otro. Use la misma cantidad de sillas como hay niños. Al tocar la música, los niños deben caminar alrededor de las sillas. Cuando la música pare, tienen que encontrar una silla para sentarse. Es casi igual que las sillas musicales, sólo que no quitará ninguna silla, así que nadie perderá. Les encanta porque nadie pierde en este juego. Diga: "Se ayudaron hoy a jugar y divertirse. Es bueno ayudar a nuestros amigos".

Unidad 9
Ser como
Jesús es
ayudar

ESTUDIO **42**

2, 3
años

David ayudó al rey

Objetivo de la unidad:
Que los alumnos sepan que Dios desea que sean ayudadores.

Objetivo de la lección:
Que los alumnos sepan que Dios espera que ayuden a otras personas.

Versículo clave de la unidad:
"Todo lo que te venga a la mano para hacer, hazlo".
Eclesiastés 9:10

Preparación

- Con el debido tiempo invite a alguien que sepa tocar la guitarra, y tal vez cantar, para que venga a la reunión.
- Junte todos los pedazos de madera que pueda encontrar (busque en una carpintería). Asegúrese de que estén lijados y lisos. Recoja una variedad de formas y tamaños.
- Necesitará dos trozos de cinta adhesiva de papel para cada niño y un lugar seguro para que los niños vayan a pasear con el fin de admirar la naturaleza.
- Prepare la lámina que viene en las Ayudas Didácticas, recortando las tarjetas.
- Haga copias de la hoja del alumno. Recorte trozos de estambre (lana) y tela que puedan ser pegados a la hoja. Provea recipientes pequeños de pegamento diluido no tóxico.

Preparación espiritual del maestro

Al leer 1 Samuel 16:14-23 acerca de la disposición de David de ayudar al rey, que estaba mentalmente enfermo, a recuperar el control de sus emociones, piense en el tremendo sacrificio que hizo. Dejó a su familia. No era una persona ociosa, estaba ocupado cuidando el negocio de su familia, que era criar los rebaños. No obstante, David fue felizmente a realizar la tarea peligrosa y quizás hasta desagradable de cuidar a un rey emocionalmente inestable. David, quien ya había sido escogido para ser rey, tenía el corazón de un siervo. Puede ser difícil, pero recuerde el ejemplo de David. Si Dios lo ha llamado, él lo preparará.

1 Actividades de motivación

Al recibir a los niños cuando lleguen, salúdelos calurosa y cariñosamente. Diga algo como: "¡Qué bueno que viniste ahora! Ya me has ayudado a sentirme feliz porque estás aquí. Muchas gracias por haber venido. ¡Qué feliz me has hecho! ¡Voy a cantar!". Cante: "Bienvenida" (núm. 2 del *Cancionero para preescolares 1*) usando el nombre del niño. Pida al niño que sea su "ayudante" cantando con usted, diciendo el nombre de la persona que usted señale. Mientras canta puede señalarse usted mismo, los padres, a otros niños, etc. para ayudar al niño a aprender los nombres de otros que están presentes. Después de cantar, agradezca al niño por haberlo ayudado y dígale que hoy van a aprender acerca de una persona que ayudó a otra tocándole música suave. Anímelos a escoger una actividad y a ponerse a jugar.

2 Centros de interés

Arte: Dé los trozos de madera a los niños, junto con recipientes de pegamento y brochas gruesas. (¡No olvide cubrir la mesa con periódicos!). Permítales poner el pegamento con la brocha y pegar los trozos como quieran. Pregúnteles a quién les gustaría dar la escultura como regalo.

Naturaleza: Coloque un pedazo de cinta adhesiva de papel (con el lado del pegamento hacia afuera) en ambas muñecas de cada niño. Lleve a los niños a un paseo afuera. Anímelos a encontrar objetos de la naturaleza (pasto, hojas y flores) para pegar en la cinta adhesiva. Dígales que una de las pulseras será para ellos. La otra se la regalarán a alguien que es un ayudante. (Deles sugerencias).

Música: Coloque todas las figuras de instrumentos de cuerda en el piso (dibujos hacia abajo). Pida a un niño que voltee dos figuras. Pregúntele si son iguales. Si lo son, quedan así. Continúe hasta que hayan volteado todas las figuras. Diga a los niños que son instrumentos musicales. Señale el arpa y diga: "La Biblia nos dice que había un hombre que tocaba este instrumento para ayudar a su amigo".

3 Enseñanza de la Biblia

Pida a su invitado que toque la guitarra para los niños. Si canta, también puede hacerlo. Sugiera que, si es posible, toque algunos cantos que los niños puedan reconocer. Pídale que muestre a los niños cómo toca las cuerdas y los acordes. Permita que los niños

202

En realidad no está muy de moda esperar que los niños sean obedientes hoy en día. Pero el hecho es que los niños anhelan tener límites, distinguir entre el bien y el mal, y obedecer las reglas. Debe repasar las reglas de conducta en su salón de clase con mucha frecuencia. Por ejemplo, mientras los niños trabajan con los bloques hoy, querrá recordarles que no pueden volcar ni tomar los bloques de otros niños. Muchas veces la mejor manera de enseñar esto es marcando un área en el piso (puede usar cinta adhesiva de papel o de color para hacerlo) para cada niño. Eso hace que su territorio sea de ellos y los ayuda a comprender el concepto de dar a cada niño su "espacio" dentro del cual jugar.

Aplicación a la vida
Como resultado de las actividades y de la historia de hoy, los niños deben hacer estas aplicaciones prácticas:
1. Cuando estén en casa, tratarán de ser obedientes.
2. Se sentirán bien cuando obedezcan.
3. Al ayudar a sus padres siendo obedientes, sabrán que están portándose como lo hizo Jesús.

toquen la guitarra bajo su supervisión. Agradézcale la visita y permítale salir. Diga: "La Biblia nos dice que había un hombre que estaba muy triste y necesitaba escuchar música quieta para no sentirse tan triste". Abra su Biblia y comience a relatar la historia.
• El rey era un hombre importante.
• Pero estaba muy triste. Estaba preocupado.
• Tenía muchos problemas.
• No podía pensar.
• No podía hacer nada. Era muy difícil para él.
• La única cosa que lo alegraba era la música, pero no tenía un radio.
• No sabía cómo tocar un instrumento. Necesitaba que alguien le tocara un instrumento.
• "Encuentren a alguien que toque música para mí", dijo.
• Un amigo dijo: "Conozco a un muchacho que sabe tocar el arpa".
• "Tráiganmelo", dijo el rey.
• Fueron y trajeron a David.
• David estaba ocupado trabajando con su papá.
• Pero David fue para ayudar al rey.
• David dejó su casa y fue a la casa del rey.
• David comenzó a tocar el arpa para el rey. Era una tonada muy suave.
• El rey se puso contento otra vez.
• El rey se sintió feliz cuando escuchó la música.
• El rey se sintió feliz porque tenía un amigo como David que le ayudó a no sentirse triste.
• ¿Por qué no aprendemos también un canto?
Enséñeles "Te alabo, oh Dios" (núm. 3 del *Cancionero para preescolares 1*), la segunda estrofa. Cuando puedan cantarlo, añada los movimientos. Diga: "Cuando vean a alguien que está triste, quizá puedan cantarle este canto para alegrarlos".

Reparta algunos instrumentos sencillos que los niños puedan tocar mientras les toca el casete: "¡Qué contento estoy!" y

4 Actividades de reforzamiento

"Jesús me ama" (núm. 48 y 49 del *Cancionero para preescolares 2*). Cuando hayan terminado de tocar los instrumentos, pida a los niños que le ayuden a recogerlos y guardarlos. Explique que cantando y tocando el instrumento fue como David ayudó al rey, pero hay muchas maneras de ayudar a la gente. Pregúnteles si verdaderamente quieren ser ayudantes. Muéstreles la hoja y señale las palabras "Soy un ayudante". Pídales que repitan las palabras. Explique que este cuadro, después de que lo decoren, pueden llevarlo a casa y colgarlo en la pared, o en el refrigerador, para recordarles que son ayudantes. Reparta las hojas y explíqueles que pueden decorar los cuadros con estambre y tela para hacerlos más bonitos.

5 Preparación para ir a casa

Permita a los niños ayudarle a guardar los juguetes y juegos, y preparar sus pertenencias para llevarlas a casa. Mientras espera la llegada de los padres, permítales jugar. Use los cuadros "escondidos" de personas que están ayudando (Unidad 6, estudio 25). Anime a cada niño a descubrir un cuadrado a la vez hasta que puedan adivinar quién es el ayudante. Diga: "Estas personas se están ayudando una a la otra. ¿Creen que pueden ayudar a una persona esta semana?". También puede practicar el canto "Te alabo, oh Dios", la segunda estrofa. Cuando lleguen los padres, anímelos a cantarlo (con su ayuda) frente de sus padres. De esta forma, los padres pueden cantar con ellos en casa. Además, asegúrese de llamar la atención de los padres al diploma de "ayudante" que han hecho. Pídales que lo cuelguen en un lugar especial en la casa y cada vez que el niño ayude, señale el cuadro y diga: "Verdaderamente eres un ayudante".

DIPLOMA

YO SOY UN UN AYUDANTE

Jesús vivía con su familia

Objetivo de la unidad:
Que los alumnos sepan que Dios nos hizo para ser parte de una familia.

Objetivo de la lección:
Que los alumnos sepan que es bueno vivir con una familia.

Versículo clave de la unidad:
"[Jesús]... vivió obedeciéndoles en todo". Lucas 2:51a, (DHH).

Preparación:
• Si es posible, invite a un miembro de su familia a la clase. Puede ser su mamá, papá, esposo, hijo o hermano. También tenga fotografías de su familia.
• Recorte y cubra con plástico las tarjetas de la lámina de los animales y sus "casas" que aparece en las Ayudas Didácticas, para usar en el centro de los rompecabezas/juegos.
• Pida a los padres de antemano que digan a los niños que traigan a la clase su muñeca, animal de peluche o cobija favorito.
• Provea un espejo, si es posible, que sea largo, papel y crayones.
• Después de reproducir la hoja del alumno, recorte las puertas para que se abran. Pegue la hoja en otro papel, dejando las puertas abiertas.
• Prepare las figuras de la lámina de Jesús que aparece en las Ayudas Didácticas recortándolas y pegándolas a un palito de paleta. Provea un trozo bastante grande de espuma de polietileno para que pueda meter los palitos para que las figuras queden paradas.

Preparación espiritual del maestro

La historia que leímos en Lucas 2:39-52 nos recuerda que Jesús era humano. Muchas veces nos enfocamos en la divinidad de Jesús y nos olvidamos de que Jesús también fue cien por ciento humano, así como lo somos nosotros. Eso significa que puede ser nuestro ejemplo. Fue tentado como lo somos nosotros. Él comprende. Si él resistió, también nosotros podemos. Si fue bondadoso, también lo podemos ser nosotros. Ore pidiendo no sólo que usted pueda imitar a Jesús, sino también pidiendo que los niños que enseña lleguen a ser como Jesús.

1 Actividades de motivación

Todo debe estar preparado y usted debe estar listo antes de que lleguen el primer niño. Cuando lleguen los niños, vaya a la puerta para recibirlos y compartir cualquier información con los padres. Al hablar con ellos, debe preguntarles acerca de su muñeca/juguete favorito que trajeron de casa. Dé la debida atención a su "muy estimada posesión". Luego preséntelo al pariente que está visitando. Explíquele que estarán hablando acerca de las familias, por eso invitó a ese pariente. Es posible que a los niños les fascine saber que usted tiene una familia. También muéstreles las fotografías de su familia y hábleles un poco acerca de ella.

Rompecabezas/Juegos: Muestre a los niños las tres figuras y explíqueles que todos viven en casas.

2 Centros de interés

Enséñeles la clase de casas donde vive cada "animal". Luego sepárelos y dé al niño las casas. Diga: "Viven en casas. Jesús vivía en una casa con su familia".
Área del hogar: Invite a los niños al área del hogar. Anímelos a traer sus muñecas/animales de peluche. Tome una muñeca y déle un abrazo. Hable de amar al bebé, y pretenda ser la mamá o el papá. Puede dar de comer al bebé y contarle historias, acuéstelo para que tome una siesta, etc. Diga: "Cuando Jesús era un bebé vivía con su familia".
Arte: Pida a los niños que se vean en el espejo. Describa la ropa que llevan puesta y cómo se ven. Párese junto a ellos y pregunte: "¿Es tu mamá más alta que tú? ¿Y tu papá? ¿Te pareces a mí?". Enseguida, pida a los niños que dibujen un retrato de sí mismos. Luego pídales que agreguen a sus familiares.

3 Enseñanza de la Biblia

Comience usando este juego digital. Toque el dedo correcto del niño: "Este chiquito es mi hermano (pulgar); esta es mi mamá (índice); este altito es mi papá (el de en medio); esta es mi hermana (anular); y este(a) chiquito(a) y bonito(a) soy yo (meñique)". Se irán uniendo conforme se vayan interesando. Cuando estén listos, abra su Biblia y relate la historia. (Para relatar la historia de hoy, use las figuras que ha preparado de la lámina. Conforme menciona los personajes de la historia, meta la figura en el trozo de espuma de polietileno).

El área del hogar es la más cómoda para los niños porque se parece más a sus hogares. Por esta razón, los niños generalmente se sentirán atraídos hacia ese lugar, especialmente si sufren de ansiedad por la separación. Será bueno que use esta área para enseñarles acerca de la vida en el hogar y ayudarles con sus buenos modales. Si les permite traer un juguete favorito o especial de la casa, se sentirán aun más en casa y dispuestos a jugar. A menudo el niño que está llorando o triste se consolará si se puede sentar en una mecedora y "consolar" a la muñeca. Anime a los niños a que jueguen a ser la mamá o papá mientras están en el área del hogar. Esto les ayudará a ser más compresivos de los sentimientos de otros.

Aplicación a la vida

Esta lección deberá ser fácil de aplicar a la vida del niño, ya que se relaciona con el hogar.

1. Mientras están en casa, que se sientan que son como Jesús, ya que él también tuvo una familia.

2. Que se sientan contentos y satisfechos por pertenecer a una familia así como lo estuvo Jesús.

3. Dirá los nombres de varios miembros de la familia con amor y afecto.

• Este es Jesús cuando era un niño. (Use la figura de Jesús cuando era niño).
• Se parecía mucho a ustedes, ¿verdad?
• Sólo que su ropa era un poco diferente.
• Jesús tenía una mamá. (Use la figura de María).
• Ella lo cuidaba. ¡Ella amaba tanto a Jesús!
• Cada vez que le pasaba algo especial a Jesús, su mamá se acordaba.
• A ella nunca se lo olvidaron las cosas especiales.
• Ella amaba a Jesús y Jesús la amaba a ella.
• Jesús también tenía un padre. (Coloque la figura de José).
• El papá de Jesús trabajaba muy duro para cuidar a Jesús y a su mamá.
• Él ayudó a cuidar a Jesús cuando era pequeño.
• Jesús amaba a su papá. Su papá lo amaba a él.
• Luego Jesús comenzó a crecer. (Saque la figura del niño Jesús y coloque la de Jesús cuando era mayor).
• La familia de Jesús comenzó a crecer.
• Jesús tenía un hermanito y hasta una hermanita. (Añada la figura del bebé).
• Jesús amaba a sus hermanos y hermanas.
• Miren a esta familia.
• Es la familia de Jesús.
• Jesús estaba feliz con su familia.
• Es bueno tener una familia.
• Me alegro de tener una familia.
• Me alegro de que ustedes también tienen una familia.
• Digamos: "Gracias, Dios, por mi familia".

Canten "Yo amo" (núm. 35 del *Cancionero para preescolares 1*). Cuando terminen, pregunte: "¿A quién aman?" Después de escuchar sus respuestas, puede decir: "Es bueno tener una familia. Es bueno amar a las personas de nuestra familia".

Después de mostrar el cuadro de la hoja, pida a los niños que pretendan que es su casa. Abra las puertas y pregúnteles quiénes viven adentro. Pregunte: "¿Vivía Jesús en una casar?". Reparta las hojas y pida a los niños que dibujen a su familia alrededor de la casa. Déjelos jugar con las puertas. Al terminar sus dibujos diga: "¿Sabían que la Biblia dice que: '(Jesús)... vivió obedeciéndoles en todo'?". Porque Jesús amaba a su familia, los obedecía. "¿Amas tú a tu familia? ¿Quiénes son tu familia?". (Deje que cada niño diga el nombre de una persona en su familia. Al decir su nombre, pregunte: "¿Lo(a) amas?". Repita un par de veces para que puedan decir el nombre de varias personas en su familia). Jesús amó y obedeció a su familia. "¿Amas tú y obedeces a tu familia?" (Espere la respuesta de los niños).

4 Actividades de reforzamiento

5 Preparación para ir a casa

Al terminar la clase, puede involucrarlos en un par de actividades. Pueden jugar con el rompecabezas de los animales y sus casas, y hablar con los niños acerca de su casa. También puede dejar que los niños jueguen con las figuras en la espuma de polietileno, volviendo a relatar y recordar la historia de Jesús y su familia. A los niños de esta edad les encanta ver las fotos de los bebés. Si tiene algunas que puede traer (de su familia, o pida prestadas unas), disfrutarán completamente sentarse en el suelo para verlas con usted. Mientras ven las fotos, diga los nombres de los miembros de la familia (mamá, bebé, papá, hermano, hermana), para que los niños se sientan más seguros al identificar a los miembros de su propia familia usando esos títulos. Además, mientras ven las fotos, querrá hablar acerca de lo mucho que los miembros de la familia se aman y lo bueno que es ser parte de una familia.

Jesús obedeció a sus padres

Objetivo de la unidad:
Que los alumnos sepan que Dios nos hizo para ser parte de una familia.

Objetivo de la lección:
Que los alumnos sepan que deben obedecer a sus padres.

Versículo clave de la unidad:
"[Jesús]... vivió obedeciéndoles en todo". Lucas 2:51a, (DHH).

Preparación:

• Provea latas de aluminio (3) que quepan una adentro de la otra. Lije las orillas hasta que queden lisas. Cúbralas con papel de color y pegue dibujos de varios tipos de familias en cada lata. Métalas una adentro de la otra.

• Provea una variedad de ropa que diferentes miembros de una familia pueden usar. Por ejemplo, vestidos, carteras, pañoletas, sacos, corbatas y sombreros.

• Coloque una hoja grande para cubrir una pared. Copie, amplifique y recorte los miembros de la familia que aparecen en esta hoja para los niños. Prepare varias copias de cada figura para que cada niño represente a toda su familia. Coloque el título "Nuestra familia" en la parte superior del mural.

• Provea una caja vacía (como la de leche en polvo) que tenga una tapa plástica que se pueda poner y quitar fácilmente, y 3 ó 4 diferentes clases de juguetes que hagan ruido cuando caigan dentro de la caja.

• Confeccione un títere de calcetín para relatar la historia.

• Tenga las figuras de María, José y Jesús (a la edad de 12 años) a la mano, junto con la base de espuma de polietileno. Haga copias de la hoja del alumno y provea crayones o lápices de color.

Preparación espiritual del maestro

En Lucas 2:39-52 vemos que Jesús estaba en el lugar donde pertenecía y quería estar, el templo. No obstante, obedientemente se fue con sus padres cuando se lo pidieron. ¿Es usted sumiso y obediente, sensible a los mandamientos de Dios en su propia vida? Probablemente hay muchas cosas que son más "urgentes" y quizá más entretenidas que prepararse para enseñar a los niños. Podría hacer lo menos que se pueda y escoger las actividades más fáciles y repetir vez tras vez las mismas cosas. Sin embargo, ¿sería esa la obediencia que Dios requiere de usted? ¿Cómo puede enseñar a los niños a ser obedientes a sus padres si usted no es obediente a su Padre celestial? Ore acerca de sus propias actitudes antes de enseñar a los niños.

1 Actividades de motivación

Si llega temprano y el salón está preparado, estará libre para recibir a los niños uno por uno cuando lleguen e inmediatamente guiarlos a pensar en el tema. Después de haber saludado a los niños y haber conversado con sus padres acerca de cualquier asunto que puedan tener, muéstreles las latas de aluminio. Saque las latas una por una y deje que los niños conversen acerca del dibujo de la familia. Si es necesario, haga preguntas que ayuden a los niños a visualizar lo que están viendo. Cuando todas las cajas estén fuera y en el piso, invente una historia acerca de cada familia, enfatizando cómo los niños obedecen a sus padres. Pregunte a los niños si ellos obedecen a sus padres. Diga: "No sólo obedecen los niños de estos dibujos a sus padres, sino que también Jesús obedeció a sus padres. Aprenderemos más acerca de eso más tarde".

Arte: Muestre las figuras de los miembros de la familia y pida a los niños que escojan los que tiene

2 Centros de interés

en su familia. (Ayude a los niños a identificar cuántos miembros tienen en su familia). Permita que los coloreen y los peguen en la pared.
Área del hogar: Invítelos a vestirse como algún miembro de su familia, luego anímelos a decirle quién pretenden ser. Mientras los niños juegan, comente: "Las familias se componen de diferentes personas. Jesús vivía con una familia. También obedecía a sus padres".

Rompecabezas/Juegos: Muestre a los niños la caja y los juguetes que pueden meter adentro. Pídales que levanten las "llaves"(o cualquier otro juguete que tenga) y las dejen caer en la caja, le pongan la tapa y lo rueden. Siga pidiéndoles que metan y/o saquen juguetes que hagan ruido dentro de la caja. Mientras trabajan, felicítelos por ser obedientes. Diga: "Jesús obedeció a sus padres". Repita el versículo bíblico de hoy.

Actividades de aprendizaje

Los niños de 2 y 3 años a veces se asustan con los títeres grandes que ven en los escenarios. Es mejor usar títeres que los niños pueden ver cuando se los pone en su mano. Así, usan su imaginación, y al mismo tiempo será una experiencia grata para ellos. Use un poco de estambre (lana) para el cabello, y una boca y ojos pintados o pegados a un calcetín para crear el títere perfecto para la historia de hoy. También puede pintar una cara en una cuchara de madera o pintar las caras en latas pequeñas de jugos. Use su imagina-ción para crear títeres de cualquier pedazo de mate-rial que tenga.

Aplicación a la vida

El objetivo principal de la historia de hoy es que los niños practiquen estos prin-cipios en su vida:
1. Tratar de imitar a Jesús en su vida diaria obedecien-do a sus padres.
2. Obedecer gozosamente cuando sus padres les piden que hagan algo.
3. Sentirse deseosos y felices cuando obedecen a sus padres porque saben que están agradando a Dios.

3 Enseñanza de la Biblia

Para que los niños se sientan cómodos con el títere antes del relato de la historia, pón-gaselo en la mano y deje que lo vean ha-cerlo. Comience a hablar a los niños por medio del títere. Pregúnteles su nombre y quiénes son. Presente al títere, diciéndoles que su nombre es "Guapo". Cuando los niños estén familiarizados con el títere, comience el diálogo con él.

Guapo. —¡Hola, niños y niñas! ¿Pueden ver lo que tengo? ¿Saben qué es? (Debe levantar una pequeña pelota con la "boca").
Maestro. —¡Qué contento estás, Guapo! Niños, ¿qué tiene Guapo en la boca? (Guíe a los niños a decirle que Guapo tiene una pelota). ¿Dónde conseguiste una pelota tan bonita, Guapo? (Sáquele la pelota de la "boca").
Guapo. —Mi papá me dio esta pelota. Está bonita ¿verdad? Mi papá me ama, y yo también lo amo a él.
Maestro. —Tienes una hermosa familia, Guapo. Jesús también tenía una familia hermosa.
Guapo. —¿Tenía Jesús una mamá y un papá que lo amaban?
Maestro. —Sí, los tenía. Y él también amaba a su mamá y a su papá.
Guapo. —¿Cómo sabe eso?
Maestro. —La Biblia lo dice. ¿Ves la Biblia? (Levante la Biblia con la otra mano).
Guapo. —¿Mostraba Jesús que amaba a su mamá y a su papá abrazándolos y besándolos?
Maestro. —Probablemente sí. Pero también hizo algo más.
Guapo. —¡Ya sé! Les dio una pelota para que jugaran.
Maestro. —No lo creo. Pero sí sé que obedecía a sus padres.
Guapo. —¿Qué tiene eso que ver con el amor?
Maestro. —Guapo, ¿no lo sabes? Una de las mejores maneras de mostrar que amas a tus padres es hacien-do lo que te piden que hagas.
Guapo. —¿De veras? Eso es muy difícil.
Maestro. —Me supongo que sí. Pero si Jesús pudo hacerlo, también tú puedes. La Biblia dice: "(Jesús)... vivió obedeciéndoles en todo".
Guapo. —Puedo tratar de hacerlo.
Maestro. —Sí, ¡y entonces serás como Jesús! Ahora, ¿quieres ayudarnos a cantar? El canto habla de ser obedientes.
Guapo. —Me encanta cantar. ¡Lo cantaré! (Debe cantar "Obediente yo seré", núm. 53 del *Cancionero para preescolares 1*, un poco desentonado y no perfecto).
Maestro. —Muy bien, ahora cantémoslo todos.

(Cántelo una vez y la segunda vez, después de cantar "cada día, cada día", deténgase y pregunte: "¿Quién será obediente?", señalando a un niño y ayudándolo a cantar la si-guiente línea: "Obediente yo seré". Repítalo con otro niño).

Coloque la figura de Jesús en la espuma de polietileno. Saque las figuras de María y José y muévalas como si estuvieran cami-nando. Invite un diálogo entre ellos acerca de cómo Jesús necesita salir del templo e ir a la casa. Póngalos en la espuma de polietileno a cada lado de Jesús, pidiéndole que vaya a casa. Jesús obedece inmediatamente, sacando las tres figuras y haciéndolas "caminar" a la casa. Explique que esa fue una ocasión cuando Jesús obedeció a sus padres. Distribuya la hoja del alumno y pregunte a los niños qué ven. Cuando le hayan dicho, déjelos que la coloreen. Repita el canto "Obediente yo seré". Esta vez cántelo marchan-do alrededor del salón, pidiendo a los niños que lo "obedezcan" siguiéndolo.

4 Actividades de reforzamiento

5 Preparación para ir a casa

Anime a los niños a ayudarle a recoger los juguetes y limpiar el salón, pero hágalo de una forma divertida. Mientras trabajan, felicite a los niños porque le están ayudando, hablando de cómo ellos pueden obedecer en casa ayudando a sus padres cuando ellos se lo piden. Cuando terminen, puede guiar-los en este juego: Pida a los niños que se paren alrededor de la caja o canasta que ha colo-cado en medio. Dé a cada niño un broche para la ropa. Explíqueles que uno a uno pueden dejarlo caer en la caja. Enséñeles cómo haciéndolo primero. Anímelos a tomar turnos y al hacerlo diga: "Me están obedeciendo tomando turnos. Así el juego es más divertido. Es bueno obedecer". Cuando los niños se cansen del juego, pídales que le ayuden a guardar los broches de la ropa, colocándolos en la orilla de la caja o canasta. Al llegar los padres, recuérdeles que han estado hablando acerca de la importancia de obedecer y que cuando los niños obedecen se están portando como Jesús.

Unidad 10
Ser como
Jesús es ser
parte de una
familia

ESTUDIO 45

2, 3
años

Jesús ayudó a su familia

Objetivo de la unidad:
Que los alumnos sepan que Dios nos hizo para ser parte de una familia.

Objetivo de la lección:
Que los alumnos sepan que Dios quiere que ayuden a su familia.

Versículo clave de la unidad:
"[Jesús]... vivió obedeciéndoles en todo". Lucas 2:51a, (DHH).

Preparación:
• Coloque unos bloques cerca de la puerta, antes de que lleguen los niños.
• A una caja muy grande, quítele las tapas de ambos lados para que la caja sirva como túnel. Pegue figuras de familias dentro de la caja, en los lados. Ponga la Biblia, los libros y la linterna adentro.
• Provea trozos de madera que los niños puedan martillar, apilar o tallar con papel de lija.
• Copie la hoja del alumno para cada niño y provea palitos de paleta y pegamento en recipientes pequeños.

Preparación espiritual del maestro

Cuando lea Lucas 2:39-52 no descubrirá ninguna mención específica de que Jesús fue un ayudante. Así es que se pregunta de dónde sacamos la idea de hablar acerca de que Jesús ayudó a su familia. Lo vemos en Lucas 2:52 donde dice que Jesús "gozaba del favor de Dios y de los hombres". Jesús agradó a los que le rodeaban y también a su Padre celestial. ¿Se puede decir lo mismo de usted? ¿Está agradando? O se la pasa con el ceño fruncido, básicamente irritable y quejándose. Tome tiempo ahora mismo para analizar sus actitudes acerca de la vida. Luego pídale al Padre que le ayude a aprender a agradar a Dios y a los hombres. En otras palabras, ¡aprenda a ser bondadoso y a tratar con cariño a los niños que enseña!

1 Actividades de motivación

No olvide recibir a los niños en la puerta con una sonrisa agradable. Necesitan saber que los ama y son bienvenidos. Después de conversar con ellos, muéstreles los bloques. Tome unos cuantos y apílelos en un diseño sencillo. Deles otros bloques y pregúnteles si pueden hacer lo mismo. Deje que ellos lo hagan solos, para ver si pueden repetir el ejemplo. Ya sea que igualen el diseño perfectamente o no, felicítelos por intentarlo. Exprésales que estaban tratando de obedecer lo que les mandó hacer y, cuando obedecen, están actuando como lo hizo Jesús. Diga: "Jesús obedeció a sus padres. También ayudó a sus padres. Entremos y aprendamos más acerca de cómo Jesús ayudó a su familia".

2 Centros de interés

Bloques: Invite a los niños a meterse dentro de la caja. Ilumine el interior de la caja con la linterna y enfóquela en cada figura. Diga: "Jesús fue un ayudante en su familia. ¿Eres tú un ayudante? ¿Cómo podemos ser ayudantes?".
Música: Canten "Amo a mamá y a papá". Cada vez que cante la palabra mamá, muestre la figura de mamá. Cuando cante "papá", muestre la figura de papá. Cuando cante "ayudante", haga algo que demuestre que está ayudando. Dé a los niños pañoletas, toque el canto en la casetera y deje que usen las pañoletas para moverlas al ritmo de la música.
Rompecabezas/Juegos: Provea las tarjetas de hermanos y hermanas que se están ayudando (que usó en la última Unidad, recortadas de las Ayudas Didácticas. Mientras trabajan insertando el estambre (lana), hábleles acerca de la figura y lo que los niños en ella están haciendo.

3 Enseñanza de la Biblia

Comience a trabajar con los trozos de madera. Puede martillarlos con un martillo de plástico, o lijarlos o construir una torre para atraer la atención de los niños. Déjelos que se acerquen y le ayuden en lo que está haciendo. Después de que hayan jugado y trabajado con la madera por un rato, comience a guardarlos. Puede decir: "¿Sabían que Jesús también trabajaba con madera así como ustedes lo están haciendo? Lo hacía para

En realidad no está muy de moda esperar que los niños sean obedientes hoy en día. Pero el hecho es que los niños anhelan tener límites, distinguir entre el bien y el mal, y obedecer las reglas. Debe repasar las reglas de conducta en su salón de clase con mucha frecuencia. Por ejemplo, mientras los niños trabajan con los bloques hoy, querrá recordarles que no pueden volcar ni tomar los bloques de otros niños. Muchas veces la mejor manera de enseñar esto es marcando un área en el piso (puede usar cinta adhesiva de papel o de color para hacerlo) para cada niño. Eso hace que su territorio sea de ellos y los ayuda a comprender el concepto de dar a cada niño su "espacio" dentro del cual jugar.

Aplicación a la vida

Como resultado de las actividades y de la historia de hoy, los niños deben hacer estas aplicaciones prácticas:
1. Cuando estén en casa, tratarán de ser obedientes.
2. Se sentirán bien cuando obedezcan.
3. Al ayudar a sus padres siendo obedientes, sabrán que están portándose como lo hizo Jesús.

ayudar a su papá. Veamos qué dice la Biblia acerca de eso". Abra su Biblia y relate la historia.
• Cuando Jesús nació tenía una mamá y un papá.
• Su mamá y su papá lo cuidaron muy bien.
• Su papá trabajaba con la madera.
• Era un carpintero.
• Trabajaba todo el día.
• Serruchaba la madera.
• Cortaba la madera.
• Hacía mesas.
• Hacía sillas.
• A Jesús le gustaba ver a su papá trabajar.
• Su papá le comenzó a enseñar cómo trabajar con la madera.
• Jesús estaba aprendiendo a ser un carpintero como su papá.
• En ocasiones también le ayudaba a su mamá.
• Le llevaba agua.
• Ponía aceite en las lámparas.
• Hasta ayudaba a cuidar a sus hermanos y hermanas.
• Era un niño muy ocupado porque ayudaba a su familia.
• Cuando sus padres le pedían que ayudara, ¡siempre estaba listo!
• ¿Le ayudas tú a tus padres?
• ¡Pidamos a Dios que les ayude a ser ayudantes! (Ore).
• La Biblia dice: "(Jesús)... vivió obedeciéndoles en todo". Espero que sean como Jesús, obedeciendo. Cantemos "Obediente yo seré" (núm. 52 del *Cancionero para preescolares 2*), que habla de lo que nuestros padres quieren que hagamos.

Saque un trozo de madera y recuérdeles que Jesús ayudó a su padre mientras trabajaba con la madera porque su papá era

4 Actividades de reforzamiento

carpintero. Diga: "Es posible que su papá no sea carpintero, pero le pueden ayudar, obedeciéndolo. También pueden ayudar a su mamá haciendo lo que ella les pida. Eso es muy difícil, pero pueden tratar de hacerlo esta semana". Reparta la hoja del alumno y señale a Jesús, quien está ayudando a su papá a trabajar con la madera. Muestre a los niños los palitos de paleta y diga que son de madera. Muéstreles cómo pueden ponerle un poquito de pegamento para pegar un dibujo en el palito. Dé a cada niño el mismo número de palitos. Déles pegamento y déjelos trabajar en el proyecto. Mientras trabajan cante "Yo soy ayudante" (número 34 del *Cancionero para preescolares 2*). Luego pida a los niños que repitan el versículo bíblico con usted: "(Jesús)... vivió obedeciéndoles en todo", añadiendo "y yo también" al versículo.

5 Preparación para ir a casa

Diga: "Practiquemos ser obedientes. Yo haré algo y ustedes tratarán de hacer lo mismo". Luego pretenda barrer el piso y limpiar los muebles, correr alrededor del salón, brincar, caminar, saludar, levantar los brazos o sentarse, para que los niños puedan imitar. Felicite a los niños por ser obedientes. Luego pregunte: "Si su mamá les pide que levanten los juguetes, ¿qué dirán? (Anímelos a decir sí con la cabeza). Si su papá les pide que le lleven los zapatos, ¿qué harán? (Guíelos a pretender que van por los zapatos). Si su mamá les pide que vengan a sentarse a la mesa para la comida, ¿cómo lo harán? (Deje que pretendan sentarse en la mesa). Muy bien. Si hacen estas cosas estarán siendo ayudantes y muy obedientes. Cantemos 'Obediente yo seré' nuevamente".

Unidad 10
Ser como
Jesús es ser
parte de una
familia

ESTUDIO 46

2,3
años

Jesús fue al templo con su familia

Objetivo de la unidad:
Que los alumnos sepan que Dios nos hizo para ser parte de una familia.

Objetivo de la lección:
Que los alumnos sepan que Dios desea que vayan al templo con su familia.

Versículo clave de la unidad:
"[Jesús]... vivió obedeciéndoles en todo". Lucas 2:51a, (DHH).

Preparación:
• Cerca de la puerta de entrada coloque la caja en forma de templo, junto con los círculos de plástico con las figuras de personas. El templo se confeccionó para la Unidad 4, estudio 18.
• Dibuje una silueta sencilla de un templo con una imagen idéntica de la silueta sobre la línea del techo del templo. Doble la silueta en lo que sería la arista del techo del templo de modo que se pare solo. Haga una copia para cada niño.
• Prepare un área grande con arena, o prepare varias bandejas de plástico llenas de arena. Esconda algunas figuras de cartón de templos (no muy honda) en la arena.
• Use el rompecabezas de esponja de un templo que preparó para la Unidad 4, estudio 18.
• Copie la hoja del alumno. Pegue dos pajitas a la hoja en los lados opuestos y enrolle la hoja alrededor de las pajitas para hacer un pergamino. Úselo como ejemplo. Corte tro-

Preparación espiritual del maestro

Cuando lea Lucas 2:39-52 es seguro que observará que Jesús fue al templo con sus padres. La adoración es, sin lugar a dudas, una actividad familiar. Esté siempre en contacto con los padres de sus alumnos y ayúdelos a comprender que ellos son responsables por sus hijos hasta cuando están en el templo. Usted, como maestra, es clave en la enseñanza, pero son los padres quienes en realidad enseñarán a los niños cómo adorar a Dios. Ore por los padres para que se den cuenta de su responsabilidad de guiar a los niños en las experiencias de adoración en el hogar y también en el templo. Es una tarea difícil, pero es una tarea que Dios les ha dado y con la cual les ayudará. Usted también puede ayudar a los padres dándoles indicaciones de cómo adorar con sus hijos y al interceder en forma regular por ellos.

1 Actividades de motivación

Cuando vaya a la puerta a recibir a los niños cuando llegan, agradezca a los padres por traerlos al templo diciendo: "Están haciendo lo mismo que hicieron los padres de Jesús". Guíe a los niños a la caja en forma de templo. Muéstreles los círculos con los dibujos de personas. Pregúnteles si le pueden ayudar a colocar a una persona dentro del templo. Cuando el niño escoja una y la meta, déle gracias por la ayuda y diga: "¡Qué bien! Pusiste al señor en el templo, así como tus padres te trajeron a ti al templo. Me alegro mucho de que hayas venido. La vamos a pasar muy bien aprendiendo más acerca de Jesús cuando fue al templo. ¡Comencemos!".

Arte: Muestre la silueta del templo y pregunte qué es. Pídales que la coloreen, y luego la doblen. Coloque

2 Centros de interés

la base de espuma de polietileno en el piso. Deje que los niños tomen turnos poniendo el templo sobre el polietileno y colocando a María, José y Jesús dentro del templo. Diga: "¡Jesús fue al templo así como tú!".
Naturaleza: Mientras los niños juegan en la arena, pregúnteles si encontraron algo que estaba escondido allí. Cuando encuentren las figuras, pregúnteles qué son. Diga: "¡Son templos! Ustedes están en el templo ahora mismo. Jesús también fue al templo con su familia. ¡Qué bueno es estar en el templo con nuestra familia!".
Rompecabezas/Juegos: Coloque los rompecabezas del templo (que usó para la Unidad 4, estudio 17) en el piso. Mientras los niños los examinan, muéstreles cómo separarlos y cómo volverlos a armar. Diga: "Es divertido armar un rompecabezas. Es el dibujo de un templo. Jesús fue al templo. Fue al templo con su familia. ¿Vienes tú al templo con tu familia?".

3 Enseñanza de la Biblia

Coloque el rompecabezas de esponja de un templo en el piso. Muestre a los niños los pedazos de esponja y cómo encajan en el cartón. Comience a armar el templo. Cuando termine, aplauda con entusiasmo y diga: "Me encanta ver el dibujo de un templo. Me encanta ir al templo. Jesús también fue al templo. La Biblia nos relata una historia acerca de zos de pajitas para las hojas de los niños (dos para cada alumno). Provea cinta adhesiva y crayones para terminar la actividad.

Actividades de aprendizaje

Los niños de esta edad pueden pasar de una actividad a otra muy rápidamente, o pueden repetir la misma vez tras vez tras vez. Un niño que es inseguro puede escoger hacer la misma actividad semana tras semana. Por supuesto que querrá animar al niño a participar en una variedad de actividades, pero al mismo tiempo no ganará nada con insistir en que a un niño le "guste" una actividad más que la otra. Cuando descubra algo que realmente les guste hacer a los niños, como trabajar con plastilina, facilite esa actividad en forma regular, sin que se vuelva rutinaria (porque se aburrirán). No tenga miedo de sacar rompecabezas, juegos y juguetes que les han gustado en el pasado y usarlos vez tras vez. Esto aumentará el nivel de confianza de los niños cuando saben que habrá en el salón por lo menos una actividad o juguete que ya conocen.

Aplicación a la vida

Cuando la familia de cada niño habla del templo, o se prepara para ir al templo, el niño debe comenzar a hacer estas aplicaciones a su vida:
1. Me gusta ir al templo con mi familia.
2. Voy al templo así como Jesús fue al templo.
3. Dios se alegra cuando voy al templo.

Jesús cuando fue al templo". Abra su Biblia y relate la historia.
• "Me encanta ir al templo". (Cante esta frase. Invente una tonada).
• Jesús cantó así mientras caminaba al templo con sus padres.
• Era un viaje muy largo. Caminaron y caminaron.
• Jesús estaba feliz porque iba al templo con sus padres.
• Cuando llegó al templo, escuchó con mucho cuidado.
• Aprendió muchas cosas.
• También habló con sus maestros.
• Ellos se sorprendieron de lo mucho que sabía acerca de Dios.
• Jesús no quería salir del templo.
• Sus padres le dijeron que era hora de salir del templo.
• Jesús estaba triste porque tenía que salir del templo.
• Jesús sabía que tenía que obedecer a sus padres.
• Así que se fue a casa con sus padres.
• Sus padres estaban muy contentos porque Jesús los obedeció.
• Eran una familia muy feliz.
• Fueron al templo juntos.
• Regresaron a casa juntos.
• Dios estaba muy contento con esta familia.
Diga: "Conozco un canto que podemos cantar cuando es hora de ir al templo". Canten "Al templo quiero ir" (núm. 7 del *Cancionero para preescolares 2*) y anime a los niños a cantar fuerte la línea "al templo quiero ir". ¿Creen que pueden cantar el canto cuando sea hora de ir al templo? Cantémoslo otra vez".

Aplauda y cante "Vengo al templo" (número 13 del *Cancionero para preescolares, 2*). Pregunte a los niños si Jesús fue al templo con sus padres. Repita el versículo bíblico con los niños, dejando que lo repitan palabra por palabra con usted. Muéstreles dónde está escrito en la Biblia. Explique que Jesús usó una Biblia diferente. Muéstreles el pergamino que preparó. Distribuya la hoja del alumno y lea el versículo bíblico. Guíelos a colorear el versículo. Ayúdeles a pegar la pajita en la hoja y enrollarla para hacer un pergamino. Déjelos que la enrollen y la desenrollen repitiendo el versículo al hacerlo. Anime a los niños a llevar el pergamino a casa y repetir el versículo todos los días.

4 Actividades de reforzamiento

5 Preparación para ir a casa

Mientras espera la llegada de los padres, guíelos en este juego digital:
Amo el templo de Dios. (Junte los dedos para formar un techo).
Amo los domingos. (Muestre siete dedos).
Me encanta cantar. (Señale la boca).
Me encanta orar. (Junte las manos).
Me encanta escuchar las historias. (Junte las manos, palmas para arriba, como si fuera un libro).
Que tratan de ti y de mí. (Señálese usted mismo y luego a otra persona).
Me encanta ir al templo, ¡así como a Jesús! (Junte los dedos para formar un techo).
Cuando lleguen los padres, pídale al niño que repita el juego digital con usted. Anime a los padres a usar el juego digital en la casa durante la semana. Además, muestre a los padres el versículo bíblico en el pergamino y repítalo a los padres, pidiendo que ellos lo repitan durante la semana para reforzar el proceso de enseñanza.

"(Jesús) vivió obedeciéndoles en todo

(Lucas 2:51a)"

Unidad 10
Ser como
Jesús es ser
parte de una
familia

ESTUDIO 47

2, 3
años

Jesús amó a su familia

Objetivo de la unidad:
Que los alumnos sepan que Dios nos hizo para ser parte de una familia.

Objetivo de la lección:
Que los alumnos expresen amor por su familia.

Versículo clave de la unidad:
"[Jesús]... vivió obedeciéndoles en todo". Lucas 2:51a, (DHH).

Preparación:
- Con anticipación, pida a los padres que le traigan una fotografía de su familia. También puede usar fotos de familias en revistas, periódicos o libros). Cubra las fotos con plástico. Pegue un imán al dorso de la foto. Cuelgue algunas bandejas de horno en la pared cerca de la puerta, a la altura de los niños.
- Cubra una mesa con plástico. Prepare una mezcla de una taza (225 gramos) de maicena con 2/3 de taza (165 gramos) de agua poco antes de que los niños la usen.
- Ilustre el canto "Familias" (núm. 32 del *Cancionero para preescolares 2*) con diversas clases de animales (que sean bebés).
- Coloque objetos que recuerden a los niños a miembros de su familia (una gorra para papá, sandalias para mamá, una pelota para el hermano) en una caja atractiva.
- Prepare sal de color añadiendo colorante para comida, mezclándola bien y dejándola secar. Provea recipientes pequeños de pegamento no tóxico y una copia de la hoja del alumno para cada alumno.

Preparación espiritual del maestro
Mientras lee Lucas 2:39-52, ¿puede imaginar lo desesperados que estaban María y José cuando se dieron cuenta de que Jesús no estaba con ellos? Habrá sido absolutamente terrible. Hace unos 20 años yo perdí en un museo a una niña a la que cuidaba. La encontré rápidamente, pero todavía puedo recordar el nudo que sentí en el estómago. ¿Siente eso cuando uno de los niños falta a la clase? ¿Hace un esfuerzo especial por encontrar a ese niño y asegurarse de que regrese al templo donde debe estar? Ore porque ninguno de sus niños se pierda. Interceda a favor de ellos ahora y en los años venideros. Ore por la familia de ellos. Será emocionante verlos crecer en gracia para con Dios y los hombres, y saber que usted tuvo una parte en ese crecimiento espiritual.

1 Actividades de motivación

Después de que hayan llegado los niños y haya hablado con ellos, señale las bandejas cerca de la puerta. Muéstreles el cuadro de una familia. Pregúnteles quién es. Hable acerca de las familias y lo bueno que es ser parte de una familia. Permítales colocar el cuadro con el imán en la bandeja y luego muéstreles cómo quitarlo. Diga: "Esta es una familia especial. Se aman unos a otros. Jesús también tenía una familia especial y él amaba a su familia". Deje que el niño juegue con el imán por unos momentos y luego muéstrele las otras actividades que le esperan en el salón. Si desea continuar jugando con el imán, déjelo, pero es posible que también quiera participar en otra actividad.

2 Centros de interés

Naturaleza: Permita que los niños mezclen la maicena y el agua con sus manos. Les agradará cómo se siente y poderla mover alrededor de la mesa. Si la mezcla se seca, puede agregar más agua. Mientras los niños juegan, comente acerca de lo bueno que es jugar juntos, así como es bueno ser parte de una familia.

Música: Enseñe el canto a los niños, cantando y repitiéndolo, señalando los diferentes animales bebé. Después de cantar, juegue con el rompecabezas de los animales y sus casas que preparó para la primera lección. Hable de lo bueno que es ser parte de una familia.

Área del hogar: Ya que a los niños de esta edad les encanta acarrear cosas, permítales meter toda clase de objetos del área del hogar en canastas o bandejas y llevarlas de un lado para otro. Mientras lo hacen, pregúnteles quién en su familia usaría esos objetos y hable acerca de esos miembros de la familia. Diga: "¡Qué bueno es tener una familia para amar".

3 Enseñanza de la Biblia

Coloque la caja en el piso y eso llamará la atención de los niños. Comience a sacar los objetos de la caja uno a la vez y pregunte qué miembro de la familia lo usaría. Déjelos adivinar cuál es el objeto y luego vuélvalos a poner en la caja, y deje que ellos lo saquen y digan quién lo usaría. Cuando haya repetido esto con cada niño diga: "Tú tienes una familia. Jesús

Se estará preguntando dónde puede encontrar todas las figuras que necesita para enseñar a este grupo. Necesita ser un "explorador" perseverante. Nunca deje que nadie tire revistas, periódicos o libros de texto viejos sin primero haberlos examinado y recortado las figuras que puede utilizar para enseñar a los niños. Comience un archivo que organizará en categorías como Comida, Animales, Gente, Familias, Niños, Biblia, Clima, Naturaleza, etc. Cada vez que encuentre una figura interesante, recórtela inmediatamente y póngala en el archivo. Si no lo hace así, nunca encontrará las figuras. Por supuesto, si tiene acceso al internet y una impresora, puede encontrar todo tipo de figuras. De cualquier forma, necesita cultivar el hábito de guardar figuras para que siempre tenga bastantes recursos para rompecabezas, libros, historias, juegos e ilustraciones.

Aplicación a la vida

El corazón de su enseñanza es ayudar al niño a aplicar esas cosas a su vida personal:

1. Poder decir: "Amo a mi... (nombre del miembro de su familia)".
2. Tener el deseo de expresar su amor a los miembros de su familia durante la semana.
3. Decir: "Soy como Jesús, amó a mi familia".

también tenía una familia. En la Biblia encontramos una historia acerca de Jesús y su familia". Abra su Biblia y comience a relatar la historia, colocando las figuras de Jesús, María y José en el trozo de espuma de polietileno en el momento oportuno.

- Jesús vivió en un hogar con sus padres. (Muestre a Jesús cuando era un muchachito, junto con María y José).
- Sus padres lo cuidaban.
- Sus padres lo amaban mucho. (Muestre a Jesús cuando era mayor, junto con María y José).
- Creció y amaba mucho a su familia.
- Un día su padre dijo: "Vamos a salir de viaje.
- "Jesús, tú irás con nosotros.
- "Visitaremos un templo especial, muy lejos de nuestra casa".
- Jesús se sentía emocionado porque iba a viajar con sus padres.
- Se sentía contento porque lo iban a llevar con ellos. (Coloque a Jesús a la edad de 12 años entre su mamá y papá).
- Caminaron varios días para llegar al templo.
- Jesús quería quedarse en el templo mucho tiempo.
- Sus padres ya estaban listos para irse.
- Obedeció a sus padres.
- Obedeció porque amaba a sus padres.
- Sabía que Dios había creado a su familia.
- Estaba contento de ser parte de su familia.
- ¿Estás tú alegre de ser parte de tu familia?
- Oremos y demos gracias a Dios por nuestra familia.

Deje que cada niño que quiera diga; "Gracias, Dios, por mi familia". Diga: "Conozco un canto que habla de dar gracias por mi familia. Cantemos: 'Amo a mamá y a papá'" (núm. 54 del *Cancionero para preescolares 2*).

4 Actividades de reforzamiento

Use este juego digital con los niños como una forma de comenzar la conversación acerca de los miembros de su familia. Señale el dedo correcto de la mano de cada niño:

"Este chiquito es mi hermano (pulgar); esta es mi mamá (índice); este altito es mi papá (el de en medio); esta es mi hermana (anular); y este(a) chiquito(a) y bonito(a) soy yo (meñique)". Enseguida cante con los niños: "Yo amo" (núm. 5 del *Cancionero para preescolares 1*).

Reparta la hoja del alumno y pregunte a los niños qué está haciendo la familia. Diga: "Creo que esta familia se ama. ¿Tú amas a tu familia?". Después de que los niños contesten, practique con los niños diciendo: "Te amo mamá (sustituyendo el nombre de cada miembro de la familia)", animándolos a decirlo cuando vean a cada miembro de su familia. Permítales extender la pintura sobre el cuadro y luego rociar la sal de color sobre el pegamento.

5 Preparación para ir a casa

Mientras se preparan para ir a casa y expresar su amor a su familia, converse con ellos acerca de cómo expresar su amor. Siga practicando decir "Te amo" a los miembros de su familia. También puede animarlos a besar y abrazar a los miembros de su familia. Guíelos a practicar dando abrazos a una muñeca u oso de peluche. Puede decir: "Cuando llegue tu mamá ¿le puedes dar un abrazo? Practica con esta muñeca. ¿Puedes darle un gran abrazo?". Cuando lleguen los padres, explíqueles que les ha estado enseñando acerca de amar a su familia y que el niño quiere darles un abrazo fuerte y decirles "te amo". Recuérdeles, al salir, que cuando aman a su familia se están portando como Jesús.

Jesús nació

Objetivo de la unidad:
Que los alumnos sepan que Jesús nació.

Objetivo de la lección:
Que los alumnos se sientan felices porque Jesús nació.

Versículo clave de la unidad:
"Canten a Dios con alegría". Salmo 98:4, (DHH).

Preparación:
- Provea tiras de tela (pueden ser de pedazos de tela o de una sábana vieja) y muñecas.
- Tenga listos bloques, una muñeca chica, una caja que pueda usarse como pesebre, tiras de tela, paja (si ninguno de los niños es alérgico a ella), y figuras de animales.
- Recorte círculos, cuadrados y triángulos usando cartulina o papel grueso. Provea crayones, marcadores y lápices de color. Cubra la mesa de arte con periódico y luego pegue las formas en la mesa.
- Reproduzca la hoja del alumno. Provea cinco palitos para cada niño, pegamento y crayones.
- Recorte las figuras de la lámina que viene en las Ayudas Didácticas y pegue papel de lija o felpa al dorso. Tenga a la mano un franelógrafo.

Preparación espiritual del maestro

Prepárese para enseñar la historia del nacimiento de Jesús, según Lucas 2:6, 7, preparando su corazón. Sólo puede ayudar a los niños a comprender la razón de la celebración de la Navidad cuando se haya recordado que Dios nos amó lo suficiente como para enviar a su Hijo, Jesús. No se deje llevar y estresar por las fiestas, celebraciones y programas al punto de no tener tiempo para Jesús. La parte más importante de la Navidad es Jesús y compartir su amor con otros. Haga esa su prioridad este año.

1 Actividades de motivación

Cuando reciba a los niños en la puerta, cuélguese algunos cascabeles en la ropa para que tintineen cuando se mueva. Diga a los niños cuando lleguen: "Hoy estoy haciendo mucho ruido. Eso es porque quiero cantar cantos de Navidad. Hoy les voy a enseñar uno". Comience a cantar "Cantos navideños" (núm. 24 del *Cancionero para preescolares 2*). Repita y anime a los niños a cantar con usted. Diga: "Hoy nos vamos a divertir mucho hablando del nacimiento de Jesús. ¡Comencemos!".

2 Centros de interés

Área del hogar: Comience envolviendo una muñeca con las tiras de tela. Explique que cuando Jesús era un bebé su mamá lo envolvió en unas telas para que estuviera calentito. Enseguida ofrezca la muñeca y tiras a un niño, y pídale que termine de envolverla.

Bloques: Conforme los niños se reúnan para jugar con los bloques diga: "Jesús nació en un establo donde hay animales. Construyamos un establo". Continúe relatando la historia de Jesús, mostrando cómo María envolvió a Jesús en las telas y lo puso en el pesebre donde comían los animales. Explique que la paja era la comida de los animales.

Arte: Explique que nos sentimos tan felices porque Jesús nació que queremos que nuestro salón esté bien decorado para celebrar el nacimiento de Jesús. Muéstreles las formas que recortó y permítales experimentar usando los colores, marcadores y lápices de color para colorear las formas. Cuando hayan terminado, colóquelas en la pared del salón diciendo: "Hemos decorado nuestro salón para celebrar el nacimiento de Jesús".

3 Enseñanza de la Biblia

Comience a cantar los siguientes cantos del *Cancionero para preescolares 2* para reunir a los niños y relatarles la historia: "Contento estoy" (núm. 26); "Cantos navideños" (núm. 24); "El día de la Navidad" (núm. 58). Abra su Biblia a Lucas 2 y comience a relatar la historia.
- José y María estaban casados.
- María y José iban a tener un bebé.
- Estaban muy contentos que su bebé iba a nacer.
- Dios les había dicho que sería un bebé especial.

Aunque usted participa activamente en todos los centros de interés, debe tener cierta precaución. Aunque desea guiar la actividad y la conversación para enfocarlas en el objetivo de la lección del día, no quiere echar a perder el juego de los niños. Si usted domina la actividad y no deja a los niños jugar, ha frustrado el propósito. Los niños no tienen que participar activamente para aprender. Si usted está haciendo todo, ¡los niños no están aprendiendo! Debe ser creativo y recordar cómo piensan los niños de dos y tres años.

Aplicación a la vida

No importa donde viva, siempre habrá mucha actividad relacionada con la Navidad y los niños sienten eso, aunque no lo comprendan. Como resultado de la lección de hoy los niños deben:
1. Recordar que Jesús nació, cada vez que escuchen la palabra Navidad.
2. Sentirse contentos cuando canten y escuchen los cantos de Navidad.
3. Asociar las decoraciones de Navidad con el nacimiento de Jesús.

• Su nombre sería Jesús.
• Antes de que naciera tuvieron que hacer un viaje.
• Cuando llegaron, había mucha gente en la ciudad.
• El único lugar donde se podían quedar era en un establo.
• Allí en el establo estaban seguros.
• Jesús nació allí en el establo.
• Cuando María y José vieron a Jesús se sintieron muy felices.
• María envolvió a Jesús en telas suavecitas para que no tuviera frío.
• Prepararon una cama para Jesús.
• Fue en el lugar donde los animales comían.
• Estaba blandita.
• Estaba calentita.
• Estaba cómoda.
• María se alegró porque podía cuidar a Jesús.
• José se sentía feliz porque el bebé especial había nacido.
• Celebramos la Navidad porque Jesús nació.

Cuando termine la historia diga: "¿Se sienten contentos porque Jesús nació? La Biblia dice 'Canten a Dios con alegría'. Creo que debemos hacer eso. Cantemos algunos cantos alegres porque Jesús nació". Escoja algunos de los cantos favoritos de los niños y cántenlos ahora. Después diga: "¡Gracias, Dios, porque Jesús nació!".

Diga: "Miren la figura del bebé Jesús. ¿Quién lo está cuidando? Su mamá y su papá. Nació en un lugar donde hay animales.

4 Actividades de reforzamiento

Peguemos estos palitos para hacer un establo como el lugar donde nació Jesús". Mientras los niños trabajan en la actividad, supervise el uso del pegamento y colocación de los palitos. Si los colocan en el lugar equivocado, no se preocupe. La experiencia es más importante que el producto final. Después de pegar los palitos, déjelos colorear el resto del dibujo. Mientras trabajan, anímelos a relatar la historia del nacimiento de Jesús (les puede ayudar agregando los detalles).

5 Preparación para ir a casa

Después de que se hayan recogido los materiales y todas las pertenencias de los niños, y sus proyectos estén listos para llevar a casa, saque el franelógrafo. Coloque en él el trasfondo de un establo y diga: "¿Recuerdan? Este es el lugar donde Jesús nació. Era un lugar donde vivían los animales. ¿Pueden ayudarme a poner algunos animales en el establo? Ahora agreguemos a María y a José, los padres de Jesús. ¿Qué falta? ¡Jesús! Coloquemos a Jesús". Deje que los niños le ayuden a colocar las figuras. Deje que las acomoden nuevamente para relatar y repasar la historia hasta que sea tiempo de ir a casa. Converse acerca de la Navidad y lo feliz que nos sentimos al celebrar el nacimiento de Jesús.

Los ángeles cantaron

Objetivo de la unidad:
Que los alumnos sepan que Jesús nació.

Objetivo de la lección:
Que los alumnos se sientan felices al cantar acerca del nacimiento de Jesús.

Versículo clave de la unidad:
"Canten a Dios con alegría". Salmo 98:4, (DHH).

Preparación:
• Prepare el franelógrafo con las figuras que usó la semana pasada. Además, prepare las figuras de los ángeles cantando y los pastores.
• Recorte tres figuras de ángeles de cartulina, plástico o papel muy grueso. Escóndalas en un recipiente con arena. Cubra el área con una sábana grande donde colocará el recipiente.
• Coloque una rama de árbol en un balde lleno de arena y piedras, para que no se vaya a voltear. Recorte figuras de ángeles. Use los diseños que se encuentran en esta página como modelos. Haga una perforación en la parte superior de las figuras y agrégueles un cordón para que los cuelguen.
• Toque un CD o un casete con música de Navidad. Si es posible, un casete/CD de un coro de niños. ¡No toque música secular!
• Recorte tres diseños diferentes de ángeles, dos copias de cada diseño.
• Reproduzca la hoja del alumno. Provea recipientes pequeños con pegamento y papel aluminio para que los peguen en la hoja.

Preparación espiritual del maestro
Aunque los niños pequeños no pueden comprender el significado más profundo del nacimiento de Jesús como se encuentra en Lucas 2:8-14, ¡usted sí puede! ¿Alguna vez se ha detenido a preguntarse sobre la singularidad de un evento que atrajo a una MULTITUD de ángeles del ejército celestial del Señor? Este ejército glorioso, cuya cantidad no podemos comenzar a comprender, cantaba "¡Gloria a Dios!". Él es quien debe ser alabado al celebrar la Navidad. ¡Qué trágico que hemos permitido que otras cosas sean *nuestro* enfoque! Tome tiempo para hablar con Dios, dándole a él la gloria por el sacrificio de haber enviado a su Hijo para venir al mundo para que nosotros pudiéramos tener vida eterna. Comunique esta alegría y no la del "mundo" a sus alumnos.

1 Actividades de motivación

Coloque el franelógrafo cerca de la puerta, con las figuras de la historia de la semana pasada. Cuando lleguen los niños, señáleles el franelógrafo y diga: "Miren, allí está Jesús. Me siento muy contento porque estamos celebrando el nacimiento de Jesús". Tome al niño de la mano y señale las figuras diciendo su nombre y dejándolo que las toque. Diga: "Hoy vamos a aprender más del cumpleaños de Jesús. Generalmente cantamos cuando vamos a una fiesta de cumpleaños. Cantemos "Feliz cumpleaños, Jesús". Mientras escogen una actividad comience a cantar un villancico.

Música: Toque el casete o CD de música de Navidad. Si los niños muestran interés en la música,

2 Centros de interés

comience a cantar. Además, provea cascabeles para que tintineen al ritmo de la música. Anímelos a cantar (aunque tengan que inventar sus propias palabras). Dígales que los ángeles cantaron un canto especial en Navidad.
Rompecabezas/Juegos: Dígales a los niños que ha escondido algo en la arena. Déjelos jugar en la arena para tratar de encontrar los ángeles escondidos. Cuando los encuentren diga: "Encontraron los ángeles. Hoy vamos a escuchar una historia de la Biblia acerca de los ángeles. Ellos cantaron un canto especial cuando Jesús nació. Jesús nació en Navidad".
Área del hogar: Los niños decorarán su "árbol" con las figuras de los ángeles.

Es seguro que colgarán y volverán a colgar las decoraciones, pero déjelos que lo hagan a su manera. Mientras trabajan diga: "Estamos decorando porque queremos celebrar el nacimiento de Jesús en Navidad. Estamos usando los ángeles porque ellos cantaron acerca del nacimiento de Jesús".

Será muy fácil decorar el salón con figuras de Navidad, ya que son abundantes. Pero tenga mucho cuidado de usar sólo figuras que sean adecuadas. Fíjese en la teología de las figuras. No querrá usar figuras en las que María y José tengan aureolas. No querrá usar figuras que muestren a los reyes magos junto con los pastores (ya que ellos llegaron mucho más tarde). Evite figuras que tengan muchos detalles o sean impresionistas en su estilo. Los niños necesitan claridad de expresión y figuras de eventos específicos. Es mejor usar sólo unas cuantas figuras cada semana y cambiarlas frecuentemente.

Aplicación a la vida
Cuando use la conversación, los cantos y las actividades juntos, el resultado debe ser que los niños apliquen estas verdades a su vida:
1. Al ver las decoraciones de Navidad, que recuerden que Jesús nació y se sientan felices por ello.
2. Asocien los cantos de Navidad con el canto de los ángeles cuando nació Jesús.
3. Al cantar parte de los cantos navideños, se sientan alegres porque Jesús nació.

3 Enseñanza de la Biblia

Muestre a los niños los tres diseños de ángeles. Colóquelos en el piso. Tenga en la mano el otro juego de ángeles que son similares. Señale una de las figuras en el piso y pídales que, de los ángeles que tiene en su mano, encuentren el ángel que se parece. Repita el juego varias veces. Cuando tenga su atención, diga: "La Biblia nos cuenta acerca de unos ángeles muy especiales que cantaron un canto muy bonito. Escuchemos". Abra su Biblia en Lucas 2 y relate la historia.
• Recuerden que Jesús nació.
• Fue un día muy especial.
• Lo llamamos Navidad.
• ¡Fue un día tan especial!
• Fue un día tan especial que Dios envió a sus ángeles para que cantaran acerca de Jesús.
• Los ángeles estaban contentos.
• Comenzaron a cantar un canto alegre.
• Era un canto hermoso.
• Cantaron acerca del nacimiento de Jesús.
• Un grupo de hombres los escuchó cantar.
• Estos hombres trabajaban afuera.
• Cuidaban a las ovejas.
• Por eso escucharon a los ángeles.
• La música de los ángeles era muy hermosa.
• Gloria a Dios. Paz. Alégrense.
• Los ángeles cantaron un canto muy especial.
Anime a los niños a cantar también un canto especial de Navidad, la tercera estrofa de "El día de la Navidad" (núm. 58 del *Cancionero para preescolares 2*). Cuando hayan terminado ore con los niños, dando gracias a Dios porque Jesús nació en Navidad. Repita el versículo bíblico con los niños: "Canten a Dios con alegría" y dígales que están haciendo lo que la Biblia dice.

Muestre a los niños el franelógrafo con las figuras de Jesús, María y José, recordándoles que Jesús nació en un establo donde había animales. Luego añada, al lado, las figuras de los pastores y las ovejas, explicando que estas eran las personas que estaban trabajando afuera la noche en que Jesús nació. Luego añada los ángeles y explique que los ángeles cantaron que Jesús había nacido. Distribuya las copias de la hoja del alumno. Muestre a los niños cómo poner pegamento al dorso de los trozos de papel aluminio y colocarlos en los dibujos de los ángeles. Explique que los ángeles se sentían tan felices porque Jesús había nacido que, aunque era de noche, brillaban mientras cantaban.

4 Actividades de reforzamiento

5 Preparación para ir a casa

Desafíe a los niños a encontrar todos los ángeles que están decorando el salón y que fueron usados en otras actividades. Cuente los ángeles con los niños. Es probable que quieran repetir esto varias veces. Cuando hayan terminado, déjelos ayudarle a guardar los juguetes y limpiar el salón, mientras escuchan música navideña. Recuerde a los niños, otra vez, que los ángeles cantaron cuando Jesús nació y que nosotros también cantamos, y nos sentimos felices, porque Jesús nació. Cuando lleguen los padres, recuérdeles de la importancia de poner el énfasis en el nacimiento de Jesús durante la Navidad. Anímelos a evitar el uso de música navideña secular y referencias a "Santa Claus".

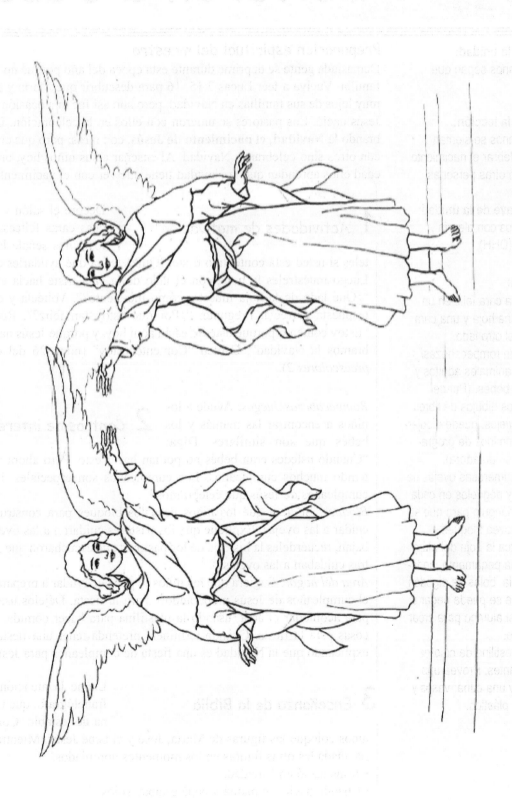

Unidad **11**
Ser como
Jesús es
celebrar la
Navidad

ESTUDIO

50
Los pastores visitaron a Jesús

2, 3
años

Objetivo de la unidad:
Que los alumnos sepan que Jesús nació.

Objetivo de la lección:
Que los alumnos se sientan felices de celebrar el nacimiento de Jesús con otras personas.

Versículo clave de la unidad:
"Canten a Dios con alegría". Salmo 98:4, (DHH).

Preparación:
- Dibuje una cara feliz en un lado de una hoja y una cara triste en el otro lado.
- Prepare un rompecabezas/ juego de animales adultos y animales bebés. (Puede recortar los dibujos de libros de texto viejos, puede dibujarlos o imprimirlos de programas de computadora).
- Recorte numerosas ovejas de cartulina y pégueles en cada lado un triángulo para que se paren. Provea bloques.
- Reproduzca la hoja del alumno, provea pegamento, pedazos de tela, bolas de algodón y paja que se pueda pegar a la hoja del alumno para crear un collage.
- Provea plastilina de colores muy brillantes. Provea una muñeca y una cuna; vasos y platos de plástico.

Preparación espiritual del maestro
Demasiada gente se deprime durante esta época del año porque no pueden estar con su familia. Vuelva a leer Lucas 2:15, 16 para descubrir que María y José se encontraban muy lejos de sus familias en Navidad, pero aun así fue una ocasión muy alegre, porque Jesús nació. Los pastores se unieron con ellos en la celebración. Debemos estar celebrando la **Navidad, el nacimiento de Jesús**, con otros; pero que el énfasis no sea estar con otros sino celebrar la Navidad. Al enseñar a sus niños hoy, ore porque aun a esta edad ellos aprendan que la Navidad tiene que ver con el nacimiento de Jesús.

1 Actividades de motivación

Decore el salón y su ropa con muchas caras felices. Cuando lleguen los niños señale las caras. Pregúnteles si usted está contenta o triste. (Quizá tenga qué ayudarles con la respuesta). Luego muéstreles la hoja, con el lado de la cara triste hacia arriba y pregunte: "¿Qué lado de la hoja muestra cómo me siento?". Voltéela y déjeles señalar la respuesta correcta. Pregunte: "¿Por qué estoy tan feliz?". Responda algo así: "Estoy contento porque ustedes están aquí hoy, y porque Jesús nació. Por eso celebramos la Navidad". Canten "Contento estoy" (núm. 26 del *Cancionero para preescolares 2*).

Rompecabezas/Juegos: Ayude a los niños a encontrar las mamás y los bebés que son similares. Diga:

2 Centros de interés

"Cuando ustedes eran bebés no podían hacer esto. Pero ahora son grandes. Han tenido muchos cumpleaños. Los cumpleaños son especiales. La Navidad es el cumpleaños de Jesús que celebramos".
Bloques: Sugiera que los niños usen los bloques para construir un corral para cuidar a las ovejas. Explique que los pastores cuidaron a las ovejas. Mientras trabajan, recuérdeles la historia de los pastores que escucharon que Jesús nació mientras cuidaban a las ovejas.
Área del hogar: Sugiera que los niños le pueden ayudar a prepararse para celebrar el cumpleaños de Jesús preparándose para la fiesta. Déjelos usar su imaginación para acomodar el área, usando la plastilina para hacer comida, un pastel y otras cosas para la fiesta. Cuando terminen, pretenda tener una fiesta de cumpleaños, explicando que la Navidad es una fiesta de cumpleaños para Jesús.

3 Enseñanza de la Biblia

Llame la atención de los niños al franelógrafo, que tiene sólo la escena del establo. Con la ayuda de los niños coloque las figuras de María, José y el bebé Jesús. Mientras relata la historia añada las otras figuras en los momentos apropiados.
- Jesús nació en Navidad.
- Cuando nació, su mamá y papá estaban solos.
- Después de que nació, los ángeles comenzaron a cantar.
- Dijeron a unos pastores que Jesús había nacido.

El uso de juegos digitales y otros cantos de acción es una tradición que es muy antigua. Es prueba de que la técnica es una manera maravillosa de involucrar a los niños en un concepto de aprendizaje. Probablemente usted conozca varios que aprendió en su niñez. No tema usarlos y adaptarlos para sus propios propósitos. Además de usar esos y los que aquí se sugieren, invente sus propios movimientos y rimas. Cuando los niños salgan, puede usar este canto con la tonada de "Pulgarcito", mientras agita la mano en el momento oportuno. "Adiós amigos. Adiós amigos. Ya me voy. Ya me voy. Me dio mucho gusto, me dio muchos gusto estar aquí. Adiós. Adiós".

Aplicación a la vida

Como resultado de todas las actividades y su sensibilidad para captar los momentos de enseñanza, los niños deben aplicar estas verdades a su vida:
1. Cuando estén con otras personas, querrán decirles que la Navidad tiene que ver con el nacimiento de Jesús.
2. Cuando vean las decoraciones de Navidad, pensarán en Jesús y se sentirán contentos.
3. Al escuchar los cantos e himnos de Navidad, reconocerán que es parte de la celebración del nacimiento de Jesús.

- Los pastores se pusieron alegres.
- ¡Jesús nació!
- Comenzaron a conversar.
- "Vayamos a visitar a Jesús".
- "Sí, me parece una buena idea.
- "Encontremos a Jesús".
- Comenzaron a buscar a Jesús.
- Caminaron y caminaron.
- Encontraron a Jesús.
- Estaba con su mamá y papá.
- Estaba en el lugar donde los ángeles dijeron que estaría.
- La mamá y el papá de Jesús se sintieron felices de ver a los pastores.
- Los pastores estaban tan contentos de que Jesús había nacido, que se lo contaron a otra gente.
- Los pastores comenzaron a cantar cantos alegres.
- Estaban felices porque Jesús había nacido.
- Estaban felices porque estaban con Jesús en Navidad.

Cante "Tiempo atrás", estrofas 1-3 (núm. 44 del *Cancionero para preescolares 2*). Ore con los niños, dando gracias a Dios porque Jesús nació, animándolos a hacer la misma oración.

Diga a los niños que pretenderán ser los pastores que buscaban a Jesús. Pretenda buscar a Jesús. Guíe a los niños al área del hogar, donde habrá una muñeca y una cuna. Luego diga: "Sh-h-h. No hagamos ruido para no despertar al bebé Jesús". Lleve a los niños nuevamente al área de trabajo y diga: "¡Qué felices se han de haber sentido la mamá y el papá de Jesús cuando llegaron los pastores! Estaban solos y ahora tenían visita. Hagamos un dibujo de los pastores visitando a Jesús y celebrando la Navidad". Distribuya la hoja del alumno. Muéstreles los objetos que trajo para que peguen en el cuadro, explicando que la tela es para la ropa, la paja es para que los animales coman, y las bolas de algodón son para las ovejas. ¡Por supuesto que los niños pueden tener otras ideas! Mientras trabajan, converse acerca de lo feliz que todos se sentían porque Jesús nació.

4 Actividades de reforzamiento

5 Preparación para ir a casa

Después de haber juntado todos los materiales y las pertenencias de los niños, y de que todo se haya guardado, siéntese con los niños en un círculo y use este cántico mientras espera la llegada de los padres: ¿Puedes? (Cada vez que usted hace esta pregunta, los niños deben hacer el sonido o movimiento correspondiente).

¿Puedes balar como una de las ovejas que los pastores cuidaban?

¿Puedes caminar como uno de los pastores que buscaba a Jesús?

¿Puedes cantar como uno de los ángeles que anunció el nacimiento de Jesús?

¿Puedes mecer a un bebé como los hizo la mamá de Jesús?

¿Puedes sonreír como lo hicieron los pastores cuando vieron a Jesús?

¿Puedes llorar como el bebé Jesús?

¿Puedes decir "Feliz Navidad"?

Unidad 11
Ser como
Jesús es
celebrar la
Navidad

ESTUDIO **51**

2, 3
años

Los reyes llevaron regalos

Objetivo de la unidad:
Que los alumnos sepan que
Jesús nació.

Objetivo de la lección:
Que los alumnos sepan que
damos regalos para celebrar que
Jesús nació.

Versículo clave de la unidad:
"Canten a Dios con alegría".
Salmo 98:4, (DHH).

Preparación:
• Envuelva, como un regalo,
  figuras de Navidad (puede
  usar tarjetas de Navidad viejas), una para cada niño que
  espera que esté presente.
• Pinte algunas piedras de color
  oro, rocíe perfume en unas
  bolas de algodón. Provea cartoncillo de color azul oscuro.
  Recorte algunas estrellas
  pequeñas, cinco o seis para
  cada niño, y una estrella
  grande (una para cada niño).
  Coloque pintura diluida en
  recipientes pequeños y
  provea bastoncillos de algodón (de los que se usan para
  limpiar los oídos) para cada
  niño.
• Tenga a la mano papel para
  envolver (o periódico), listón
  usado, algunas cajas chicas y
  cinta adhesiva.
• Envuelva una caja de galletas
  dulces u otras cosas dulces
  que los niños puedan gozar.
  Haga un envoltorio bonito.
• Consiga batas de baño o
  sábanas para vestir a los
  niños. Tenga algunos regalos
  envueltos.
• Haga suficientes copias de la
  hoja del alumno y saque los
  crayones.

Preparación espiritual del maestro

Uno de los peligros más grandes que rodea nuestras celebraciones de Navidad es la tentación de ser muy materialistas y dejarse llevar por el consumismo de nuestra sociedad. Vuelva a leer Mateo 2:1, 2, 9-11 y recuerde cómo comenzó la tradición de dar regalos. El dar regalos debe ser algo que honra a Jesús, no que alimente nuestra codicia. Pase tiempo en oración pidiendo a Dios que limpie su corazón y lo prepare para una verdadera celebración de la Navidad, y por sabiduría para enseñar esta misma actitud a sus alumnos.

1 Actividades de motivación

Cuando lleguen los niños, deles un abrazo y diga: "Me alegro de que hayas venido hoy. Estamos cele-brando la Navidad. Tengo un regalo envuelto para ti. Lo puedes abrir y quedarte con lo que hay adentro". Cuando terminen de desenvolver la figura, pregúnteles qué ven. Hable acerca de la historia de la Navidad y cómo Jesús nació en Navidad. Dígales que hoy estarán hablando acerca de los regalos que Jesús recibió de unos amigos especiales. Comience a cantar "Tiempo atrás", estrofas 1 y 5 (número 44 del *Cancionero para preescolares 2*). Muéstreles algunas de las actividades que ha preparado y déjelos escoger una actividad.

Naturaleza: Mientras los niños examinan las piedras de color oro y huelen el perfume diga: "Estos son

2 Centros de interés

como los regalos que algunos amigos especiales dieron a Jesús después de que nació. Supieron cómo encontrar a Jesús por medio de una estrella especial. Peguemos estas estrellas en el cielo oscuro y pongamos la estrella grande que les dijo dónde estaba Jesús".
Área del hogar: Deje que los niños usen el papel y la cinta adhesiva para envolver las cajas. Se divertirán mucho envolviendo y desenvolviendo las cajas vez tras vez. Mientras lo hacen, recuérdeles que algunos amigos de Jesús le dieron regalos espe-ciales y por eso nosotros también damos regalos.
Arte: Saque el franelógrafo con el trasfondo del establo. Deje que los niños le ayu-den a colocar las figuras. Déjelos reacomodar las piezas, hablando acerca del nacimiento de Jesús. Muéstreles también las figuras de los reyes magos y de Jesús como un niño mayorcito, relatándoles esta historia también. Canten "Tiempo atrás".

3 Enseñanza de la Biblia

Muestre las cajas envueltas a los ni-ños. Deje que las tomen en las ma-nos y las sacudan. Diga: "Nos gusta dar regalos en Navidad. ¿Qué creen que puede haber dentro de la caja? Abrámosla y veamos qué hay adentro". Abra la caja y dé a cada niño una galleta. Diga: "Ese fue un buen regalo". La Biblia nos cuenta de unas personas que dieron regalos a Jesús". Abra su Biblia y comience a relatar la historia.

Actividades de aprendizaje

Desde que el niño cumple dos años hasta que cumple tres, su vocabulario aumenta de 50 palabras hasta unas 500. Ya que es un tiempo ideal para aprender a hablar y conversar, es importante que les dé muchas oportunidades para practicar su vocabulario. Debe hablar con ellos y hacer preguntas, pero más importante, debe escucharlos. Para ayudar al niño a hablar, usted necesitará usar un vocabulario limitado, usando oraciones cortas y palabras sencillas. No olvide hablar en términos concretos. Por ejemplo, no hable de la Palabra de Dios, hable de la Biblia. Usted tiene la oportunidad, por medio de figuras, libros, drama y conversación, de introducir al niño a su primer vocabulario "religioso".

Aplicación a la vida

Después de participar en las actividades y escuchar la historia, los niños deben aplicar esto a su vida:

1. Cuando ven que se dan regalos en Navidad, recordar que Jesús nació en Navidad.
2. Al ver las decoraciones de Navidad, sabrán que es un tiempo feliz porque es el cumpleaños de Jesús.
3. Asociar los himnos y cantos de Navidad con el día en que nació Jesús.

• Clop, clop, clop
• Algunos hombres viajaban en sus camellos.
• Seguían una estrella en el cielo.

(Haga una pausa en la historia para cantar "Estrellita de Belén", núm. 18 del *Cancionero para preescolares 2*).

• Caminaron y caminaron.
• La estrella les estaba enseñando cómo llegar a la casa de Jesús.
• Por fin vieron la casa.
• La estrella estaba sobre la casa.

(Haga una pausa en la historia para cantar "Estrellita de Belén".)

• Los camellos se pararon.
• Los hombres se bajaron.
• Entraron a la casa.
• Se sentían felices.
• Jesús estaba adentro de la casa.
• Dieron regalos especiales a Jesús.
• Le dieron un perfume especial.
• Le dieron oro.
• Adoraron a Jesús.
• Dieron gracias a Dios porque Jesús había nacido.
• La madre de Jesús estaba sorprendida, pero feliz.
• Yo estoy contenta porque Jesús nació.
• "Gracias, Dios, por haber enviado a Jesús".

Cante "Tiempo atrás", estrofas 1, 4, 5. Después de cantar, muestre las figuras de los "reyes magos" en el franelógrafo. Dé a los niños algunas de las batas y sábanas, y déjelos actuar la historia de los reyes magos yendo a ver a Jesús para darle regalos.

Muestre a los niños una tarjeta de Navidad y dígales que a veces enviamos tarjetas de Navidad a otras personas para decirles lo felices que estamos porque Jesús nació. Luego muéstreles la hoja del alumno y explique que será una tarjeta de Navidad que pueden hacer. Converse acerca del dibujo de Jesús en la parte de enfrente y de sus amigos especiales en la parte de adentro. Pídales que le digan acerca de los regalos que le dieron a Jesús. Lea lo que dice la tarjeta. Pregúnteles a quién les gustaría dar su tarjeta. Diga: "Están regalando una tarjeta para celebrar que Jesús nació. Están haciendo lo mismo que hicieron los amigos de Jesús". Déles los crayones para colorear la tarjeta. Cuando terminen de colorear, pueden necesitar ayuda para doblar la tarjeta en la línea quebrada, doblándola a la mitad a lo largo y luego a lo ancho.

4 Actividades de reforzamiento

5 Preparación para ir a casa

Mientras espera la llegada de los padres, guíelos en este juego:

Soy un corderito muy suavecito (póngase a gatas y dé un cabezazo balando).
A quien los pastores cuidaban (pretenda dar una palmadita a un corderito).
Soy un ángel en el cielo que cantó (pretenda cantar).
Para que los pastores pudieran ir a ver a Jesús (corra allí mismo en su lugar).
Soy un pequeño camello con una gran giba (agáchese doblando la cintura).
¡Los amigos de Jesús viajaron arriba de mí para buscarlo! (pretenda que viaja en un camello).
Soy una estrella brillante (abra y cierre las manos como una estrella que parpadea).
Que mostró a los amigos de Jesús cómo encontrar su camino (ponga las manos sobre los ojos como si estuviera buscando algo).
Soy un(a) niño(a) pequeño(a) (los niños se señalan a sí mismos).
Que está contento porque Jesús nació (brinque para arriba y para abajo y aplauda).

Unidad 11
Ser como
Jesús es
celebrar la
Navidad

ESTUDIO **52**

2, 3
años

Todos estamos felices porque Jesús nació

Objetivo de la unidad:
Que los alumnos sepan que Jesús nació.

Objetivo de la lección:
Que los alumnos se sientan felices porque Jesús nació.

Versículo clave de la unidad:
"Canten a Dios con alegría".
Salmo 98:4, (DHH).

Preparación:
Tenga a la mano la lámina No. 2 del paquete de Ayudas Didácticas para poner como centro de atención en la pared.
Así mismo, prepare tarjetas navideñas que sirvan para enfatizar la alegría de todos por el nacimiento de Jesús.
Con una copia del cuadro donde está Jesús, María y José, prepare un rompecabezas.
Vuelva a usar el franelógrafo del estudio 51. Tenga a la mano figuras de ángeles, pastores, magos y de María y José.
Tenga a la mano las láminas 11-20 de las Ayudas Didácticas.

Preparación espiritual del maestro

Con este terminamos la unidad 11 y la serie de 52 estudios. En su preparación espiritual, haga un recuento de las bendiciones que usted como maestro(a) recibió durante su desempeño. Agradezca en oración al Señor por la oportunidad de haber servido a los niños que estuvieron bajo su cuidado. Si usted pudo percibir alguna necesidad en las familias de los niños, ore por los padres y haga un plan para platicar con ellos y ponerse a su servicio si acaso pudiera ayudar en algo. Lea el Salmo 117 y termine este tiempo con una oración de alabanza a Dios.

1 Actividades de motivación

Cuando reciba a los niños entrégueles una tarjeta de Navidad y dígales: "Todos estamos felices porque nació Jesús. Así como los ángeles, José y María, nosotros también nos gozamos porque Jesús nació". Hable con los padres diciendo: "También estamos felices porque estamos concluyendo una serie de 52 estudios".
Agradezca a los padres el esfuerzo que hicieron al traer a los niños a la reunión y anímeles a seguir haciéndolo durante la siguiente serie de estudios.
Póngase a las órdenes de los padres de los niños para asegurarles su apoyo espiritual y docente para el desarrollo de los niños.

2 Centros de interés

Rompecabezas/Juego: Organice un tiempo para que los niños se dediquen a armar el rompecabezas donde aparecen Jesús, María y José.
Franelógrafo: Ponga en la pared el frenelógrafo y pida a niños de los mayorcitos que coloquen en el mismo las figuras de ángeles, pastores, magos y de María y José, obviamente incluyan una figura del niño Jesús. Al tiempo que estén colocando las distintas figuras, platique con los niños enfatizando el hecho de que todo mundo se pone feliz por el nacimiento de Jesús.
Arte: Con la ayuda de los mayorcitos coloque en la pared pegadas con cinta adhesiva las cartulinas de Ayudas Didácticas de la 11 a la 20. Esto para mostrar por medio de esas gráficas la serie de estudios que hoy culminan. Al ir colocándolas puede mencionar brevemente de qué trataban los estudios correspondientes a las diferentes cartulinas. Esto servirá de repaso.

3 Enseñanza de la Biblia

Lleve a los niños en un "paseo" por los lugares donde colocará las láminas 11-20 de las Ayudas Didácticas.
En cada una de ellas, comenzando con la 11, recuérdeles que Dios hizo las frutas.
• Dios hizo las uvas, las uvas son ricas.
• Dios hizo las manzanas, las manzanas ayudan a que seamos más fuertes.
• Dios hizo los plátanos (bananas).
• Dios hizo las fresas.
(Luego coloquen la siguiente lámina [12] y recuerden la historia del arca de Noé.

Tomando en cuenta la edad de sus niños, use un vocabulario sencillo y claro.

Al ir repasando algunas de las enseñanzas que tuvieron a lo largo de la serie, procure analizar cuánto de ello ha quedado permanente en la mente de los niños. Si es necesario, tome algunos minutos para explicar algunos conceptos que podrían estar algo confusos. Use la repetición como método constantemente, a los niños de esta edad les gusta repetir lo que han aprendido. Enfatice en este estudio el hecho de que Dios creo todas las cosas y la importancia del nacimiento de Jesús.

Aplicación a la vida

Al finalizar el estudio de hoy los niños deberán aplicar a su vida las enseñanzas centrales de la serie.

1. Ante todo deberán poder demostrar su alegría por el nacimiento de Cristo.

2. Deberán recordar siempre que Dios creó todas las cosas y a ellos mismos.

3. Se espera que los niños sientan el amor de sus maestros que se ha demostrado a lo largo de los estudios. Ello abre una puerta de oportunidad para los maestros para seguir ministrando a esos niños y sus familias aun fuera del aula de clase.

- Noé y sus ayudantes construyeron un gran barco.
- Allí metieron muchos animalitos para cuidarlos.
- Cuando cayó mucha lluvia, a los animalitos y las personas no les pasó nada.
- Dios nos cuida.

(Ahora coloquen la lámina 13 de las Ayudas Didácticas).

- Ahora hablemos del templo.
- El templo es un lugar muy lindo.
- Nos gusta ir al templo.

(Coloquen la lámina 15 y hábleles de los diferentes niños en el mundo).

- Hay otros niños diferentes a nosotros en otras partes del mundo.
- Dios ama a todos.

(Coloquen la lámina 16 y hábleles de la importancia de ayudar en el hogar).

- Es bueno ayudar a mamá y a papá en las tareas de la casa.
- Dios quiere que seamos buenos ayudantes.

(Coloquen la lámina 17 y repase el estudio: Jesús obedeció a sus padres).

- Jesús obedeció a sus padres.
- Nosotros también podemos obedecer a nuestros padres.

(Coloquen la lámina 19 y repase brevemente el hecho del nacimiento de Jesús).

- Los pastores estaban felices porque Jesús nació.
- Los ángeles cantaron felices por el nacimiento del bebé Jesús.
- Los hombres de lejanas tierras trajeron regalos para Jesús.

(Finalmente, repase el último estudio: Todos estamos felices porque nació Jesús).

- Así como los pastores, María y José, nosotros también estamos contentos porque nació Jesús.
- Cantemos con alegría porque nació Jesús. (Canten ¡Oh Santísimo, felicísimo...).
- Oremos dando gracias a Dios por las cosas creadas.
- Demos gracias también por el amor de nuestros padres y maestros.

El repaso anterior cumplió la función de reforzamiento. Así que en este espacio simplemente exprese frases en las que ayuda a los niños a sentirse felices por haber tenido la oportunidad de aprender bajo su cuidado. Indique a los niños que algunos de ellos ya no seguirán estudiando con este mismo grupo. Dígales que irán a conocer a otros amiguitos y a otros maestros.

4 Actividades de reforzamiento

5 Preparación para ir a casa

Pida a los niños mayorcitos que le ayuden a recoger todo lo que se ha usado para las diferentes actividades. (De esta manera estarán practicando el concepto de ayudadores).

Abrace a los niños y dígales cuánto les ama. Puede repetir: "Yo te amo, Jesús te ama, tus padres te aman".

Antes de que lleguen los padres hagan una breve oración de gratitud por la oportunidad de haber estado juntos durante tantas ocasiones.

Cuando lleguen los padres agradezca su tarea de llevar a los niños a la Escuela Dominical. Indique a los padres cuyos niños deberán ser promovidos a otro grupo quiénes serán los maestros de sus hijos.

Temas del libro 2
para niños de 0-1 año

Unidad 1: Ser como Jesús es saber que soy especial
(Basado en la historia de José)

1. Dios me hizo especial
2. Mis padres me aman
3. Estoy creciendo
4. Puedo hacer muchas cosas
5. Puedo aprender muchas cosas

Unidad 2: Ser como Jesús es ser parte de una familia

6. Soy parte de una familia
7. Vivo con mi familia
8. Amo a mi familia
9. Comparto con mi familia

Unidad 3: Ser como Jesús es disfrutar del mundo de Dios

10. Me gusta el sol, la luna y las estrellas
11. Me gusta el viento y la lluvia
12. Me gustan las plantas
13. Me gustan los animales
14. Me gustan las personas

Unidad 4: Ser como Jesús es saber que Dios está conmigo

15. Dios está conmigo en casa
16. Dios está conmigo afuera
17. Dios está conmigo durante el día
18. Dios está conmigo durante la noche

Unidad 5: Ser como Jesús es estar feliz en el templo

19. Estoy feliz de estar con mis maestros
20. Estoy feliz de estar con mis amigos
21. Me gusta escuchar la música
22. Me gusta escuchar de Jesús

Unidad 6: Ser como Jesús es saber que la Biblia es especial

23. La Biblia dice que Dios me ama
24. La Biblia dice que Dios me hizo
25. La Biblia dice que Dios me ayuda
26. La Biblia dice que Dios está conmigo

Unidad 7: Ser como Jesús es conocerle mejor

27. Sé que Jesús es una persona
28. Sé que Jesús me ama
29. Sé que Jesús ama a todos
30. Sé que Jesús es especial

Unidad 8: Ser como Jesús es tener amigos

31. Mis amigos juegan conmigo
32. Mis amigos me visitan
33. Mis amigos cantan conmigo
34. Mis amigos escuchan historias conmigo

Unidad 9: Navidad

35. Un lugar para un bebé
36. Una camita para el bebé
37. Visitas para el bebé
38. Gracias por el bebé

Actividades complementarias y de repaso: Unidad 1

39. Puedo hacer muchas cosas
40. Puedo aprender muchas cosas

Actividades complementarias y de repaso: Unidad 2

41. Soy parte de una familia
42. Comparto con mi familia

Actividades complementarias y de repaso: Unidad 3

43. Me gusta el sol, la luna y las estrellas
44. Me gusta el viento y la lluvia
45. Me gustan los animales

Actividades complementarias y de repaso: Unidad 4

46. Dios está conmigo durante el día
47. Dios está conmigo durante la noche

Actividades complementarias y de repaso: Unidad 5

48. Me gusta escuchar la música
49. Me gusta escuchar de Jesús

Actividades complementarias y de repaso: Unidad 6

50. La Biblia dice que Dios me ama
51. La Biblia dice que Dios me hizo

Actividades complementarias y de repaso: Unidad 7

52. Mis amigos juegan conmigo

Temas del libro 2
para niños de 2 y 3 años

Unidad 1: Ser como Jesús es cuidar al mundo.

1. Cuido las plantas
2. Cuido a los animales
3. Cuido mi barrio
4. Cuido el templo
5. Cuido a mi persona

Unidad 2: Ser como Jesús es saber que Dios está conmigo

6. Dios está conmigo cuando estoy alegre
7. Dios está conmigo cuando estoy triste
8. Dios está conmigo cuando tengo miedo
9. Dios está conmigo cuando estoy enfermo

Unidad 3: Ser como Jesús es asistir al templo

10. Estoy con mis amigos en el templo
11. Mis maestros me enseñan en el templo
12. En el templo me hablan de Dios
13. Cantamos en el templo

Unidad 4: Ser como Jesús es leer la Biblia

14. Leemos la Biblia en mi hogar
15. Leemos la Biblia en el templo
16. Leemos la Biblia para saber lo que Dios dice
17. Leemos la Biblia para adorar a Dios

Unidad 5: Ser como Jesús es saber de él

18. Jesús vivía en una casa
19. Jesús ayudaba a sus padres
20. Jesús obedecía a sus padres
21. Jesús iba al templo